GWIAZD NASZYCH WINA

JOHN GREEN

GWIAZD NASZYCH WINA

przełożyła

Magda Białoń-Chalecka

BUKOWY LAS

Książka ta jest fikcją literacką, podobnie jak wszystkie opisane w niej postaci, miejsca i wydarzenia. Wszyscy jej bohaterowie są wytworem wyobraźni autora. Jakiekolwiek podobieństwo do prawdziwych zdarzeń, firm, miejsc oraz osób, żywych bądź zmarłych, jest całkowicie przypadkowe.

Tytuł oryginału: *The Fault In Our Stars*

This edition published by arrangement with Dutton Children's Books, a division of Penguin Young Readers Group, a member of Penguin Group (USA) Inc.

ISBN 978-83-64481-17-8

FOTOSY Z FILMU *GWIAZD NASZYCH WINA*: James Bridges
REDAKCJA: Sztuka i Słowo S.C.: Daria Demidowicz-Domanasiewicz
KOREKTA: Iwona Huchla
REDAKCJA TECHNICZNA: Adam Kolenda

WYDAWCA:
Wydawnictwo Bukowy Las Sp. z o.o.
ul. Sokolnicza 5/76, 53-676 Wrocław
www.bukowylas.pl, e-mail: biuro@bukowylas.pl

WYŁĄCZNY DYSTRYBUTOR:
Firma Księgarska Olesiejuk
Spółka z ograniczoną odpowiedzialnością Sp.j.
ul. Poznańska 91, 05-850 Ożarów Mazowiecki
tel. 22 721 30 11, fax 22 721 30 01
www.olesiejuk.pl, e-mail: fk@olesiejuk.pl

DRUK I OPRAWA: Opolgraf S.A.

Dla Esther Earl

Była pora przypływu. Holenderski Tulippan stał zwrócony twarzą do oceanu.
– Łączy, odpowiada, truje, odkrywa i maskuje. Popatrz tylko, nadchodzi i odchodzi, zabierając wszystko ze sobą.
– Co to takiego? – zapytałam.
– Woda – odparł Tulippan. – No i czas.

Peter van Houten, *Cios udręki*

Od autora

To właściwie nie ma być nota od autora, lecz przypomnienie tego, co zostało napisane drobnym drukiem kilka stron wcześniej: niniejsza książka jest dziełem fikcyjnym. Wymyśliłem ją.

Ani powieści, ani ich czytelnicy nie zyskują na dociekaniach, jakie fakty może skrywać dana historia. Właściwie tego typu usiłowania podważają koncepcję, że zmyślone opowieści mogą mieć jakiekolwiek znaczenie, a przecież stanowi ona podstawowe założenie naszego gatunku.

Będę zatem wdzięczny za współpracę w tej materii.

1

Pod koniec zimy siedemnastego roku mojego życia mama stwierdziła, że wpadłam w depresję. Zapewne doszła do tego wniosku, bo rzadko wychodziłam z domu, spędzałam długie godziny w łóżku, ciągle czytałam tę samą książkę, mało co jadłam i całkiem sporo wolnego czasu, którego miałam w nadmiarze, poświęcałam na rozmyślania o śmierci.

W każdej ulotce, na każdej stronie internetowej i w ogóle we wszelkich materiałach dotyczących raka wśród efektów ubocznych choroby zawsze wymieniana jest depresja. Lecz tak naprawdę ona nie jest skutkiem ubocznym raka. Depresja jest skutkiem ubocznym umierania. (Zresztą rak też jest skutkiem ubocznym umierania. Właściwie prawie wszystko nim jest).Tak czy siak, mama uznała, że potrzebuję pomocy, więc zawiozła mnie do lekarza rodzinnego, doktora Jima, który przyznał, że rzeczywiście tonę w totalnie obezwładniającej depresji klinicznej, a zatem należy zaordynować mi odpowiednie leki, a ponadto wysłać mnie na cotygodniowe zajęcia grupy wsparcia.

Do grupy, której skład bezustannie się zmieniał, należeli młodzi ludzie na różnych etapach rozwoju choroby nowotworowej. Dlaczego jej skład się zmieniał? Efekt uboczny umierania.

Oczywiście, spotkania grupy były koszmarnie przygnębiające. Odbywały się co środa w podziemiu kościoła episkopalnego, mieszczącego się w kamiennym gmachu zbudowanym na planie krzyża. Siadaliśmy wszyscy w kręgu, w samym środku tego krzyża, dokładnie tam, gdzie nałożyłyby się na siebie dwie belki i gdzie znalazłoby się serce Jezusa.

Zwróciłam na to uwagę, ponieważ Patrick, lider grupy wsparcia i jej jedyny pełnoletni uczestnik, na każdym koszmarnym spotkaniu mówił o uświęconym Sercu Jezusa i o tym, jak to my, młodzi chorzy na raka, siedzimy dokładnie w samym jego środku i tak dalej.

A oto jak przebiegały spotkania w Sercu Bożym: sześcioro, siedmioro albo dziesięcioro nastolatków wchodziło/wjeżdżało na wózkach do sali, raczyło się nędznym poczęstunkiem złożonym z ciasteczek i lemoniady, siadało w Kręgu Zaufania i wysłuchiwało Patricka, który po raz tysięczny relacjonował przygnębiającą historię swojego życia, czyli mówił o tym, że miał nowotwór jąder i lekarze uważali, że umrze, ale nie umarł, i proszę – oto on, nadal żywy, zupełnie dorosły, w kościelnej piwnicy, w sto trzydziestym siódmym najładniejszym mieście Ameryki, rozwiedziony, uzależniony od gier komputerowych, niemający przyjaciół, ledwie wiążący koniec z końcem dzięki eksploatowaniu swojej nowotworowej przeszłości, mozolnie dążący do zdobycia dyplomu magisterskiego, choć on i tak nie poprawi jego perspektyw zawodowych, czekający, jak my wszyscy, na miecz Damoklesa, niosący wyzwolenie, któremu umknął wiele lat temu, gdy rak odebrał mu oba jajka, lecz oszczędził to, co tylko najbardziej wspaniałomyślny człowiek mógłby nazwać życiem.

I TY TEŻ MOŻESZ MIEĆ TYLE SZCZĘŚCIA!

Potem się przedstawialiśmy: Imię. Wiek. Diagnoza. I jak się dzisiaj czujemy. Jestem Hazel, mówiłam, gdy nadchodziła moja kolej. Szesnaście lat. Pierwotnie rak tarczycy, z imponującą satelitarną kolonią od dawna osiadłą w płucach. I czuję się dobrze.

Gdy już prezentacje obeszły całe kółko, Patrick zawsze pytał, czy ktoś chciałby się podzielić swoimi przeżyciami. I wówczas zaczynało się prawdziwe pandemonium wsparcia: wszyscy opowiadali o sile, walce i wygrywaniu, o remisji i tomografii. Muszę oddać sprawiedliwość Patrickowi: pozwalał nam też mówić o śmierci. Ale większość obecnych nie umierała. Większość miała dożyć wieku dorosłego, tak jak on.

(Co oznaczało, że wszystko to było podszyte sporą dozą rywalizacji, ponieważ każdy chciał pokonać nie tylko nowotwór, ale też pozostałych obecnych w sali. Zdaję sobie sprawę, że to nieracjonalne, ale kiedy ci oznajmiają, że masz na przykład dwadzieścia procent szans na przeżycie pięciu lat, włącza się matematyka i uświadamiasz sobie, że to jak jeden do pięciu... Rozglądasz się więc i kalkulujesz tak, jak by to zrobiła każda zdrowa osoba: muszę przeżyć czworo z tu obecnych).

Jedynym pozytywnym akcentem na tych spotkaniach był chłopak imieniem Isaac, chudy młodzieniec o pociągłej twarzy i prostych, jasnych włosach opadających na jedno oko. To właśnie oczy były jego problemem. Trafił mu się jakiś fantastycznie nieprawdopodobny nowotwór oczu. Jedno usunięto mu, gdy był dzieckiem, a teraz nosił koszmarnie grube okulary, przez które jego oczy (i to prawdziwe, i to szklane) wyglądały na nadnaturalnie ogromne, tak jakby cała głowa składała się głównie z gałek ocznych. Z tego, czego zdołałam się dowiedzieć przy tych rzadkich okazjach, kiedy Isaac dzielił się przeżyciami z grupą, nawrót choroby stanowił śmiertelne zagrożenie dla jego drugiego oka.

Porozumiewaliśmy się z Isaakiem niemalże wyłącznie za pomocą westchnień. Za każdym razem, gdy ktoś rekomendował nową dietę antynowotworową, wdychanie zmielonej płetwy rekina czy coś w tym rodzaju, chłopak zerkał na mnie i wzdychał dyskretnie. Ja nieznacznie kręciłam głową i wzdychałam w odpowiedzi.

A zatem grupa wsparcia była kompletnie denna i po kilku tygodniach na samą myśl o niej miałam ochotę kopać i wrzeszczeć. Akurat tej środy, kiedy miałam poznać Augustusa Watersa, siedziałam na kanapie z mamą i oglądałam trzeci etap dwunastogodzinnego maratonu z poprzedniego sezonu *America's Next Top Model* (który, prawdę mówiąc, już widziałam, ale co tam), wszelkimi sposobami usiłując się wykręcić od wyjścia z domu.

Ja: Odmawiam chodzenia na grupę wsparcia.

Mama: Jednym z symptomów depresji jest brak zainteresowania formami aktywnego spędzania czasu.

Ja: Proszę, pozwól mi oglądać *America's Next Top Model.* To jest aktywne spędzanie czasu.

Mama: To jest pasywne spędzanie czasu.

Ja: Mamo! Proszę.

Mama: Hazel, jesteś już nastolatką, nie małym dzieckiem. Musisz mieć przyjaciół, wychodzić z domu i prowadzić normalne życie.

Ja: Jeżeli chcesz, żebym była nastolatką, nie posyłaj mnie na grupę wsparcia. Kup mi fałszywy dowód osobisty, żebym mogła chodzić do klubów, pić wódkę i brać haszysz.

Mama: Zacznijmy od tego, że haszyszu się nie bierze.

Ja: Widzisz, wiedziałabym takie rzeczy, gdybyś załatwiła mi fałszywy dowód.

Mama: Pójdziesz na grupę wsparcia.

Ja: Błeee!

Mama: Hazel, zasługujesz na normalne życie.

To zamknęło mi usta, choć nie bardzo rozumiałam, jak uczestniczenie w spotkaniach grupy wsparcia wpasowuje się w definicję „normalnego życia". Zgodziłam się pójść – jednak najpierw wynegocjowałam prawo do nagrania półtora odcinka programu, który miał mnie ominąć.

Chodziłam na grupę wsparcia z tych samych powodów, z których pozwalałam pielęgniarkom po zaledwie półtorarocznej edukacji truć mnie chemikaliami o egzotycznych nazwach: chciałam zadowolić rodziców. Na tym świecie jest tylko jedna rzecz okropniejsza niż umieranie na raka w wieku szesnastu lat, a jest nią posiadanie dziecka, które na tego raka umiera.

Mama zaparkowała na okrągłym podjeździe z tyłu kościoła o 16.56. Udawałam, że poprawiam coś przy butli z tlenem, żeby zyskać chociaż sekundę.

– Chcesz, żebym ci to zaniosła?

– Nie trzeba – odrzekłam. Cylindryczny zielony zbiornik ważył tylko kilka kilogramów, a poza tym i tak ciągnęłam go za sobą na małym metalowym wózku. Butla dostarczała mi dwa litry tlenu na minutę za pośrednictwem wąsów tlenowych – przejrzystej rurki, która rozdzielała się na karku, zawijała za uszami i ponownie łączyła pod nosem. Całe to urządzenie było niezbędne, ponieważ moje płuca w roli płuc spisywały się beznadziejnie.

– Kocham cię – powiedziała mama, gdy wysiadłam.

– Ja ciebie też, mamo. Do zobaczenia o szóstej.

– Zaprzyjaźnij się z kimś! – zawołała przez opuszczone okno, kiedy się oddalałam.

Nie chciałam jechać windą, ponieważ jazda windą w grupie wsparcia to czynność symptomatyczna dla Ostatnich Dni. Zeszłam więc po schodach. Wzięłam sobie ciastko, nalałam trochę lemoniady do plastikowego kubka, a potem się odwróciłam.

Patrzył na mnie chłopak.

Na pewno nigdy wcześniej go nie widziałam. Był wysoki i smukły, choć muskularny. Plastikowe krzesełko, jakich używają dzieci w podstawówce, wydawało się pod nim śmiesznie małe. Miał mahoniowe włosy, proste i krótkie. Wyglądał, jakby był w moim wieku, może o rok starszy. Siedział, opierając się kością ogonową o krawędź krzesła, w pozie agresywnie niedbałej, z jedną dłonią do połowy wsuniętą do kieszeni ciemnych dżinsów.

Odwróciłam wzrok, nagle świadoma swoich rozlicznych niedoskonałości. Miałam na sobie stare dżinsy, które niegdyś były obcisłe, ale teraz wisiały w niewłaściwych miejscach, oraz żółtą koszulkę z emblematem zespołu, którego już nawet nie lubiłam. Do tego ta fryzura: byłam ostrzyżona na pazia i nawet się nie pofatygowałam, żeby przed wyjściem przeczesać włosy szczotką. Co więcej, miałam śmiesznie okrągłe policzki – efekt uboczny terapii. Wyglądałam jak proporcjonalnie zbudowana osoba z balonem zamiast głowy. Nie wspominając o opuchniętych kostkach u nóg. Znów zerknęłam na niego i okazało się, że nadal mnie obserwuje.

Przyszło mi do głowy, że nareszcie rozumiem, dlaczego to się nazywa k o n t a k t wzrokowy.

Weszłam w krąg i usiadłam przy Isaacu, w odległości dwóch krzeseł od tamtego chłopaka. Znów zerknęłam. A on wciąż na mnie patrzył.

Powiem wprost: był przystojny. Jeśli nieatrakcyjny chłopak uporczywie się w ciebie wgapia, to w najlepszym wypadku uznajesz jego zachowanie za krępujące, a w najgorszym za formę napastowania. Ale przystojny chłopak... no cóż.

Wyjęłam telefon i nacisnęłam przycisk, żeby sprawdzić godzinę – 16.59. Krąg zapełnił się nieszczęśnikami w wieku od dwunastu do osiemnastu lat, a potem Patrick rozpoczął od modlitwy o pogodę ducha: „Panie, daj mi siłę, abym zmienił to, co zmienić mogę; daj mi cierpliwość, abym zniósł to, czego zmienić nie mogę, i daj mi mądrość, abym odróżnił jedno od drugiego". A ten facet nadal się we mnie wpatrywał. Poczułam, że się rumienię.

W końcu uznałam, że najodpowiedniejsza strategia to też zacząć się gapić. Przecież chłopaki nie mają monopolu na takie zachowanie. Zatem wpiłam się w niego przenikliwym wzrokiem, podczas gdy Patrick po raz tysięczny opowiadał o swojej bezjajeczności i tak dalej. Rozpoczęliśmy pojedynek na spojrzenia. Po chwili przystojniak uśmiechnął się i wreszcie zwrócił swoje błękitne oczy w inną stronę. Kiedy znów na mnie popatrzył, uniesieniem brwi oznajmiłam: „Ja wygrałam".

Wzruszył ramionami. Patrick mówił dalej, aż w końcu nadszedł czas na przedstawienie się.

– Isaac, może ty będziesz dzisiaj pierwszy. Wiem, że czekają cię trudne chwile.

– Tja – potwierdził Isaac. – Na imię mi Isaac. Mam siedemnaście lat. I wygląda na to, że za kilka tygodni przejdę operację, po której stracę wzrok. Nie żebym narzekał czy coś, ponieważ wiem, że wielu z nas ma gorzej, ale cóż, bycie ślepcem jest do bani. Jakoś daję radę dzięki pomocy mojej dziewczyny. I takich przyjaciół jak Augustus. – Skinął głową w stronę chłopaka, który w ten sposób zyskał imię. – No i tak... – westchnął. Patrzył teraz na swoje dłonie, które złożył w kształt tipi. – Nic nie można na to poradzić.

– Możesz na nas polegać, Isaacu – odezwał się Patrick. – Powiedzcie to Isaacowi. Wszyscy monotonnym głosem wyskandowaliśmy:

– Możesz na nas polegać.

Następnie przyszła kolej na Michaela. Dwanaście lat. Białaczka. Od zawsze chorował na białaczkę. Czuł się dobrze. (A przynajmniej tak twierdził. Przyjechał windą).

Lida miała szesnaście lat i była dość ładna, by nasz przystojniak mógł zawiesić na niej oko. Była stałą członkinią grupy – miała właśnie długi okres remisji nowotworu wyrostka robaczkowego. Do tej pory nie wiedziałam, że coś takiego w ogóle istnieje. Powiedziała – jak za każdym poprzednim razem, kiedy brałam udział w spotkaniu – że czuje się s i l n a. Odebrałam to jako przechwałkę, czując, jak delikatny strumień tlenu łaskocze mnie w nozdrza.

Jeszcze pięć innych osób musiało się przedstawić, zanim dotarliśmy do niego. Uśmiechnął się lekko. Głos miał niski, chrapliwy i zabójczo seksowny.

– Nazywam się Augustus Waters – oznajmił. – Mam siedemnaście lat. Półtora roku temu zawarłem przelotną znajomość z kostniakomięsakiem, ale dziś przyszedłem tutaj na prośbę Isaaca.

– A jak się czujesz? – zapytał Patrick.

– O, świetnie. – Augustus Waters uśmiechnął się kątem ust. – Jak na rollercoasterze, który cały czas jedzie w górę, przyjacielu.

Gdy nadeszła moja kolej, powiedziałam:

– Jestem Hazel. Mam szesnaście lat. Guz tarczycy z przerzutami do płuc. Czuję się dobrze.

Godzina mijała szybko. Omawiano walki, zwycięskie bitwy w wojnach skazanych na przegraną. Żywiono się nadzieją. Wychwalano i potępiano rodziny. Uzgodniono, że przyjaciele po prostu tego nie rozumieją. Popłynęły łzy. Zaoferowano pocieszenie. Ani Augustus Waters, ani ja nie odzywaliśmy się, dopóki Patrick nie zaproponował:

– Augustusie, może zechciałbyś podzielić się z grupą swoimi obawami.

– Moimi obawami?

– Tak.

– Boję się zapomnienia – wyznał bez chwili wahania. – Boję się tego niczym ślepiec ciemności.

– Za wcześnie na takie uwagi – wtrącił Isaac z lekkim uśmiechem.

– Wyraziłem się niedelikatnie? – zafrasował się Augustus. – Potrafię być ślepy na uczucia innych ludzi.

Isaac zaśmiał się, ale Patrick uniósł palec w karcącym geście.

– Augustusie, proszę, wróćmy do ciebie i twoich walk. Powiedziałeś, że boisz się zapomnienia?

– Tak – potwierdził chłopak.

Patrick wyglądał na zagubionego.

– Czy, hm, czy ktoś chciałby jakoś to skomentować?

Nie chodziłam do normalnej szkoły od trzech lat. Moimi najlepszymi przyjaciółmi byli rodzice. Trzecim przyjacielem był pisarz, który nie miał nawet pojęcia o moim istnieniu. Należałam do osób raczej nieśmiałych, nie do takich, które w klasie ciągle siedzą z ręką w górze.

A mimo to tym razem postanowiłam się odezwać. Niepewnie podniosłam dłoń i Patrick, wyraźnie zachwycony, natychmiast zawołał:

– Hazel!

Na pewno uznał, że się wreszcie otworzyłam, że staję się Częścią Grupy.

Popatrzyłam na Augustusa Watersa, który odwzajemnił moje spojrzenie. Oczy miał tak błękitnie, że aż przejrzyste.

– Nadejdzie czas – zaczęłam – gdy wszyscy będziemy martwi. Nadejdzie czas, gdy nie pozostanie ani jeden człowiek, który by pamiętał, że ktokolwiek kiedykolwiek żył czy że nasz gatunek czegokolwiek dokonał. Nie pozostanie nikt, kto by pamiętał Arystotelesa lub Kleopatrę, a co dopiero ciebie. Wszystko, co zrobiliśmy, zbudowaliśmy, napisaliśmy, wymyśliliśmy albo odkryliśmy, pójdzie w zapomnienie, a to – wykonałam szeroki gest – zupełnie straci sens. Może ta chwila nadejdzie szybko, a może jest odległa o miliony lat, ale nawet jeśli przetrwamy śmierć naszego słońca, nie będziemy istnieć wiecznie. Był czas, gdy organizmy nie miały świadomości, i nadejdzie czas, gdy znów będą jej pozbawione. Nie myśl o tym, że zapomnienie jest nieuniknione. Wierz mi, że wszyscy tak robią.

Dowiedziałam się tego od wspomnianego wcześniej trzeciego najlepszego przyjaciela, Petera van Houtena, żyjącego w odosobnieniu autora *Ciosu udręki*, książki w moim mniemaniu najbliższej Biblii. Peter van Houten był jedynym znanym mi człowiekiem, który zdawał się (a) rozumieć, jak to jest umierać, lecz (b) jednak nie umrzeć.

Kiedy skończyłam, zapadła dość długa cisza, a ja patrzyłam, jak na twarz Augustusa wypełza uśmiech – nie krzywy uśmieszek chłopaka, który chciał wyglądać seksownie, gdy się we mnie wgapiał, ale prawdziwy uśmiech, wręcz za szeroki na jego twarz.

– Niech to gęś! – powiedział cicho. – Niezły z ciebie numer.

Żadne z nas nie odezwało się więcej do zakończenia spotkania. Na koniec musieliśmy wszyscy wziąć się za ręce i Patrick odmówił modlitwę.

– Panie Jezu Chryste, zebraliśmy się tutaj w Twoim Sercu, dosłownie w Twoim Sercu, ponieważ dotknęła nas choroba. Tylko Ty znasz nas tak dobrze, jak my znamy siebie. Poprowadź nas ku życiu i światłu przez ten czas próby. Modlimy się za oczy Isaaca, za krew Michaela i Jamiego, za kości Augustusa, za płuca Hazel, za krtań Jamesa. Modlimy się, byś nas uzdrowił i byśmy odczuli Twój pokój i Twoją miłość, która przekracza wszelkie zrozumienie. Nosimy w sercach tych, których znaliśmy i kochaliśmy, a którzy odeszli do Twego domu: Marię, Kade'a, Josepha, Haley, Abigail, Angelinę, Taylor, Gabriela...

Lista była długa. Wielu ludzi na tym świecie już zmarło. I podczas gdy Patrick monotonnym głosem odczytywał litanię imion z kartki papieru, ponieważ była za długa, żeby nauczyć się jej na pamięć, ja z zamkniętymi oczami starałam się zachować modlitewny nastrój, ale przede wszystkim wyobrażałam sobie dzień, w którym moje imię znajdzie się w tym zestawieniu, na samym jego końcu, gdy wszyscy już przestają słuchać.

Kiedy Patrick umilkł, wygłosiliśmy tę durną mantrę – BĘDĘ ŻYŁ DZIŚ NAJLEPIEJ, JAK POTRAFIĘ – i spotkanie dobiegło końca. Augustus Waters dźwignął się z krzesła i podszedł do mnie. Chód miał tak samo krzywy jak uśmiech. Był ode mnie znacznie wyższy, ale stanął w pewnej odległości, więc nie musiałam odchylać głowy, by spojrzeć mu w oczy.

– Jak się nazywasz? – zapytał.

– Hazel.

– A pełne nazwisko?

– Hazel Grace Lancaster.

Już miał powiedzieć coś więcej, kiedy podszedł do nas Isaac.

– Poczekaj chwilę – poprosił Augustus, unosząc palec, a potem zwrócił się do kolegi: – Było znacznie gorzej, niż uprzedzałeś.

– Mówiłem ci, że to przygnębiające.

– To po co bierzesz w tym udział?

– Nie wiem. Może trochę pomaga?

Augustus spytał go na ucho, myśląc, że nie usłyszę:

– Czy ona często tu przychodzi?

Nie dosłyszałam odpowiedzi Isaaca, ale Augustus rzekł:

– Rozumiem. – Ujął przyjaciela za oba ramiona i cofnął się pół kroku. – Opowiedz Hazel, co się wydarzyło w klinice.

Isaac oparł się dłonią o stolik z przekąskami i skupił na mnie spojrzenie swojego wielkiego oka.

– Dobra. Poszedłem rano do kliniki i wyznałem chirurgowi, że wolałbym być głuchy niż ślepy. A on na to: „To nie działa w ten sposób", więc ja: „Tja, rozumiem, że to tak nie działa. Mówię tylko, że wolałbym być głuchy niż ślepy, gdybym miał wybór, choć przecież wiem, że go nie mam". A facet odpowiedział: „Dobra wiadomość jest taka, że nie będziesz głuchy". Odrzekłem więc: „Dziękuję za zapewnienie, że nie ogłuchnę z powodu raka oka. Mam wielkie szczęście, że taki intelektualny gigant jak pan zgodził się mnie operować".

– Prawdziwy kozak – uznałam. – Postaram się zachorować na nowotwór oka, żeby tylko go poznać.

– Powodzenia. No dobra, muszę lecieć. Czeka na mnie Monica. Chcę się na nią napatrzeć, póki mogę.

– Gramy w Counterinsurgence jutro? – zapytał Augustus.

– No pewnie. – Isaac okręcił się na pięcie i wbiegł na górę, przeskakując po dwa stopnie naraz.

Augustus odwrócił się do mnie.

– Dosłownie – powiedział.

– Dosłownie? – zdziwiłam się.

– Znajdujemy się dosłownie w Sercu Jezusa – wyjaśnił. – Myślałem, że to kościelna piwnica, a tymczasem to dosłownie Serce Jezusa.

– Ktoś powinien mu o tym powiedzieć – zauważyłam. – Chyba niebezpiecznie jest trzymać w swoim sercu młodzież chorą na raka.

– Sam bym mu powiedział – wtrącił Augustus – ale niestety dosłownie utknąłem w Jego Sercu, więc mnie nie usłyszy.

Zaśmiałam się. Pokręcił głową, spoglądając na mnie.

– Co? – zapytałam.

– Nic – odrzekł.

– To dlaczego tak na mnie patrzysz?

Uśmiechnął się półgębkiem.

– Bo jesteś piękna. Lubię patrzeć na pięknych ludzi, a jakiś czas temu postanowiłem nie odmawiać sobie prostych życiowych przyjemności. – Zapadła krótka niezręczna cisza. Augustus przebił się przez nią. – Zwłaszcza biorąc pod uwagę to, że wszystko i tak skończy się zapomnieniem, jak przed chwilą wyjątkowo klarownie wyłożyłaś.

Parsknęłam, westchnęłam czy może odetchnęłam, co i tak zabrzmiało jak kaszlnięcie, po czym zaprotestowałam:

– Nie jestem…

– Przypominasz zbuntowaną Natalie Portman. Natalie Portman z filmu *V jak vendetta*.

– Nie widziałam go.

– Naprawdę? – zdziwił się. – Piękna, rozczochrana dziewczyna zadziera z władzami i wbrew własnej woli zakochuje się w pewnym mężczyźnie, choć wie, że ma on kłopoty. Czy to nie brzmi jak twoja biografia?

Flirtował każdą sylabą. Mówiąc szczerze, ekscytował mnie. Nie wiedziałam nawet, że faceci mogą mnie ekscytować – nie w ten sposób, nie w rzeczywistości.

Obok nas przeszła jakaś młodsza dziewczynka.

– Jak leci, Aliso? – zapytał.

Uśmiechnęła się i wymamrotała:

– Cześć, Augustusie.

– Dziewczyna z Memoriala – wyjaśnił. Memorial był dużym szpitalem klinicznym. – A ty gdzie się leczysz?

– W Dziecięcym – odrzekłam, a mój głos zabrzmiał dużo słabiej, niż tego chciałam. Augustus pokiwał głową. Najwyraźniej rozmowa dobiegła końca. – No cóż… – powiedziałam, niepewnie wskazując głową schody, które miały nas wyprowadzić z Dosłownego Serca Jezusa. Przechyliłam wózek i ruszyłam. Augustus pokuśtykał obok mnie. – Do zobaczenia następnym razem – zasugerowałam.

– Powinnaś go obejrzeć – oznajmił. – To znaczy film *V jak vendetta*.

– Dobra. Postaram się.

– Nie. Ze mną. W moim domu – wyjaśnił. – Teraz.

Zatrzymałam się.

– Ledwie cię znam, Augustusie Watersie. Równie dobrze możesz maniakalnie mordować ludzi siekierą.

Pokiwał głową.

– Słusznie, Hazel Grace. – Minął mnie. Jego szerokie ramiona rozpychały zieloną koszulkę polo. Plecy miał proste, choć lekko przechylał się w prawo, z powodu protezy nogi, jak się domyśliłam. Kostniakomięsak czasami odbiera kończynę, żeby sobie spróbować człowieka. A jak mu posmakuje, bierze też resztę.

Poszłam za nim na górę, ale zostałam w tyle. Poruszałam się powoli, gdyż wchodzenie po schodach nie stanowiło ulubionego ćwiczenia dla moich płuc.

Potem wyszliśmy z Jezusowego Serca na parking. Wiosenne powietrze osiągnęło chłodną stronę doskonałości, a późnopopołudniowe słońce niebiańsko raniło nasze oczy*.

Mama jeszcze nie przyjechała, co wydało mi się dziwne, ponieważ do tej pory zawsze na mnie czekała. Rozejrzałam się i zauważyłam, jak wysoka, kształtna brunetka wgniata Isaaca w kamienną ścianę świątyni, całując go zaborczo. Znajdowali się na tyle blisko, że moich uszu dobiegały specyficzne dźwięki, które wydawali, a także słyszałam, jak on powtarza: „Zawsze", a ona odpowiada: „Zawsze".

Nagle koło mnie stanął Augustus i szepnął:

– Oni mocno wierzą w zasadę Publicznego Okazywania Uczuć.

* Nawiązanie do wiersza Emily Dickinson *Bywa światła Pochylenie*.

– O co chodzi z tym „zawsze"? – Siorbanie zyskało na intensywności.

– To ich motto. Będą się z a w s z e kochali i tak dalej. Ostrożnie szacując, powiedziałbym, że w ciągu ostatniego roku użyli tego słowa jakieś cztery miliony razy.

Podjechały kolejne dwa samochody, do których wsiedli Michael oraz Alisa. Zostaliśmy tylko ja i Augustus, obserwujący Isaaca i Monicę, którzy poczynali sobie coraz śmielej, jakby wcale nie opierali się o ścianę miejsca kultu. Isaac sięgnął do jej piersi pod koszulką i zaczął ją miętosić, trzymając dłoń nieruchomo i poruszając tylko palcami. Zastanawiałam się, czy to może być przyjemne. Wcale tak nie wyglądało, ale postanowiłam wybaczyć Isaacowi, ponieważ miał niedługo stracić wzrok. Zmysły muszą się nasycić, póki człowiek czuje jeszcze głód i tak dalej.

– Wyobraź sobie, że po raz ostatni jedziesz do szpitala – odezwałam się cicho. – Po raz ostatni w ogóle jedziesz samochodem.

Nie patrząc na mnie, Augustus odparł:

– Psujesz mi nastrój, Hazel Grace. Usiłuję obserwować pierwszą miłość z jej cudowną nieporadnością.

– Wydaje mi się, że on sprawia jej ból – zauważyłam.

– Tak, trudno orzec, czy próbuje ją podniecić, czy wykonać badanie piersi. – W tym momencie Augustus Waters sięgnął do kieszeni i wyjął – Panie, zlituj się – paczkę papierosów. Otworzył ją i włożył papierosa do ust.

– Ty tak na poważnie? – zdumiałam się. – Uważasz, że to jest fajne? O Boże, właśnie wszystko zniszczyłeś.

– Jakie wszystko? – zainteresował się, patrząc na mnie. Niezapalony papieros zwisał z kącika jego nieuśmiechniętych ust.

– Całą sytuację, kiedy to chłopak, który nie jest nieatrakcyjny, nieinteligentny czy nie do zaakceptowania w jakiś szczególnie widoczny sposób, gapi się na mnie, rozumie niewłaściwe użycie dosłowności, porównuje mnie do aktorek i zaprasza do swojego domu na film. Ale oczywiście musi istnieć jakaś hamartia, a twoja polega na tym, że, mój Boże, chociaż miałeś cholernego raka, płacisz korporacji za szansę na to, aby wyhodować sobie kolejnego. O mój Boże! Zapewniam cię, że problemy z oddychaniem wcale nie są fajne. Totalnie się rozczarowałam. Totalnie.

– Hamartia? – zapytał, nadal z papierosem w ustach, przez co zaciskał zęby. Niestety miał piękną linię szczęki.

– Tragiczna skaza – wyjaśniłam, odwracając się od niego. Ruszyłam do krawężnika, zostawiając Augustusa z tyłu, i wtedy usłyszałam, że nieopodal rusza jakiś samochód. To była mama. Pewnie czekała, żebym się z kimś zaprzyjaźniła czy coś w tym rodzaju.

Czułam, jak narasta we mnie ta dziwna mieszanina rozczarowania i złości. Nawet nie wiem tak naprawdę, co to było za uczucie, tylko że mnie przepełniało i że chciałam walnąć Augustusa, a równocześnie wymienić moje płuca na takie, które potrafią być płucami. Stałam w trampkach na samej krawędzi krawężnika z kulą na łańcuchu w postaci zbiornika z tlenem i dokładnie w chwili, gdy mama podjechała, poczułam, jak ktoś chwyta mnie za rękę.

Wyrwałam dłoń, ale odwróciłam się do niego.

– Nie zabijają, dopóki ich nie zapalisz – powiedział, kiedy samochód zatrzymał się przy nas. – A ja nigdy żadnego nie zapaliłem. Widzisz, to metafora: trzymasz w zębach czynnik niosący śmierć, ale nie dajesz mu mocy, by zabijał.

– Metafora – powtórzyłam z powątpiewaniem. Mama czekała.

– Owszem, metafora – zapewnił.

– Czyli wybierasz swoje zachowania ze względu na ich metaforyczny wydźwięk… – podsumowałam.

– O, tak. – Uśmiechnął się. Szerokim, głupkowatym, prawdziwym uśmiechem. – Głęboko wierzę w metafory, Hazel Grace.

Odwróciłam się do samochodu. Zastukałam w okno. Otworzyło się.

– Idę na film do Augustusa Watersa – powiedziałam. – Proszę, nagraj dla mnie kilka kolejnych odcinków maratonu *ANTM*.

2

Augustus prowadził katastrofalnie. Zarówno zatrzymywaniu, jak i ruszaniu towarzyszyło gwałtowne szarpnięcie. Pas toyoty SUV wrzynał się w moje ciało za każdym razem, gdy Augustus hamował, a moja głowa leciała w tył, gdy przyspieszał. Być może byłam zdenerwowana – w końcu jechałam z obcym chłopakiem do jego domu, boleśnie świadoma tego, że moje beznadziejne płuca utrudnią wszelkie próby obrony przed niechcianymi awansami – ale prowadził tak zaskakująco fatalnie, że właściwie nie myślałam o niczym innym.

Przejechaliśmy może półtora kilometra w szarpanym milczeniu, zanim się usprawiedliwił:

– Trzy razy oblałem egzamin na prawko.

– Nie mów!

Zaśmiał się, kiwając głową.

– No cóż, nie mam odpowiedniego wyczucia w protezie, a nie potrafię nauczyć się wciskać gaz lewą nogą. Lekarze twierdzą, że większość osób po amputacjach nie ma problemów z jeżdżeniem, ale... rozumiesz. Nie ja. W każdym razie wybrałem się na egzamin po raz czwarty i szło mi tak jak teraz. – Pół kilometra przed nami światło zmieniło się na czerwone. Augustus wdepnął hamulec, a ja

zawisłam w trójkątnych objęciach pasa bezpieczeństwa.
– Przepraszam. Przysięgam, że staram się być delikatny. No i pod koniec egzaminu byłem pewien, że znowu oblałem, a tymczasem instruktor powiedział: „Jazda z tobą jest nieprzyjemna, ale bezpieczna w sensie technicznym".

– Nie wiem, czy się z nim zgadzam – odpowiedziałam. – Wyczuwam w tym Bonus Rakowy.

Bonusy Rakowe to drobne przyjemności należne dzieciom z nowotworami i nienależne tym zdrowym: piłki do kosza z autografami sportowych sław, bezkarne nieodrabianie zadań domowych, niezasłużone prawo jazdy i tak dalej.

– Ta – powiedział. Zapaliło się zielone. Napięłam się, a Augustus wcisnął gaz do dechy.

– Wiesz, że są samochody z ręcznym sterowaniem dla ludzi, którzy nie mogą używać nóg? – zasugerowałam.

– Ta – powtórzył. – Może kiedyś. – Westchnął w sposób, który wzbudził we mnie wątpliwości, czy wierzy w jakiekolwiek „kiedyś". Wiedziałam, że kostniakomięsak jest w znacznym stopniu uleczalny, ale mimo to…

Istnieje wiele sposobów, żeby określić czyjeś przybliżone nadzieje na przeżycie, nie pytając wprost. Użyłam więc klasycznego:

– Chodzisz do szkoły?

Zazwyczaj rodzice w którymś momencie zabierają cię ze szkoły, najczęściej wtedy, kiedy spodziewają się, że niedługo kopniesz w kalendarz.

– Ta – potwierdził. – Do North Central. Ale straciłem rok i jestem w drugiej klasie. A ty?

Zastanawiałam się, czy nie skłamać. W końcu nikt nie lubi trupów. Ale w efekcie powiedziałam prawdę.

– Nie, rodzice wycofali mnie trzy lata temu.

– Trzy lata? – powtórzył ze zdumieniem.

Przedstawiłam Augustusowi w skrócie historię mojego Cudu: gdy miałam trzynaście lat, zdiagnozowano u mnie raka tarczycy czwartego stopnia. (Nie wspomniałam mu o tym, że postawiono diagnozę trzy miesiące po tym, jak dostałam pierwszą miesiączkę. Odebrałam to tak: Gratulacje! Stałaś się kobietą. A teraz możesz umrzeć). Powiedziano nam, że jest nieuleczalny.

Przeszłam operację o nazwie „radykalna limfadenektomia szyjna", która jest mniej więcej tak przyjemna jak jej nazwa. Potem były naświetlania. Następnie wypróbowali chemioterapię na guzach, które pojawiły się w płucach. Guzy zmalały, a potem urosły. Wówczas miałam już czternaście lat. Płuca zaczęły wypełniać się płynem. Wyglądałam dość koszmarnie – dłonie i stopy miałam spuchnięte jak balony, skórę popękaną, usta ciągle sine. Istnieje taki lek, dzięki któremu człowiek nie czuje się tak okropnie przerażony tym, że nie może oddychać, i mnóstwo tego wlewano w moje żyły przez wkłucie centralne, a prócz niego jeszcze kilka innych specyfików. Mimo to jest jednak coś nieprzyjemnego w tonięciu, zwłaszcza gdy odbywa się ono stopniowo przez kilka miesięcy. W końcu wylądowałam na OIOM-ie z zapaleniem płuc, a mama uklękła przy moim łóżku i zapytała: „Jesteś gotowa, skarbie?". Odpowiedziałam, że jestem. Tato tylko powtarzał, że mnie kocha, głosem nie tyle łamiącym się, ile złamanym. Mówiłam mu, że też go kocham. Wszyscy trzymaliśmy się za ręce, a ja nie mogłam złapać oddechu. Moje płuca walczyły desperacko, rzęziły, wypychały mnie z łóżka w poszukiwaniu pozycji, która zapewni im choć trochę powietrza, a ja byłam zażenowana ich desperacją, zdegustowana, że po prostu nie odpuszczą. Pamiętam, jak mama mówiła, że jest dobrze, że ze mną jest dobrze, że będzie dobrze, a ojciec tak bardzo starał się nie płakać, że kiedy w końcu zanosił się szlochem, co zdarzało się regularnie, brzmiał on jak prawdziwe trzęsienie ziemi. I pamiętam, że nie chciałam być przytomna.

Wszyscy sądzili, że to już koniec, ale moja pani onkolog, doktor Maria, zdołała jakoś wyciągnąć ze mnie trochę płynu i wkrótce antybiotyki, które dostawałam na zapalenie płuc, zaczęły działać.

Doszłam do siebie i po niedługim czasie zostałam włączona do grupy testującej leki eksperymentalne, tak słynne w Republice Rakonii dla Niepracujących. Lekarstwo nazywało się Phalanxifor, a jego molekuły były obmyślone tak, by łączyły się z komórkami rakowymi i spowalniały ich wzrost. Nie działało na mniej więcej siedemdziesiąt procent chorych. Ale na mnie zadziałało. Guzy zmalały.

I takie pozostały. Wiwat, Phalanxifor! Przez ostatnie półtora roku moje przerzuty prawie się nie powiększyły, dzięki czemu mam płuca, które co prawda słabo sprawdzają się w swojej roli, ale możliwe, że dzięki butli z tlenem i dziennej dawce Phalanxiforu będą dawały radę jeszcze przez jakiś nieokreślony czas.

Mówiąc szczerze, mój Wielki Cud kupił mi jedynie odrobinę czasu. (Nie znałam jeszcze wielkości tej odrobiny). Ale opowiadając o nim Augustusowi, odmalowałam obraz w samych różowych barwach, podkreślając cudowność tego Cudu.

– W takim razie teraz musisz wrócić do liceum – uznał.

– Niestety nie mogę – odrzekłam – ponieważ zdałam już zaocznie maturę. Uczę się teraz w MCC. – To był nasz lokalny college.

– Dziewczyna z college'u! – powiedział, kiwając głową. – To wyjaśnia tę aurę wyrafinowania. – Uśmiechnął się do mnie kpiąco. Żartobliwie pacnęłam go w ramię. Wyczułam pod skórą mięsień, napięty i imponujący.

Z piskiem opon skręciliśmy na osiedle otoczone dwuipółmetrowym tynkowanym murem. Jego dom był pierwszy po lewej. Dwupiętrowy, w stylu kolonialnym. Gwałtownie zaparkowaliśmy na podjeździe.

Weszłam za Augustusem do środka. Na drewnianej tabliczce na drzwiach wygrawerowano kursywą słowa: „Tam dom twój, gdzie serce twoje". Okazało się, że całe mieszkanie przybrane jest podobnymi mądrościami. Nad wieszakiem wisiała sentencja: „Dobrych przyjaciół trudno znaleźć, a jeszcze trudniej zapomnieć". Natomiast haftowana poducha w umeblowanym antykami salonie obiecywała: „W ciężkich chwilach rodzi się prawdziwa miłość". Augustus zauważył, że ją czytam.

– Rodzice nazywają je motywatorami – wyjaśnił. – Są wszędzie.

Mama i tata mówili na niego Gus. Przygotowywali właśnie enchillady w kuchni (witraż nad zlewem głosił entuzjastycznie: „Rodzina jest wieczna"). Mama nakładała kurczaka na tortille, które tata zwijał i umieszczał w szklanym naczyniu żaroodpornym. Nie wydawali się zaskoczeni moim przyjściem, co miało sens: to, że czułam się wyjątkowa przy Augustusie, wcale nie znaczyło, że taka byłam naprawdę. Może co wieczór sprowadzał do domu inną dziewczynę, żeby ją obłapiać podczas oglądania filmu.

– To jest Hazel Grace – przedstawił mnie.

– Wystarczy tylko Hazel – sprostowałam.

– Jak się masz, Hazel? – przywitał mnie ojciec Gusa. Był wysoki – niemalże wzrostu syna – i chudy tak, jak ludzie w wieku rodziców zazwyczaj nie bywają.

– Okay – odrzekłam.

– Jak było na grupie wsparcia u Isaaca?

– Fantastycznie – oznajmił Gus z ironią.

– Ależ z ciebie maruda – zganiła go mama. – Hazel, tobie się podobało?

Wahałam się przez chwilę, nie wiedząc, czy skalibrować odpowiedź tak, żeby zadowoliła Augustusa, czy jego rodziców.

– Większość uczestników jest naprawdę miła – powiedziałam w końcu.

– To samo odkryliśmy podczas leczenia Gusa w Memorialu, jeśli chodzi o rodziny chorych – wyznał ojciec. – Wszyscy byli tacy mili. I silni. W najcięższych chwilach Bóg stawia na naszej drodze najlepszych ludzi.

– Szybko, dajcie mi poduchę i nici, muszę uwiecznić nowy motywator – oznajmił Augustus. Jego ojciec wyglądał na lekko dotkniętego, ale Gus objął go za szyję swoim długim ramieniem i powiedział: – Żartuję, tato. Lubię te szalone motywatory. Naprawdę. Tylko nie mogę się do tego przyznawać, bo jestem nastolatkiem.

Ojciec wzniósł oczy do nieba.

– Mam nadzieję, że zjesz z nami kolację? – zapytała mama. Była niską brunetką, nieco myszowatą.

– Chyba tak – odpowiedziałam. – Muszę być w domu przed dziesiątą. Ale niestety nie jadam mięsa.

– Nie ma sprawy. Zrobimy dla ciebie kilka wegetariańskich – zapewniła.

– Zwierzaki są zbyt milusie? – zakpił Gus.

– Chcę zminimalizować liczbę zgonów, za które ponoszę odpowiedzialność – wyjaśniłam.

Gus już otworzył usta, żeby odpowiedzieć, ale się powstrzymał.

Jego mama przerwała ciszę:

– Uważam, że to wspaniałe podejście.

Przez chwilę rozmawialiśmy o tym, że te enchillady to Słynne Enchillady Watersów, których grzech nie spróbować, że Gus też musi wracać o dziesiątej i że zupełnie nie ufają ludziom, którzy każą wracać swoim dzieciom o innej godzinie, i czy chodzę do szkoły – „uczy się w college'u", wtrącił Augustus – i że pogoda jest naprawdę absolutnie przecudowna jak na marzec, a na wiosnę wszystko jest takie świeże, i ani razu nie zapytali mnie o tlen i diagnozę, co było dziwne i miłe, a potem Augustus oznajmił:

– Obejrzymy *V jak vendetta*, żeby Hazel zobaczyła swojego filmowego sobowtóra, Natalie Portman z dwudziestego pierwszego wieku.

– Telewizor w salonie jest do waszej dyspozycji – radośnie zapewnił tata.

– Chyba będziemy oglądali w piwnicy.

Ojciec zaśmiał się.

– Zawsze warto spróbować! W salonie.

– Ale chciałbym pokazać Hazel Grace piwnicę – obruszył się Augustus.

– Wystarczy tylko Hazel – poprawiłam go.

– Pokaż więc Tylko Hazel piwnicę – zaproponował ojciec – a potem przyjdźcie na górę i obejrzyjcie film w salonie.

Augustus wydął policzki, przeniósł ciężar ciała na zdrową nogę, obrócił się i ruszył do przodu.

– Dzięki – mruknął.

Zeszłam za nim po wyłożonych dywanem schodach do obszernej sypialni w piwnicy. Wokół pokoju na wysokości moich oczu biegła półka zastawiona koszykarskimi memorabiliami: dziesiątki pucharów ze złotymi plastikowymi ludzikami w wyskoku, kozłującymi albo wykonującymi wsad do niewidocznego kosza. Było tam też mnóstwo piłek i sportowych butów z autografami.

– Grałem kiedyś w kosza – wyjaśnił.

– Musiałeś być całkiem niezły.

– Nie byłem kiepski, ale wszystkie te buty i piłki to Bonusy Rakowe. – Podszedł do telewizora, obok którego leżała wielka sterta płyt z filmami i grami ułożona w nieforemną piramidę. Schylił się i wyłowił *V jak vendetta*. – Byłem typowym białym dzieciakiem z Indiany – wyjaśnił. – Całym sercem optowałem za wskrzeszeniem zaginionej sztuki rzutu z półdystansu. Pewnego dnia ćwiczyłem rzuty osobiste – po prostu stałem na linii rzutów wolnych w sali gimnastycznej North Central i rzucałem piłkami ze stojaka. Nagle poczułem, że zupełnie nie rozumiem, z jakiego powodu metodycznie przerzucam kulisty obiekt przez obiekt w kształcie pierścienia. Wydało mi się to najgłupszym zajęciem na świecie.

Pomyślałem o małych dzieciach, które wkładają cylindryczny kołek w okrągły otwór. Robią to raz po raz całymi miesiącami, kiedy już pojmą, na czym to polega, a koszykówka jest zasadniczo trochę bardziej aerobową wersją tego samego ćwiczenia. W każdym razie przez długi czas ćwiczyłem rzuty osobiste. Trafiałem osiemdziesiąt razy z rzędu, to mój rekord, ale im więcej trenowałem, tym częściej czułem się jak dwulatek. A potem z jakiegoś powodu pomyślałem o płotkarzach. Dobrze się czujesz?

Przysiadłam na rogu niepościelonego łóżka. Nie zamierzałam nic sugerować, skądże! Po prostu trochę się męczyłam, kiedy musiałam za długo stać. Stałam w salonie, potem były schody i jeszcze stałam w sypialni, co dla mnie oznaczało naprawdę dużo stania, a nie chciałam na przykład zemdleć. Byłam taką trochę wiktoriańską damą ze skłonnością do omdleń.

– Nic mi nie jest – odpowiedziałam. – Słucham, co mówisz. O płotkarzach?

– Tak, o płotkarzach. Nie wiem dlaczego. Zacząłem rozmyślać o tym, jak biegają przez płotki, skaczą przez te zupełnie umowne przedmioty postawione na ich drodze. Ciekaw byłem, czy pomyśleli kiedyś: „Bieglibyśmy szybciej, gdybyśmy pozbyli się tych płotków".

– Te refleksje dopadły cię przed diagnozą? – zapytałam.

– Tak, to była tylko wisienka na torcie. – Uśmiechnął się półgębkiem. – Dzień egzystencjalnych rzutów osobistych okazał się też ostatnim dniem mojej dwunożności. Decyzję o amputacji od samej operacji dzielił tylko weekend. Przeżyłem namiastkę tego, przez co teraz przechodzi Isaac.

Skinęłam głową. Lubiłam Augustusa Watersa. Naprawdę, naprawdę, naprawdę go lubiłam. Podobało mi się, że jego opowieść skończyła się na kimś innym. Podobał mi się jego głos. Podobało mi się, że przeżył dzień egzystencjalnych rzutów osobistych. Podobało mi się, że był profesorem mianowanym na Wydziale Lekko Krzywych Uśmiechów z drugą posadą na Wydziale Głosu, Dzięki Któremu Moja Skóra Bardziej Przypominała Skórę. I podobało mi się, że ma dwa imiona. Zawsze lubiłam ludzi o dwóch imionach, bo można było sobie wybrać, jak się będzie do nich zwracać: Gus czy Augustus? Ja zawsze byłam tylko Hazel, jednowartościową Hazel.

– Masz rodzeństwo? – zapytałam.

– Proszę? – zdziwił się, trochę rozkojarzony.

– Wspomniałeś o obserwowaniu dzieci, które się bawią.

– A, nie. Mam siostrzeńców, po przyrodnich siostrach, które są ode mnie starsze. Mają… TATO, ILE LAT MAJĄ JULIE I MARTHA?

– Dwadzieścia osiem!

– Mają dwadzieścia osiem lat. Mieszkają w Chicago. Obie poślubiły bardzo zamożnych prawników. A może bankierów. Nie pamiętam. Ty masz rodzeństwo?

Pokręciłam głową.

– To jak brzmi twoja historia? – zapytał, siadając obok w bezpiecznej odległości.

– Już ci ją opowiedziałam. Zdiagnozowano u mnie...

– Nie, nie historia choroby. T w o j a historia. Zainteresowania, koniki, pasje, dziwne fetysze i tak dalej.

– Hm – odpowiedziałam.

– Nie mów mi, że należysz do tych ludzi, którzy stają się własną chorobą. Znam wielu takich. To przygnębiające. To znaczy, rak się rozrasta, to prawda. Konsumuje człowieka. Ale na pewno nie należy mu pozwolić na przedwczesny sukces.

Przyszło mi do głowy, że może ja to zrobiłam. Bardzo chciałam spełnić oczekiwania Augustusa Watersa i przedstawić jakieś pasje, ale w zapadłej nagle ciszy pomyślałam, że ja wcale nie jestem interesująca.

– Nie jestem zbyt niezwykła.

– To założenie odrzucam od razu. Pomyśl o czymś, co lubisz. Co pierwsze przychodzi ci do głowy?

– Hm. Czytanie?

– A co czytasz?

– Wszystko. Od obrzydliwych romansideł przez pretensjonalne powieści po wiersze. Cokolwiek.

– A sama piszesz poezję?

– Nie.

– No proszę! – Augustus niemalże krzyknął. – Hazel Grace, jesteś jedyną nastolatką w Ameryce, która woli czytać wiersze niż je pisać. To mi wiele mówi. Czytasz mnóstwo literatury przez duże L, prawda?

– Chyba.

– A jaka jest twoja ulubiona książka?

– Hm – powtórzyłam po raz kolejny.

Moją ulubioną książką, która zostawiała wszystkie inne daleko w tyle, był *Cios udręki*, ale nie lubiłam nikomu się z tego zwierzać. Czasami trafiasz na książkę, która przepełnia cię dziwną ewangeliczną gorliwością oraz niezachwianą pewnością, że roztrzaskany na kawałki świat nigdy już nie będzie stanowił całości, dopóki wszyscy żyjący ludzie jej nie przeczytają. Ale są też dzieła takie jak *Cios udręki*, o których nie możesz opowiadać innym, książki tak rzadkie i wyjątkowe, i t w o j e, że dzielenie się nimi wydaje się niemalże zdradą.

Nawet nie chodziło o to, że ta powieść była taka dobra czy coś. Rzecz w tym, że miałam wrażenie, jakby autor, Peter van Houten, rozumiał mnie w przedziwny i niewytłumaczalny sposób. *Cios udręki* był m o j ą książką w taki sposób, w jaki moje ciało było moim ciałem, a moje myśli moimi myślami.

Mimo to odpowiedziałam Augustusowi:

– Moją ulubioną książką jest chyba *Cios udręki.*

– Występują w niej zombie? – zapytał.

– Nie.

– A szturmowcy?

Pokręciłam głową.

– To nie tego rodzaju literatura.

Uśmiechnął się.

– Przeczytam to potworne dzieło o nudnym tytule, w którym nie występują szturmowcy – obiecał, a ja natychmiast poczułam, że nie powinnam była mu o nim wspominać. Sięgnął do sterty lektur pod stolikiem nocnym. Chwycił pióro i książkę w miękkiej okładce. Pisząc coś na stronie tytułowej, powiedział: – W zamian proszę tylko, byś przeczytała tę błyskotliwą i niezrównaną powieść powstałą na podstawie mojej ulubionej gry wideo. – Uniósł książkę zatytułowaną *Cena świtu*. Zaśmiałam się i wzięłam ją. Podczas tej czynności nasze ręce jakoś się splątały i nagle okazało się, że trzyma moją dłoń. – Zimna – zauważył, przyciskając palec do mojego bladego nadgarstka.

– Nie tyle zimna, ile niedotleniona – sprostowałam.

– Uwielbiam, jak używasz żargonu medycznego – oznajmił. Wstał i pociągnął mnie za sobą. Nie puścił mojej ręki, dopóki nie doszliśmy do schodów.

Oglądaliśmy film, siedząc na kanapie w odległości kilkunastu centymetrów od siebie. Zachowałam się jak typowa gimnazjalistka i położyłam dłoń między nami, żeby dać do zrozumienia, że nie mam nic przeciwko trzymaniu się za rękę, ale Augustus nie zareagował. Film trwał już godzinę, kiedy rodzice przyszli i poczęstowali nas naprawdę pysznymi enchilladami, które zjedliśmy przed telewizorem.

Film opowiadał o dzielnym facecie w masce, który umarł bohatersko w ramionach Natalie Portman. Natalie była dość ostra, bardzo seksowna i nie budziła żadnych skojarzeń z moją opuchniętą, sterydową twarzą.

Podczas napisów końcowych Augustus zagaił:

– Niezły, nie?

– Niezły – zgodziłam się, choć wcale tak nie uważałam. To był film bardziej dla chłopaków. Nie wiem, czemu chłopaki spodziewają się, że będą nam się podobały filmy dla nich. My nie oczekujemy, że będą się zachwycali filmami dla dziewczyn. – Powinnam już wracać do domu. Rano mam lekcje – wyjaśniłam.

Zostałam na kanapie, podczas gdy Augustus poszedł szukać kluczyków. Jego mama usiadła obok mnie i powiedziała:

– Uwielbiam tę sentencję, a ty?

Chyba patrzyłam w stronę motywatora nad telewizorem – anioła z podpisem: „Bez smutku nie zaznalibyśmy smaku radości".

(To stary argument w dziedzinie Rozmyślań o Cierpieniu, jego głupotę i brak wyrafinowania można by piętnować przez całe wieki, ale dość powiedzieć, że istnienie brokułów nie ma najmniejszego wpływu na smak czekolady).

– Tak – odrzekłam. – Urocza myśl.

Pojechałam do domu autem Augustusa, ale z nim w roli pasażera. Puścił mi kilka utworów zespołu o nazwie The Hectic Glow, który lubił, i były to niewątpliwie dobre kawałki, ale ponieważ nie znałam ich wcześniej, nie wydawały mi się aż tak dobre jak jemu. Zerkałam ciągle na jego nogę albo na miejsce, w którym by się znajdowała, próbując sobie wyobrazić tę sztuczną kończynę. Nie chciałam nadmiernie się nią interesować, lecz trochę mnie jednak intrygowała. Jego pewnie ciekawiła moja butla z tlenem. Choroba odstręcza. Nauczyłam się tego dawno temu i przypuszczam, że on też.

Gdy zahamowałam pod domem, Augustus wyłączył radio. Atmosfera zgęstniała. Może myślał o tym, żeby mnie pocałować – ja myślałam o tym na pewno. Zastanawiałam się, czybym tego chciała. Całowałam się już z chłopcami, lecz to było dość dawno temu. Przed Cudem.

Ustawiłam dźwignię zmiany biegów w pozycji parkowania i spojrzałam na niego. Był naprawdę piękny. Wiem, że chłopcy nie powinni tacy być, ale on był.

– Hazel Grace – odezwał się, a moje imię wypowiedziane jego głosem zabrzmiało świeżo i dobrze. – Naprawdę miło mi było cię poznać.

– Wzajemnie, panie Waters – odparłam. Byłam zbyt onieśmielona, by na niego patrzeć. Nie poradziłabym sobie z intensywnością jego niebieskich jak woda oczu.

– Będę cię mógł jeszcze zobaczyć? – zapytał. Jego głos zabrzmiał ujmująco niepewnie.

Uśmiechnęłam się.

– Jasne.

– Jutro?

– Cierpliwości, koniku polny* – poradziłam. – Nie chcesz chyba wydać się nadgorliwy.

– Oczywiście, że nie, dlatego zaproponowałem jutro – odparł. – Chciałbym się z tobą znów spotkać dziś wieczorem, ale gotów jestem poczekać całą noc i kawałek jutra. – Przewróciłam oczami. – Mówię poważnie – dodał.

---

* Zwrot z *Kung Fu,* znanego amerykańskiego serialu z lat siedemdziesiątych.

– Nawet się za dobrze nie znamy – zaoponowałam. Wzięłam książkę z półki między siedzeniami. – Może zadzwonię do ciebie, kiedy ją skończę czytać?

– Ale przecież nie znasz mojego numeru – zauważył.

– Mam dziwne przeczucie, że zapisałeś mi go na karcie tytułowej.

Uśmiechnął się tym niemądrym uśmiechem.

– I ty twierdzisz, że się dobrze nie znamy.

3

Tej nocy poszłam spać późno, bo czytałam *Cenę świtu*. (Uwaga, spoiler: ceną świtu jest krew). Nie był to *Cios udręki*, ale główny bohater, sierżant sztabowy Max Mayhem, budził dziwną sympatię, mimo że zabił, według moich szacunków, nie mniej niż 118 osób na 284 stronach.

Następnego ranka, czyli w czwartek, wstałam więc późno. Zazwyczaj mama mnie nie budzi, gdyż jednym z obowiązków zawodowych Osoby Profesjonalnie Chorej jest wysypianie się. W pierwszej chwili byłam więc zdezorientowana, kiedy ocknęłam się, czując jej dłonie na ramionach.

– Już prawie dziesiąta – oznajmiła.

– Sen zwalcza raka – odrzekłam. – Czytałam do późna.

– To musi być niezła książka – zauważyła, klękając obok łóżka i odłączając mnie od dużego prostokątnego koncentratora tlenu, którego nazywałam Philipem, ponieważ jakoś tak wyglądał na Philipa.

Po chwili podłączyła mnie do przenośnego zbiornika, a potem przypomniała, że dziś idę do szkoły.

– Masz ją od tego chłopca? – zapytała znienacka.

– Chodzi ci o opryszczkę?

– Nie przesadzaj, Hazel – upomniała mnie. – Książkę. Chodzi mi o książkę.

– Tak, dał mi ją.

– Chyba ci się spodobał – powiedziała, unosząc brwi, jakby dokonanie tej obserwacji wymagało jakiegoś wyjątkowego matczynego instynktu. Wzruszyłam ramionami.

– Mówiłam ci, że warto chodzić na grupę wsparcia.

– Czekałaś cały ten czas na ulicy?

– Tak. Wzięłam ze sobą trochę papierkowej roboty. Tak czy siak, czas na spotkanie dnia, młoda damo.

– Mamo. Sen. Rak. Walka.

– Wiem, kochanie, ale masz szkołę. Poza tym dzisiaj jest… – W jej głosie brzmiała niekłamana radość.

– Czwartek?

– Rzeczywiście zapomniałaś?

– Może?

– Czwartek, dwudziesty dziewiąty marca! – niemalże krzyczała z obłąkańczym uśmiechem na twarzy.

– Naprawdę się cieszysz, że znasz tę datę! – odkrzyknęłam.

– HAZEL! TO TWOJE TRZYDZIESTE TRZECIE PÓŁ-URODZINY!

– Oooooch! – westchnęłam. Mama naprawdę potrafiła wspaniale świętować. Dziś jest święto sadzenia drzew: przytulajmy drzewa i jedzmy ciastka! Kolumb sprowadził ospę na tubylców: uczcijmy tę okazję piknikiem! I tak dalej. – No cóż, wszystkiego najlepszego dla mnie w trzydzieste trzecie pół-urodziny.

– Co chcesz robić w tym wyjątkowym dniu?

– Wrócić ze szkoły i ustanowić rekord świata w liczbie odcinków *Top Chef* oglądanych bez przerwy?

Mama zdjęła z półki wiszącej nad łóżkiem Modraszka, niebieskiego wypchanego misia, którego miałam chyba od pierwszego roku życia – kiedy to jeszcze wypadało nadawać kumplom imiona związane z ich kolorem.

– A nie chcesz iść do kina z Kaitlyn, Mattem albo kimś innym? – Miała na myśli moich przyjaciół.

Dobry pomysł.

– Jasne – zgodziłam się. – Napiszę do Kaitlyn i zapytam, czy po szkole ma ochotę jechać do centrum handlowego.

Mama uśmiechnęła się, tuląc misia do brzucha.

– Wypady do centrów handlowych nadal są modne? – spytała.

– Chlubię się tym, że nie wiem, co jest modne – odrzekłam.

Napisałam do Kaitlyn, wzięłam prysznic, ubrałam się, a potem mama odwiozła mnie do szkoły. Miałam zajęcia z literatury amerykańskiej – odbywający się w prawie pustym audytorium wykład na temat Fredricka Douglassa, podczas którego z trudem udało mi się nie zasnąć. W czterdziestej minucie dziewięćdziesięciominutowych zajęć Kaitlyn odpisała:

Superowo. Wszystkiego naj z okazji połówki. Castleton o 15.32?

Kaitlyn prowadziła tak intensywne życie towarzyskie, że musiała je planować co do minuty. Odpowiedziałam:

Może być. Będę w części restauracyjnej.

Zaraz po szkole mama zawiozła mnie do księgarni w centrum handlowym, gdzie kupiłam *Świt o północy* oraz *Requiem dla Mayhema*, dwie kolejne części *Ceny świtu*, a potem przeszłam do rozległej strefy restauracyjnej i kupiłam sobie dietetyczną colę. Była 15.21.

Czytałam i kątem oka obserwowałam dzieci bawiące się na okręcie pirackim na wewnętrznym placu zabaw. Był tam taki tunel, który dwójka maluchów pokonywała ciągle i ciągle na nowo i wydawała się tym w ogóle nie nużyć, co przypomniało mi o Augustusie Watersie oraz jego dniu egzystencjalnych rzutów osobistych.

Mama też tu była, siedziała sama w rogu, bo myślała, że jej nie zauważę, jadła bagietkę ze stekiem i serem, przeglądając jakieś dokumenty. Pewnie medyczne. Papierkowa robota nie miała końca.

Dokładnie o 15.32 zauważyłam Kaitlyn, która długim, pewnym krokiem mijała Wok House. Dostrzegła mnie, gdy tylko uniosłam dłoń, błysnęła bardzo białymi i niedawno wyprostowanymi zębami, po czym skręciła w moją stronę.

Była ubrana w czarny jak węgiel, doskonale dopasowany płaszcz do kolan i miała ciemne okulary, które zakrywały pół twarzy. Odsunęła je na czubek głowy, pochylając się, żeby mnie objąć.

– Kochana! – odezwała się z nieokreślonym brytyjskim akcentem. – Jak się masz?

Jej akcent wcale nie wydawał się dziwaczny czy żenujący. Kaitlyn po prosu była niezwykle wyrafinowaną dwudziestopięcioletnią brytyjską arystokratką uwięzioną w ciele szesnastolatki z Indianapolis. I wszyscy to akceptowali.

– Dobrze. A ty?

– Nie mam już nawet pojęcia! Dietetyczna? – Kiwnęłam głową i podałam jej napój. Pociągnęła łyk przez słomkę. – Szkoda, że już nie chodzisz do szkoły. Mamy kilku chłopaków, którzy wprost nadają się do schrupania.

– Tak? Kto na przykład? – zapytałam. Wymieniła pięciu kolesiów, z którymi chodziłyśmy do podstawówki i gimnazjum, ale żadnego nie mogłam sobie przypomnieć z wyglądu.

– Od jakiegoś czasu umawiam się z Derekiem Wellingtonem – wyznała – ale to chyba nie potrwa długo. To jeszcze taki dzieciak. Ale dość już o mnie. Co nowego w Hazelversum?

– Zasadniczo nic – odrzekłam.

– Zdrówko w porządku?

– Chyba tak jak zwykle.

– Phalanxifor! – rozentuzjazmowała się z uśmiechem. – A więc będziesz mogła żyć wiecznie, nieprawdaż?

– Prawdopodobnie nie wiecznie – sprostowałam.

– Ale coś w tym rodzaju – zbyła mnie. – Co jeszcze nowego?

Zapragnęłam jej powiedzieć, że ja też widuję się z chłopakiem albo że przynajmniej obejrzałam z nim film. Chciałam to zrobić tylko dlatego, że zaskoczyłoby ją i zadziwiło, iż ktoś tak rozczochrany, niezdarny i niestylowy jak ja może choćby na moment przyciągnąć uwagę płci przeciwnej. Ale w sumie nie miałam się czym chwalić, więc tylko wzruszyłam ramionami.

– A to co, na Boga? – zapytała, wskazując książkę.

– Och, science fiction. Wciągnęło mnie. Powstała cała seria.

– Niepokoisz mnie. Wybierzemy się na zakupy?

Wstąpiłyśmy do sklepu obuwniczego. Chodziłyśmy między półkami, a Kaitlyn ciągle podsuwała mi różne sandały, mówiąc:

– Ty byś w nich na pewno ślicznie wyglądała.

Przypomniało mi się, że ona nigdy nie nosi butów z otwartymi palcami. Nienawidziła swoich stóp, gdyż uważała, że ma za długi drugi palec, jakby drugi palec stanowił okno duszy. Tak więc kiedy znalazłam sandały pasujące do odcienia jej skóry, powiedziała: „Tak, ale...", gdzie „ale" oznaczało: „ale one obnażą przed ludźmi moje odrażające palce", więc zauważyłam:

– Kaitlyn, jesteś jedyną znaną mi osobą cierpiącą na dysmorfofobię palców u nóg.

A ona zapytała:

– Co to takiego?

– No wiesz, takie zaburzenie, że patrzysz w lustro, a to, co widzisz, wcale nie odpowiada rzeczywistości.

– Och. Och! – odrzekła. – A co sądzisz o tych?

Uniosła parę ładnych, choć niezbyt efektownych czółenek zapinanych na pasek, a ja kiwnęłam głową. Znalazła swój rozmiar i przymierzyła je. Oglądała buciki, chodząc w tę i we w tę przed wysokimi do kolan pochyłymi lustrami. A potem chwyciła parę wyzywających, bardzo wysokich szpilek i powiedziała:

– W tym w ogóle da się chodzić? Umarłabym chyba… – Urwała i spojrzała na mnie przepraszająco, jakby wspominanie o śmierci przy umierającym było zbrodnią. – Powinnaś je przymierzyć – dodała, próbując zatuszować gafę.

– Prędzej umrę – zapewniłam ją.

W końcu wybrałam japonki, żeby mieć cokolwiek do kupienia, a następnie usiadłam sobie na ławce i obserwowałam, jak Kaitlyn wędruje między regałami, wybierając buty z intensywnością i skupieniem, które zazwyczaj kojarzą się z profesjonalną grą w szachy. Miałam ochotę wyciągnąć *Świt o północy* i poczytać chwilę, ale wiedziałam, że to by było niegrzeczne, więc tylko jej się przyglądałam. Co jakiś czas odwracała się do mnie, przyciskając do piersi kolejną zdobycz, oczywiście z zakrytymi palcami, i pytając: „Te?", a ja usiłowałam jakoś inteligentnie skomentować jej wybór. W końcu kupiła trzy pary butów, a ja klapki. Kiedy wychodziłyśmy, spytała:

– Teraz do Anthropologie*?

– Prawdę mówiąc, powinnam zbierać się do domu – odrzekłam. – Jestem trochę zmęczona.

– Jasne, oczywiście – zgodziła się. – Musimy się częściej widywać, kochana. – Oparła dłonie na moich ramionach, ucałowała mnie w oba policzki i odmaszerowała, kołysząc wąskimi biodrami.

---

* Amerykańska sieć sklepów z odzieżą, dodatkami i artykułami wyposażenia wnętrz.

Ja jednak nie wróciłam do domu. Umówiłam się z mamą, że odbierze mnie o szóstej, i choć wiedziałam, że czeka albo gdzieś w centrum, albo na parkingu, chciałam następne dwie godziny mieć tylko dla siebie.

Lubiłam moją mamę, ale jej ciągła bliskość czasami budziła we mnie dziwną irytację. Kaitlyn też lubiłam. Naprawdę. Lecz te trzy lata, podczas których nie byłam narażona na ciągły kontakt ze szkołą i rówieśnikami, otworzyły między nami przepaść nie do pokonania. Myślę, że moi szkolni koledzy początkowo naprawdę chcieli mi pomóc przejść przez chorobę, ale w efekcie odkryli, że nie potrafią. Przede wszystkim dlatego, że nie było żadnego „przez".

Wymówiłam się więc bólem i zmęczeniem, co robiłam często w ciągu lat spotkań z Kaitlyn i innymi znajomymi. Mówiąc szczerze, czułam ból cały czas. Bolało mnie, że nie oddycham jak normalny człowiek, że ciągle mam przypominać płucom, że są płucami, że bezustannie zmuszam się do zaakceptowania szczypiącego, drapiącego, przeszywającego bólu z niedotlenienia. Tak więc w sumie nie kłamałam. Tylko wybierałam jedną z wielu prawd.

Znalazłam więc ławkę między sklepem z irlandzkimi pamiątkami, Światem Piór Wiecznych i dyskontem z bejsbolówkami – zakamarek centrum, do którego nawet Kaitlyn w życiu by nie zawędrowała – i pogrążyłam się w lekturze *Świtu o północy*.

Stosunek liczby stron do liczby trupów był niemalże jak jeden do jednego, a ja przedzierałam się przez nie, ani na chwilę nie podnosząc wzroku znad książki. Polubiłam sierżanta sztabowego Maxa Mayhema, mimo że w sensie formalnym właściwie nie miał osobowości. Za to podobało mi się, że jego przygody stanowiły nieustający ciąg. Zawsze było jeszcze kilku złych do ukatrupienia i dobrych do uratowania. Nowe wojny rozpoczynały się, zanim stare dobiegły końca. Nie czytałam takiej serii od dzieciństwa i wspaniale było znów żyć w świecie bezkresnej fikcji.

Dwadzieścia stron przed końcem *Świtu o północy* sprawy przybrały bardzo kiepski obrót dla Mayhema: został postrzelony siedemnaście razy podczas próby odbicia zakładniczki (blondynki, Amerykanki) z rąk wroga. Ale jako czytelniczka nie rozpaczałam. Wysiłek wojenny będzie trwał również bez niego. Mogą – i będą – powstawać kolejne części z jego towarzyszami w rolach głównych: z kapralem Mannym Loco, szeregowcem Jasperem Jacksem i innymi.

Zbliżałam się już do końca, kiedy stanęła przede mną mała dziewczynka z warkoczykami upiętymi na głowie.

– Co masz w nosie? – zapytała.

– To się nazywa wąsy tlenowe – odpowiedziałam. – Tymi rurkami płynie tlen, który pomaga mi oddychać.

Natychmiast pojawiła się przy nas jej mama i ostrzegawczym tonem zawołała:

– Jackie!

Ale ja ją uspokoiłam:

– Nie, nie, wszystko w porządku.

Mówiłam prawdę. Wtedy Jackie spytała:

– Mnie też pomogłyby oddychać?

– Nie wiem. Sprawdźmy.

Zdjęłam przewody i pozwoliłam Jackie podsunąć wąsy pod nos i pooddychać.

– Łaskocze – stwierdziła.

– Wiem. I jak?

– Chyba oddycha mi się lepiej – uznała.

– Na pewno?

– Tak.

– No cóż, chciałabym ci dać tę rurkę, ale niestety naprawdę jej potrzebuję. – Już odczuwałam brak tlenu. Skupiłam się na oddychaniu, kiedy Jackie oddawała mi wąsy. Szybko przetarłam je koszulką, założyłam za uszy i wetknęłam końcówki na miejsce.

– Dzięki, że pozwoliłaś mi spróbować – powiedziała dziewczynka.

– Nie ma sprawy.

– Jackie – odezwała się matka ponownie i tym razem pozwoliłam jej zabrać małą.

Wróciłam do książki – sierżant sztabowy Max Mayhem żałował właśnie, że ma tylko jedno życie, które może oddać za ojczyznę – ale ciągle myślałam o tej dziewczynce i o tym, jak bardzo ją polubiłam.

Kolejny problem z Kaitlyn polegał chyba na tym, że rozmowa z nią już nigdy nie mogłaby być naturalna. Wszelkie próby pozorowania normalnych stosunków towarzyskich wydawały mi się przygnębiające, ponieważ było aż nadto oczywiste, że każdy, z kim będę rozmawiała przez resztę mojego życia, będzie się czuł przy mnie skrępowany i zakłopotany. No, może poza dzieciakami takimi jak Jackie, które po prostu nie były niczego świadome.

Tak czy siak, naprawdę lubiłam być sama. Sama z biednym sierżantem sztabowym Maxem Mayhemem, który... Och, no nie, niemożliwe, chyba nie przeżyje tych siedemnastu ran po kulach, no nie?

(Uwaga, spoiler: przeżyje).

4

Tego wieczoru położyłam się nieco wcześniej. Zanim wsunęłam się pod kołdrę, przebrałam się w chłopięce bokserki i koszulkę. Moje łóżko, o iście królewskim rozmiarze, całe zarzucone poduchami, było jednym z moich najukochańszych miejsc na świecie. A potem po raz milionowy zaczęłam czytać *Cios udręki.*

Książka opowiada o dziewczynie o imieniu Anna (narratorce historii) i jej jednookiej mamie, która jest z zawodu ogrodniczką i ma obsesję na punkcie tulipanów. Bohaterki wiodą zwyczajne życie klasy średniej w małym miasteczku w środkowej Kalifornii, aż nagle Anna zapada na rzadką odmianę raka krwi.

Ale to nie jest książka o raku, bo książki o raku to lipa. Na przykład w książkach o raku chory zawsze angażuje się w działalność charytatywną i zbiera fundusze na walkę z nowotworem, tak? I to zaangażowanie w dobroczynność utwierdza chorego w przekonaniu o wrodzonej ludzkiej dobroci, a on sam czuje się kochany i dowartościowany, ponieważ pozostawi po sobie dziedzictwo w postaci walki z chorobą. Ale w *Ciosie* Anna dochodzi do wniosku, że jeśli osoba chora na raka działa dobroczynnie na rzecz leczenia tegoż raka, to jest to zachowanie narcystyczne. Zakłada więc organizację o nazwie Fundacja Anny na rzecz Chorych na Raka Walczących z Cholerą.

Anna jest też w tym wszystkim wyjątkowo uczciwa: przez całą powieść określa się mianem „efektu ubocznego", w czym ma absolutną rację. Dzieciaki z rakiem są rzeczywiście efektami ubocznymi nieubłaganego procesu mutacji genowej, dzięki któremu na ziemi istnieje taka różnorodność form życia. Tak więc Anna jest coraz poważniej chora, lekarstwa i rak ścigają się, które pierwsze ją zabije, a jej mama zakochuje się w handlarzu tulipanów z Holandii, którego Anna nazywa Holenderskim Tulippanem. Holenderski Tulippan ma mnóstwo pieniędzy i bardzo ekscentryczne pomysły na to, jak leczyć raka, lecz Anna podejrzewa, że może być oszustem, może nawet wcale nie pochodzi z Holandii, a gdy pojawia się możliwość, że Tulippan i jej mama się pobiorą, a Anna przejdzie na nową szaloną dietę leczniczą złożoną z perzu i małych dawek arszeniku, książka urywa się w samym środku

Wiem, że to bardzo świadoma decyzja literacka i w ogóle, i pewnie też między innymi z tego powodu tak uwielbiam tę książkę, ale mimo wszystko opowieści, które mają z a k o ń c z e n i e, są z pewnych względów godne polecenia. A jeśli nie mogą się skończyć, to powinny przynajmniej trwać po wsze czasy, tak jak przygody plutonu sierżanta sztabowego Maxa Mayhema.

Doszłam do wniosku, że historia się skończyła, bo Anna umarła albo była zbyt chora, żeby pisać, i to przerwane w połowie zdanie ilustrowało sposób, w jaki życie naprawdę się kończy i tak dalej, ale ta powieść miała przecież jeszcze innych bohaterów i wydawało mi się niesprawiedliwe, że nigdy się nie dowiem, jak potoczyły się ich losy. Wysłałam za pośrednictwem wydawcy kilka listów do Petera van Houtena z prośbą o wyjaśnienia dotyczące tego, co się dzieje po zakończeniu historii: czy Holenderski Tulippan jest oszustem, czy mama Anny w końcu go poślubi, co się dzieje z głupim chomikiem Anny (którego jej mama nienawidzi), czy jej przyjaciele ukończą liceum i o różne takie. Lecz na żaden nie odpowiedział.

Cios był jego jedynym dziełem. O Peterze van Houtenie wiadomo było tylko tyle, że po opublikowaniu powieści przeprowadził się ze Stanów do Holandii i zaszył się gdzieś w odosobnieniu. Wyobrażałam sobie, że pracuje nad drugą częścią, której akcja toczy się w Holandii. Może mama Anny i Tulippan przenieśli się tam i próbują zacząć życie od nowa? Ale minęło dziesięć lat, od kiedy *Cios* się ukazał, a van Houten nie opublikował nawet jednego wpisu na blogu. Nie mogłam czekać wiecznie.

Tego wieczoru podczas lektury rozpraszała mnie myśl, że być może Augustus czyta te same słowa. Zastanawiałam się, czy książka mu się spodoba, czy może uzna ją za pretensjonalną. Potem przypomniałam sobie, że obiecałam zadzwonić po przeczytaniu *Ceny świtu*, znalazłam więc jego numer na stronie tytułowej i napisałam SMS-a.

Recenzja Ceny świtu*: za dużo trupów, za mało przymiotników. Jak tam* Cios*?*

Odpowiedział po minucie:

Zdaje się, że obiecałaś zadzwonić, kiedy przeczytasz, a nie napisać.

Zadzwoniłam więc.

– Hazel Grace – przywitał mnie.

– Przeczytałeś?

– Jeszcze nie skończyłem. Powieść ma sześćset pięćdziesiąt jeden stron, a minęły dopiero dwadzieścia cztery godziny.

– Dokąd dotarłeś?

– Strona czterysta pięćdziesiąta trzecia.

– I?

– Powstrzymam się od komentarza, dopóki nie skończę. Jednak muszę wyznać, że czuję się nieco zażenowany, iż dałem ci *Cenę świtu*.

– Nie ma potrzeby. Jestem już przy *Requiem dla Mayhema*.

– Błyskotliwy dodatek do serii. No dobra, czy koleś od tulipanów jest kanciarzem? Wyczuwam od niego złe wibracje.

– Żadnych spoilerów – zaprotestowałam.

– Jeżeli nie jest dżentelmenem doskonałym, to wydłubię mu oczy.

– A więc wciągnęło cię.

– Wstrzymuję się od sądu. Kiedy się spotkamy?

– Na pewno nie wcześniej niż skończysz *Cios udręki*. – Imponowało mi, że jestem taka pełna rezerwy.

– To rozłączam się i wracam do czytania.

– Słusznie. – I linia ucichła bez jednego słowa więcej.

Flirtowanie było dla mnie czymś zupełnie nowym, ale chyba mi się podobało.

Następnego ranka miałam zajęcia z dwudziestowiecznej poezji amerykańskiej. Starsza kobieta, która prowadziła wykład, zdołała przez dziewięćdziesiąt minut mówić o Sylvii Plath bez zacytowania choćby jednego słowa autorki.

Kiedy wyszłam, mama stała przy krawężniku przed budynkiem.

– Czekałaś tutaj przez cały czas? – zapytałam, gdy pospieszyła, żeby pomóc mi wstawić wózek z butlą do samochodu.

– Nie, odebrałam pranie z pralni chemicznej i poszłam na pocztę.

– A potem?

– Wzięłam sobie książkę do poczytania – wyjaśniła.

– I to niby ja powinnam prowadzić normalne życie. – Uśmiechnęłam się, a ona próbowała odpowiedzieć uśmiechem, ale wypadło to jakoś blado. Po sekundzie zapytałam: – Masz ochotę pójść do kina?

– Jasne. A chciałabyś obejrzeć coś konkretnego?

– Pójdźmy po prostu do kina i zobaczmy, co grają. – Zamknęła drzwi za mną i obeszła auto, żeby zająć miejsce kierowcy. Pojechałyśmy do kina Castleton i obejrzałyśmy w 3D film o gadających myszoskoczkach. Właściwie był nawet zabawny.

Kiedy wyszłam z kina, okazało się, że dostałam cztery SMS-y od Augustusa.

Mam nadzieję, że w moim egzemplarzu brakuje ostatnich dwudziestu stron.

Hazel Grace, powiedz, że to nie jest koniec tej książki.

BOŻE CZY ONI WEZMĄ ŚLUB CZY NIE CO TO MA BYĆ

Przypuszczam, że Anna umarła i dlatego tak się to kończy? KOSZMAR. Zadzwoń, jak będziesz mogła. Mam nadzieję, że wszystko w porzo.

A więc kiedy wróciłam, poszłam za dom, usiadłam na zardzewiałym ogrodowym krześle i zadzwoniłam. Dzień był pochmurny, typowy dla Indiany: taki, który przygniata człowieka do ziemi. Większą część niewielkiego ogródka zajmowała moja dziecięca huśtawka, która wyglądała na żałosną i przemoczoną.

Augustus odebrał po trzecim dzwonku.

– Hazel Grace – powiedział.

– I tak właśnie wygląda słodka tortura czytania *Ciosu*... – Zamilkłam, usłyszawszy gwałtowny szloch po drugiej stronie linii. – Dobrze się czujesz? – zapytałam.

– Doskonale – odpowiedział Augustus. – Jednak jest u mnie Isaac, który chyba przechodzi dekompensację*. – Znowu zawodzenie. Jak śmiertelne wycie zranionego zwierzęcia. Gus zwrócił się do Isaaca. – Koleś. Ej, koleś!

* Stan krytyczny wywołany przez załamanie się typowych mechanizmów obronnych.

Hazel z grupy wsparcia poprawi czy pogorszy sytuację? Isaacu. Skup się. Na. Mnie. – Po minucie Gus zapytał: – Możesz przyjechać do mojego domu za, powiedzmy, dwadzieścia minut?

– Jasne – odrzekłam i się rozłączyłam.

Podróż ode mnie do Augustusa w linii prostej trwałaby zaledwie pięć minut, ale nie jest możliwa, ponieważ między naszymi domami rozciąga się Holliday Park.

Mimo że park okazał się pewną geograficzną niedogodnością, bardzo go lubiłam. Kiedy byłam mała, uwielbiałam brodzić po White River. Zawsze przychodziła ta wielka chwila, kiedy tato ciskał mnie w powietrze, po prostu odrzucał mnie od siebie. Wyciągałam ręce w locie, on też, ale oboje widzieliśmy, że nasze palce się nie zetkną i mnie nie złapie, i oboje byliśmy śmiertelnie przerażeni. Wierzgając nogami, wpadałam do wody, po czym cała i zdrowa wypływałam na powierzchnię, a prąd niósł mnie z powrotem do niego, proszącą: „Jeszcze, tato, jeszcze!".

Zaparkowałam na podjeździe obok starej czarnej toyoty, która, jak się domyśliłam, należała do Isaaca. Ciągnąc za sobą butlę, podeszłam do drzwi. Zapukałam. Otworzył tato Gusa.

– O, Tylko Hazel – przywitał mnie. – Miło cię widzieć.

– Augustus uprzedził, że przyjdę?

– Tak. Są z Isaakiem w piwnicy. – W tym momencie z dołu dobiegło wycie. – To pewnie Isaac – dodał ojciec Gusa i powoli pokręcił głową. – Cindy musiała wyjść z domu. Ten dźwięk... – umilkł. – W każdym razie czekają na ciebie na dole. Wnieść twoją, hm, butlę? – zapytał.

– Nie, nie trzeba. Ale dziękuję panu.

– Jestem Mark.

Trochę się bałam zejść do piwnicy. Słuchanie, jak ludzie wyją z rozpaczy, nie należy do moich ulubionych zajęć. Mimo to zeszłam.

– Hazel Grace – powiedział Augustus, gdy usłyszał moje kroki. – Isaacu, idzie do nas Hazel z grupy wsparcia. Hazel, dyskretnie przypominam: Isaac przechodzi właśnie atak psychozy.

Chłopcy siedzieli przed ogromnym telewizorem w fotelach do gry o kształcie obłego L. Ekran był podzielony na widok Isaaca po lewej i Augustusa po prawej. Byli żołnierzami walczącymi w jakimś zbombardowanym mieście. Rozpoznałam je z *Ceny świtu*. Początkowo nie zauważyłam niczego niezwykłego: po prostu dwóch kolesiów zalanych poświatą z wielkiego telewizora, udających, że zabijają ludzi.

Dopiero gdy stanęłam tuż obok, ujrzałam Isaaca. Jego twarz stężała w maskę bólu, a łzy nieprzerwanym strumieniem płynęły po zaczerwienionych policzkach. Wpatrywał się w ekran, nawet na mnie nie zerknąwszy, i płakał, cały czas gwałtownie naciskając przyciski na padzie.

– Jak się masz, Hazel? – zapytał Augustus.

– Dobrze – odpowiedziałam. – Isaacu?

Brak reakcji. Nawet najdrobniejszego znaku, że jest świadom mojej obecności. Tylko łzy ściekające po jego twarzy na czarną koszulkę.

Augustus na chwilę oderwał wzrok od ekranu.

– Ładnie wyglądasz – zauważył. Byłam ubrana w sukienkę tuż za kolana, którą miałam chyba od zawsze. – Dziewczyny uważają, że powinny wkładać sukienki tylko na szczególne okazje, ale mnie się podoba, gdy kobieta stwierdza: „Idę się zobaczyć z chłopakiem, który przechodzi załamanie nerwowe i którego więź ze zmysłem wzroku jest dość wątła, i niech to gęś kopnie, właśnie dla niego zamierzam włożyć sukienkę".

– A mimo to – wtrąciłam – Isaac nawet na mnie nie spojrzał. Chyba jest zbyt zakochany w Monice. – Czym wywołałam kolejny rozdzierający szloch.

– To dość drażliwy temat – wyjaśnił Augustus. – Kolego, nie wiem jak ty, ale ja mam niejasne wrażenie, że zostaliśmy otoczeni. – A potem znów do mnie: – Isaac i Monica nie chodzą już ze sobą, ale on nie chce o tym rozmawiać. Chce tylko płakać i grać w *Cenę świtu*.

– Pojmuję.

– Kolego, coraz bardziej się martwię o naszą pozycję. Może ruszaj do elektrowni, a ja będę cię osłaniał. – Isaac pobiegł w stronę dziwacznego budynku, a Augustus pędził za nim, śląc dzikie serie z broni maszynowej.

– W każdym razie – zwrócił się do mnie – nie zaszkodzi do niego mówić. Jeśli przychodzą ci do głowy jakieś mądre słowa.

– Właściwie to wydaje mi się, że jego reakcja jest zupełnie adekwatna – odrzekłam, gdy Isaac jednym strzałem zabił wroga, który wystawił głowę zza wypalonej skorupy ciężarówki.

Augustus kiwnął głową w stronę ekranu.

– Ból domaga się, byśmy go odczuwali – powiedział, cytując zdanie z *Ciosu udręki*. – Jesteś pewien, że nikogo za nami nie ma? – zapytał Isaaca. Chwilę później pociski smugowe zaczęły śmigać nad ich głowami. – Niech to szlag! – zdenerwował się Gus. – Nie chcę cię krytykować w chwili twojej wielkiej słabości, ale pozwoliłeś, żeby nas otoczyli, i teraz nic już nie dzieli terrorystów od szkoły. – Bohater Isaaca ruszył w stronę ognia, biegnąc zygzakiem wąską alejką.

– Moglibyście przejść przez most i zajść ich od tyłu – zasugerowałam, gdyż znałam tę taktykę z *Ceny świtu*.

Augustus westchnął.

– Niestety, most jest już w rękach rebeliantów z powodu bezsprzecznie słusznej strategii mojego porzuconego towarzysza.

– Mojej? – oburzył się Isaac schrypniętym głosem. – Mojej?! To ty zaproponowałeś, żebyśmy się zadekowali w cholernej elektrowni.

Gus na sekundę odwrócił się od ekranu i posłał Isaacowi krzywy uśmieszek.

– Wiedziałem, że jednak umiesz mówić, kolego – oznajmił. – A teraz uratujmy kilkoro fikcyjnych dzieci.

Pobiegli razem alejką, strzelając i kryjąc się we właściwych momentach, aż dotarli do parterowej szkoły, w której znajdowała się tylko jedna sala lekcyjna. Kucnęli za murkiem po drugiej stronie ulicy i zdejmowali kolejnych wrogów.

– Po co oni chcą się dostać do tej szkoły? – zapytałam.

– Zamierzają wziąć dzieci jako zakładników – wyjaśnił Augustus. Zgarbił się nad padem, wciskając guziki, ramiona miał napięte, a żyły nabrzmiałe. Isaac siedział pochylony w stronę ekranu, a pad tańczył w jego chudych palcach. – Mam cię, mam cię, mam cię – intonował Augustus. Fale terrorystów nadal napływały, a oni kosili je jedną po drugiej, strzelając niezwykle celnie, bo przecież posyłali pociski w stronę szkoły.

– Granat! Granat! – wrzasnął Gus, gdy coś przeleciało przez ekran, odbiło się w wejściu do szkoły i potoczyło pod drzwi.

Rozczarowany Isaac opuścił pada.

– Jeśli te bydlaki nie będą mogły wziąć zakładników, to po prostu ich pozabijają i oznajmią, że to nasze dzieło.

– Osłaniaj mnie! – poprosił Augustus, wyskakując zza muru, i pognał w stronę szkoły. Isaac sięgnął niezdarnie po pada i zaczął strzelać, podczas gdy na Augustusa spadł grad kul. Został postrzelony raz, potem drugi, ale nadal biegł, wołając:

– NIE ZABIJECIE MAXA MAYHEMA!

Naciskając przyciski w ostatecznej kombinacji, upadł na granat, który pod nim eksplodował. Jego rozczłonkowane ciało wybuchło niczym gejzer, a ekran zalała czerwień. Gardłowy głos oświadczył: „MISJA ZAKOŃCZONA NIEPOWODZENIEM", lecz Augustus chyba był innego zdania, gdyż uśmiechał się szeroko do swoich szczątków na ekranie. Sięgnął do kieszeni, wyjął papierosa i wsunął go między zęby.

– Dzieci uratowane – oznajmił.

– Chwilowo – zauważyłam.

– Wszelki ratunek jest chwilowy – odparł. – Kupiłem im minutę. Może ta minuta kupi im godzinę, a ona rok. Nikt nie kupi im wieczności, Hazel Grace, ale moje życie dało im minutę. A to już coś.

– Dobra, dobra – wycofałam się. – To tylko piksele.

Wzruszył ramionami, jakby wierzył, że gra może być prawdą. Isaac znów szlochał. Augustus odwrócił się w jego stronę. – Jeszcze jedna misja, kapralu?

Isaac pokręcił przecząco głową. Wychylił się, żeby spojrzeć na mnie, i przez ściśnięte gardło powiedział:

– Nie chciała tego zrobić p o t e m.

– Nie chciała rzucić niewidomego faceta? – domyśliłam się. Kiwnął głową, a jego łzy nie przypominały już łez tylko raczej cichy metronom – monotonny, nieprzerwany strumień.

– Powiedziała, że tego nie udźwignie – dodał. – Ja stracę wzrok, a ona tego nie udźwignie.

Pomyślałam o słowie „dźwignąć" i o wszystkich ciężkich sprawach, które trzeba unieść.

– Przykro mi – powiedziałam.

Wytarł mokrą twarz rękawem. Jego oczy za okularami wydawały się tak wielkie, że wszystkie inne elementy twarzy jakby zniknęły, pozostawiając tylko te pozbawione ciała, zawieszone w przestrzeni, wpatrzone we mnie gałki oczne – jedną prawdziwą, drugą szklaną.

– To niedopuszczalne – oznajmił. – Absolutnie niedopuszczalne.

– Należy oddać jej sprawiedliwość i uznać, że prawdopodobnie rzeczywiście nie umiałaby tego udźwignąć

– zauważyłam. – Ty zapewne też, ale w przeciwieństwie do ciebie ona nie musi tego robić. Ty natomiast nie masz wyjścia.

– Mówiłem do niej dzisiaj: „Zawsze". „Zawsze, zawsze, zawsze", a ona mnie zagłuszała i nie reagowała. Tak jakbym już nie żył, rozumiesz? „Zawsze" było obietnicą! Jak można nie dotrzymać obietnicy?

– Czasami ludzie nie rozumieją wagi obietnic, gdy je składają – wyjaśniłam.

Isaac spojrzał na mnie ze zdumieniem.

– No jasne, oczywiście. Ale i tak należy ich dotrzymywać. Na tym polega miłość. Miłość to dotrzymywanie obietnic wbrew wszystkiemu. Nie wierzysz w prawdziwą miłość?

Nic nie odrzekłam, bo nie znałam odpowiedzi. Ale pomyślałam, że jeśli prawdziwa miłość naprawdę istnieje, to ta definicja jest całkiem niezła.

– No więc ja wierzę w prawdziwą miłość – wyznał Isaac. – I kocham Monicę. A ona złożyła obietnicę. Na zawsze. – Wstał i postąpił krok w moją stronę. Podniosłam się, myśląc, że chce się przytulić czy coś, ale on nagle obrócił się, jakby nie pamiętał, po co w ogóle wstawał, a wtedy razem z Augustusem ujrzeliśmy, jak furia wykrzywia jego twarz.

– Isaac? – odezwał się Gus.

– Co?

– Wyglądasz trochę... Wybacz dwuznaczność, przyjacielu, ale masz coś niepokojącego w oczach.

Nagle Isaac kopnął fotel komputerowy, który pokoziołkował w stronę łóżka.

– No właśnie – powiedział Augustus. Isaac ruszył za fotelem i znów go kopnął. – Tak – zachęcił go Gus. – Załatw go. Skop mu durny tyłek! – Isaac maltretował fotel, dopóki ten nie wpadł na łóżko, a potem chwycił poduszkę i zaczął nią tłuc o ścianę pod półką z pucharami.

Augustus spojrzał na mnie, nadal z papierosem w ustach, i lekko się uśmiechnął.

– Nie mogę przestać myśleć o tej książce.

– Coś o tym wiem.

– I autor nigdy nie wyjaśnił, co się stało z pozostałymi bohaterami?

– Nie – odpowiedziałam. Isaac dalej dusił ścianę poduszką. – Przeprowadził się do Amsterdamu, więc pomyślałam, że może pisze drugą część o Holenderskim Tulippanie, ale nic się nie ukazało. Nigdy nie udzielił żadnego wywiadu. Nie jest aktywny w sieci. Napisałam do niego kilka listów z pytaniami o to, jaki los spotkał pozostałych bohaterów, ale nie odpowiedział. No więc… cóż. – Zamilkłam, bo Augustus wyglądał, jakby przestał mnie słuchać. Patrzył za to na Isaaca.

– Poczekaj – mruknął do mnie. Podszedł do kolegi i chwycił go za ramiona. – Koleś, poduszki się nie łamią. Spróbuj z czymś, co się połamie.

Isaac sięgnął na półkę po puchar koszykarski i uniósł go nad głową, jakby czekał na pozwolenie.

– Tak – potwierdził Gus. – Tak! – Puchar roztrzaskał się na podłodze, ramię plastikowego koszykarza odpadło, nadal z piłką w dłoni. Isaac rozdeptał resztki. – Tak! – zachęcał go Augustus. – Załatw go!

A potem zwrócił się do mnie:

– Szukałem sposobu, żeby wyznać ojcu, że tak naprawdę nie znoszę koszykówki. Chyba właśnie go znaleźliśmy. – Nagrody leciały jedna po drugiej, a Isaac skakał po nich i krzyczał, podczas gdy my występowaliśmy w roli świadków tego szaleństwa. Biedne, pokiereszowane ciała plastikowych koszykarzy zaściełały pokrytą dywanem podłogę: tu leżała piłka trzymana przez pozbawioną ramienia dłoń, tam dwie pozbawione torsu nogi w wyskoku. Isaac niszczył puchary, skacząc po nich obunóż i krzycząc, zdyszany, spocony, aż w końcu padł na stertę szczątków.

Augustus podszedł bliżej, spojrzał na niego i spytał:

– Czujesz się lepiej?

– Nie – wymamrotał Isaac, ciężko oddychając.

– Tak to jest z bólem – odpowiedział Augustus, a potem spojrzał na mnie. – Domaga się, byśmy go odczuwali.

5

Nie rozmawiałam z Augustusem prawie przez tydzień. Zadzwoniłam do niego w Wieczór Niszczenia Pucharów, więc zgodnie z tradycją teraz wypadała jego kolej. Ale nie zrobił tego. Bynajmniej nie ściskałam telefonu w spoconej dłoni przez całe dnie, wystrojona w specjalną żółtą sukienkę, cierpliwie czekając, aż mój rozmówca-dżentelmen zasłuży sobie na ten przydomek. Zajmowałam się swoim życiem: jednego popołudnia wybrałam się z Kaitlyn i jej (ładnym, ale zupełnie nieaugustusowym) chłopakiem na kawę; łykałam zalecaną dzienną dawkę Phalanxiforu; trzy ranki spędziłam na zajęciach w MCC i codziennie siadałam do kolacji z mamą i tatą.

W niedzielę wieczorem jedliśmy pizzę z zielonym pieprzem i brokułami przy małym okrągłym stoliku w kuchni, kiedy mój telefon zaczął śpiewać. Nie mogłam niestety nic zrobić, ponieważ surowo przestrzegamy zasady nieodbierania telefonu podczas kolacji.

Jadłam więc dalej, podczas gdy rodzice rozmawiali o trzęsieniu ziemi, do którego doszło w Papui-Nowej Gwinei. Poznali się w Korpusie Pokoju właśnie w Papui-Nowej Gwinei i gdy tylko coś tam się działo, nawet coś strasznego, nagle przestawali być pulchnymi istotami prowadzącymi siedzący tryb życia i stawali się młodymi, pełnymi ideałów, wojowniczymi ludźmi, którymi niegdyś byli. Ogarnęło ich takie uniesienie, że nawet na mnie nie spojrzeli, choć jadłam szybciej niż kiedykolwiek w życiu, przenosząc kawałki ciasta z talerza do ust z taką szybkością i zaciekłością, że prawie brakło mi tchu, co oczywiście nasunęło mi niepokojącą myśl, że być może moje płuca znów pływają w cieczy. Odsunęłam od siebie tę myśl najdalej, jak umiałam. Za dwa tygodnie miałam wyznaczoną tomografię. Jeśli coś było nie tak, niedługo się dowiem. Nie ma po co zamartwiać się na zapas.

A mimo to martwiłam się. Lubiłam być żywym człowiekiem. I chciałam nim pozostać. Martwienie się to kolejny efekt uboczny umierania.

Wreszcie zjadłam i zapytałam:

– Mogę odejść od stołu?

A oni z trudem na chwilę oderwali się od dyskusji na temat słabych i mocnych stron infrastruktury w Gwinei. Wyciągnęłam telefon z torebki leżącej na blacie kuchennym i sprawdziłam połączenia nieodebrane. Augustus Waters.

Wyszłam tylnymi drzwiami w półmrok. Dostrzegłam huśtawkę i poczułam, że mam ochotę się pohuśtać podczas rozmowy, ale wydało mi się, że stoi za daleko, biorąc pod uwagę to, jak bardzo jedzenie mnie zmęczyło.

Zamiast tego położyłam się więc na trawie na krawędzi patio, uniosłam wzrok na Oriona, jedyną konstelację, którą umiałam rozpoznać, i zadzwoniłam.

– Hazel Grace – powitał mnie.

– Cześć – odpowiedziałam. – Jak się masz?

– Świetnie – odrzekł. – Zbierałem się, żeby do ciebie zadzwonić właściwie co minuta, ale czekałem, aż uda mi się sformułować jakąś sensowną myśl *in re*[*] *Ciosu udręki* – (Powiedział „*in re*"! Naprawdę. Ten chłopak).

– I? – zapytałam.

– To chyba jak... Czytając ją, czułem się, jak... jakby...

– Jakby? – podpowiedziałam.

– Jakby to był dar? – odpowiedział pytająco. – Jakbyś podarowała mi coś ważnego.

– Och – westchnęłam cicho.

– To beznadziejne – wycofał się. – Przepraszam.

– Nie – zaprotestowałam. – Nie przepraszaj.

– Ale ta historia nie ma zakończenia.

– To prawda.

– Makabra. Totalnie mnie wkręciło. Rozumiem, że ona umarła.

– Tak, tak mi się wydaje – zgodziłam się z nim.

– No i dobrze, nie ma sprawy, ale jest taka niepisana umowa między autorem i czytelnikiem, a niedokończenie książki chyba jakoś tę umowę narusza.

– Niekoniecznie – odpowiedziałam, nie wiem, czemu broniąc Petera van Houtena. – W pewnym sensie to część tego, co mi się w tej książce podoba. Ukazuje śmierć w prawdziwy sposób. Umierasz w środku życia, w środku zdania. Ale chcę... na Boga, potwornie chcę się dowiedzieć, co się stało z pozostałymi. Pytałam go o to w listach. Ale nie odpowiedział.

---

* *In re* (łac.) – na temat, dotyczący.

– Jasne. Mówiłaś, że gdzieś się zaszył?

– Zgadza się.

– I nie da się go odnaleźć?

– Zgadza się.

– Ani nawiązać z nim kontaktu?

– Niestety.

– „Drogi Panie Waters – odpowiedział. – Piszę, by podziękować panu za elektroniczny list, który otrzymałem za pośrednictwem panny Vliegenthart szóstego kwietnia ze Stanów Zjednoczonych Ameryki, jeżeli można uznać, że geografia nadal istnieje w naszej tak tryumfalnie cyfrowej współczesności".

– Augustus, co u licha?

– Ma asystentkę – wyjaśnił. – Lidewij Vliegenthart. Odnalazłem ją. Napisałem do niej maila. Ona przekazała go van Houtenowi. A on przesłał odpowiedź przez jej konto pocztowe.

– Dobra, dobra. Czytaj dalej.

– „Piszę mój list atramentem na papierze w chlubnej tradycji naszych przodków, a następnie panna Vliegenthart przekłada go na serię zer i jedynek, by mógł wyruszyć w podróż poprzez bezosobową sieć, która tak szczelnie oplotła nasz gatunek, przepraszam więc za wszelkie błędy lub braki powstałe w wyniku tej procedury.

Biorąc pod uwagę rozmaitość bachanaliów dostępnych młodym ludziom waszego pokolenia, wdzięczny jestem każdemu, kto znajdzie czas potrzebny na przeczytanie mojej niewielkiej książeczki. Lecz szczególnie zobowiązany jestem wobec Pana, sir, za ciepłe słowa na temat *Ciosu udręki*, a także za to, że zechciał mnie Pan poinformować, i tu cytuję dosłownie, że książka dla Pana »wiele znaczyła«.

Jednakże wyznanie to nasuwa mi pewne wątpliwości: Co to znaczy »znaczyła«? Biorąc pod uwagę ostateczną jałowość naszej walki, czy przelotne wrażenie »znaczenia«, jakie daje nam sztuka, posiada jakąkolwiek wartość? Czy też jedyną wartością jest to, by wieść życie w możliwie najbardziej komfortowy sposób? Z czym powinna współzawodniczyć opowieść, Augustusie? Z dzwonem na alarm? Z wezwaniem do broni? Z zastrzykiem morfiny? Oczywiście, jak wszelkie wątpliwości we wszechświecie, te dociekania w nieunikniony sposób redukują nas do pytania, co znaczy być człowiekiem i czy – pozwolę sobie zapożyczyć zwrot od zbuntowanych szesnastolatków, których bez wątpienia Pan potępia – to ma w ogóle jakiś sens?

Obawiam się, że nie, przyjacielu, i nie znajdzie Pan wiele otuchy, dalej zgłębiając moją twórczość. Ale odpowiem na pytanie: nie, nie napisałem nic więcej i nie zamierzam tego robić. Nie wydaje mi się, by dzielenie się kolejnymi refleksjami z czytelnikami miało przynieść jakąkolwiek korzyść im czy mnie. Dziękuję raz jeszcze za interesujący list.

Łączę wyrazy szacunku.

Peter van Houten za pośrednictwem Lidewij Vliegenthart".

– Raju – westchnęłam. – Zmyśliłeś to?

– Hazel Grace, czy ja, z moim nędznym intelektem, mógłbym wymyślić list od Petera van Houtena zawierający zwroty takie jak „tryumfalnie cyfrowa współczesność"?

– Nie mógłbyś – przyznałam. – A czy... czy dasz mi ten adres mailowy?

– Oczywiście – odrzekł Augustus, jakby to nie był najwspanialszy prezent na świecie.

Przez następne dwie godziny pisałam maila do Petera van Houtena. Każda kolejna wersja wydawała się gorsza od poprzedniej, ale nie mogłam przestać.

Szanowny Panie van Houten
(na ręce Lidewij Vliegenthart)!

Nazywam się Hazel Grace Lancaster. Mój przyjaciel Augustus Waters, który przeczytał Cios udręki *z mojego polecenia, właśnie otrzymał od Pana maila z tego adresu. Mam nadzieję, że nie będzie Pan miał pretensji, iż mi go przeczytał.*

Z tego, co zrozumiałam, nie zamierza Pan publikować kolejnych książek. W pewnym sensie czuję rozczarowanie, ale też ulgę: nie muszę się martwić, czy Pańskie następne dzieło dorówna niezwykłej doskonałości debiutu. Jako osoba, która trzy lata żyje z rakiem w czwartym stadium rozwoju, mogę Pana zapewnić, że w Ciosie udręki *opisał Pan wszystko wprost idealnie. Przynajmniej z mojego punktu widzenia. Pańska książka mówi mi, co czuję, zanim jeszcze to poczuję. Przeczytałam ją już kilkadziesiąt razy.*

Chciałam jednak zapytać, czy nie mógłby Pan odpowiedzieć na kilka pytań dotyczących tego, co się dzieje po zakończeniu powieści. Rozumiem, że kończy się ona, ponieważ Anna umiera albo jest zbyt chora, żeby dalej pisać, ale naprawdę chciałabym wiedzieć, co się stało z jej mamą – czy poślubiła Holenderskiego Tulippana, czy ma więcej dzieci, czy dalej mieszka przy W. Temple 917 itd.? A także czy Holenderski Tulippan jest oszustem, czy może naprawdę je kocha? Co się stało z przyjaciółmi Anny – zwłaszcza z Claire i Jakiem? Czy są razem? I w końcu – na pewno zawsze miał Pan nadzieję, iż któryś z Pańskich czytelników zada tak głębokie i przemyślane pytanie – co się stało z chomikiem Syzyfem? Pytania te dręczą mnie od lat – a nie wiem, ile jeszcze mi ich zostało, by uzyskać odpowiedzi.

Wiem, że nie są to ważne kwestie literackie, których jest w Pańskiej książce mnóstwo, ale naprawdę chciałabym się tego dowiedzieć.

I oczywiście, gdyby kiedyś zdecydował się Pan napisać coś jeszcze, nawet jeśli nie będzie Pan chciał tego opublikować, z radością to przeczytam. Szczerze mówiąc, chętnie przeczytam choćby Pańskie listy zakupów.

Łączę wyrazy podziwu
Hazel Grace Lancaster
(16 lat)

Wysłałam maila, a następnie zadzwoniłam do Augustusa i do późna rozmawialiśmy o *Ciosie udręki*. Przeczytałam mu wiersz Emily Dickinson, z którego van Houten zaczerpnął tytuł. Gus uznał, że mam dobry głos jako lektorka i nie robię zbyt długich przerw na końcach wersów, a potem przypomniał sobie, że szósta część *Ceny świtu*, czyli *Piętno krwi*, rozpoczyna się cytatem. Chwilę trwało, zanim znalazł książkę, lecz w końcu przeczytał mi fragment wiersza: „Życie się skończyło. Ostatni dobry pocałunek przeżyłeś lata temu"*.

– Niezłe – przyznałam. – Choć nieco pretensjonalne. Pewnie Max Mayhem określiłby to mianem „babskiego bredzenia".

– Tak, cedząc przez zaciśnięte zęby. Boże, Mayhem ciągle zaciska zęby. Jeśli przeżyje wszystkie te walki, to i tak skończy ze zwyrodnieniem stawów skroniowo-żuchwowych. – A po sekundzie zapytał: – Kiedy przeżyłaś swój ostatni dobry pocałunek?

Zastanowiłam się. Moje pocałunki, wszystkie w okresie przeddiagnozowym, były niezdarne i oślizgłe, i w pewnym sensie zawsze się czułam, jakbym była dzieckiem udającym dorosłego. Ale oczywiście minęło trochę czasu od tamtej pory.

– Lata temu – odpowiedziałam w końcu. – A ty?

– Pamiętam kilka dobrych pocałunków z moją byłą dziewczyną Caroline Mathers.

– Lata temu?

– Ostatni niecały rok temu.

– Co się wydarzyło?

---

* Fragment wiersza *Degrees of Gray in Phillipsburg* Richarda Hugo [przekład tłumaczki].

– Podczas pocałunku?

– Nie, między tobą a Caroline.

– Och – zrozumiał. A po sekundzie: – Życie nie jest już jej dolegliwością.

– Och – zrozumiałam.

– Tak – potwierdził.

– Przykro mi – dodałam. Oczywiście znałam mnóstwo osób, które umarły. Ale nigdy z żadną z nich nie chodziłam. Nawet nie umiałam sobie tego wyobrazić.

– To nie twoja wina, Hazel Grace. Wszyscy jesteśmy skutkami ubocznymi, prawda?

– Pąklami na kadłubie świadomości – zacytowałam *Cios*.

– Okay – odrzekł. – Muszę kłaść się spać. Już prawie pierwsza.

– Okay – odpowiedziałam.

– Okay – powtórzył.

Zachichotałam i dodałam:

– Okay.

A potem na linii zapadła cisza, ale nie głucha. Niemalże czułam, jakby siedział ze mną w pokoju, ale w pewnym sensie to było nawet lepsze. Jakbym ja nie pozostawała u siebie, a on u siebie, ale jakbyśmy przebywali razem w niewidzialnej, ulotnej trzeciej przestrzeni, do której można dotrzeć tylko przez telefon.

– Okay – powiedział, gdy minęła cała wieczność. – Może „okay" będzie naszym „zawsze".

– Okay – zgodziłam się.

Augustus w końcu się rozłączył.

* * *

Peter van Houten odpisał na mail Augustusa po czterech godzinach, a ja dwa dni później nadal nie otrzymałam odpowiedzi. Augustus uspokajał mnie, że to dlatego, że mój był lepszy i wymagał bardziej przemyślanej reakcji, że pewnie van Houten ciągle pisze odpowiedzi na moje pytania, a taka błyskotliwa proza wymaga czasu. Mimo to martwiłam się.

W środę podczas zajęć z amerykańskiej poezji dla początkujących dostałam SMS-a od Augustusa:

Isaac po operacji. Poszło dobrze. Oficjalnie NEC.

NEC oznacza „*no evidence of cancer*", czyli brak zmian nowotworowych. Kilka sekund później nadeszła druga wiadomość.

To znaczy jest ślepy. Niestety.

Po południu mama zgodziła się pożyczyć mi samochód, żebym mogła pojechać do Memoriala odwiedzić Isaaca.

Znalazłam drogę do jego pokoju na piątym piętrze, zapukałam, mimo że drzwi były otwarte, a kobiecy głos odpowiedział:

– Proszę wejść.

To była pielęgniarka, która zmieniała opatrunek na oczach chorego.

– Cześć, Isaacu – odezwałam się.

A on zapytał:

– Mon?

– Och, nie. Przepraszam, jestem Hazel. Hm, Hazel z grupy wsparcia. Hazel z Wieczoru Niszczenia Pucharów.

– Och – westchnął. – Wszyscy ciągle powtarzają, że moje pozostałe zmysły wyostrzą się, żeby zrekompensować brak wzroku, ale najwyraźniej to jeszcze nie nastąpiło. Cześć, Hazel z grupy wsparcia. Podejdź, żebym mógł obejrzeć twoją twarz dłońmi i zajrzeć w twoją duszę głębiej niż jakikolwiek widzący człowiek.

– On żartuje – wyjaśniła pielęgniarka.

– Domyślam się – zapewniłam ją.

Podeszłam kilka kroków do łóżka. Przysunęłam sobie krzesło, siadłam i ujęłam go za rękę.

– Hej – powiedziałam.

– Hej – odrzekł. Potem milczeliśmy przez chwilę.

– Jak się czujesz? – zapytałam.

– Dobrze. Nie wiem.

– Czego nie wiesz? – spytałam. Spojrzałam na jego dłoń, ponieważ nie chciałam patrzeć na twarz z oczami osłoniętymi bandażem. Isaac ogryzał paznokcie i przy skórkach dostrzegłam zakrzepłą krew.

– Nawet mnie nie odwiedziła – powiedział. – Byliśmy ze sobą przez czternaście miesięcy. Czternaście miesięcy to mnóstwo czasu. Boże, jak boli. – Isaac wypuścił moją dłoń, żeby poszukać po omacku pompki, którą się naciskało, żeby zwiększyć dawkę leków przeciwbólowych.

Pielęgniarka, skończywszy zmieniać opatrunek, cofnęła się.

– Minął ledwie jeden dzień – powiedziała nieco protekcjonalnie. – Musisz dać sobie czas na ozdrowienie. A czternaście miesięcy to wcale nie tak długo w kontekście wieczności. Dopiero zaczniesz żyć, kolego. Zobaczysz.

I zostawiła nas.

– Poszła sobie?

Kiwnęłam głową, po czym uświadomiłam sobie, że on tego nie widział.

– Tak – potwierdziłam.

– „Zobaczę"? Poważnie? Ona naprawdę to powiedziała?

– No to przedstawmy zalety dobrej pielęgniarki. Ty zaczynasz – zaproponowałam.

– Po pierwsze: nie bawi się w gry słowne na temat twojej choroby – powiedział Isaac.

– Po drugie: pobiera krew przy pierwszym wkłuciu – podsunęłam ja.

– Słusznie, to bardzo ważna sprawa. Czy moje ramię to tarcza do rzutków? Po trzecie: nie używa protekcjonalnego tonu.

– „Jak się dziś czuje nasze złotko?" – zagruchałam. – „Teraz ukłuję cię igiełką. Może troszeczkę zaszczypać".

– „Czy mój słodki śleporek ma dziś dobry humorek?" – Isaac posunął się jeszcze dalej, ale po sekundzie dodał: – Właściwie większość z nich jest dobra. Tylko tak cholernie chciałbym się już wydostać z tego miejsca.

– Z tego miejsca, czyli ze szpitala?

– Też – odpowiedział. Zacisnął usta. Widziałam jego ból. – Prawdę mówiąc, o wiele więcej myślę o Monice niż o moim oku. Czy to nie szaleństwo? Szaleństwo!

– Troszkę tak – zgodziłam się.

– Ale ja wierzę w prawdziwą miłość, wiesz? Nie uważam, że wszyscy muszą mieć oboje oczu, nie chorować i tak dalej, ale każdy powinien przeżyć prawdziwą miłość, a ona powinna trwać przynajmniej do końca jego życia.

– Masz rację – zgodziłam się.

– Czasami żałuję, że ta cała historia się wydarzyła. Ta cała jazda z rakiem. – Mówił wolniej. Lekarstwo zaczynało działać.

– Przykro mi – odpowiedziałam.

– Wcześniej był tu Gus. Siedział przy mnie, kiedy się obudziłem. Zerwał się ze szkoły. On... – Jego głowa lekko opadła na bok. – Już mi lepiej – wyznał cicho.

– Z bólem? – zapytałam. Lekko skinął głową. – To dobrze – stwierdziłam. A potem jak rasowa samica podsunęłam: – Mówiłeś coś o Gusie? – Ale Isaac już odpłynął.

Zeszłam na dół do maleńkiego, pozbawionego okien sklepiku z prezentami i zapytałam zaniedbaną wolontariuszkę siedzącą na stołku przy kasie, które kwiaty pachną najmocniej.

– Wszystkie pachną tak samo. Są psikane Superwonią – wyjaśniła.

– Naprawdę?

– Tak, spryskują je tym samym zapachem.

Otworzyłam chłodziarkę po lewej stronie i powąchałam róże, a następnie goździki. Ten sam aromat, w sporej dawce. Goździki były tańsze, więc wzięłam bukiet żółtych. Kosztował czternaście dolarów. Wróciłam do pokoju, a tam już siedziała mama Isaaca i trzymała go za rękę. Była młoda i naprawdę ładna.

– Jesteś jego przyjaciółką? – Jej pytanie uderzyło mnie jako jedno z tych nieumyślnie głębokich, na które nie da się udzielić prawdziwej odpowiedzi.

– Hm, tak – odrzekłam. – Chodzimy razem na grupę wsparcia. To dla niego.

Położyła sobie kwiaty na kolanach.

– Znasz Monicę? – zapytała. Pokręciłam głową. – Isaac zasnął – dodała.

– Rozmawiałam z nim chwilę, kiedy zmieniali mu bandaże.

– Nie chciałam go zostawiać w takiej chwili, ale musiałam odebrać Grahama ze szkoły – wyjaśniła.

– Świetnie sobie poradził – zapewniłam ją. Pokiwała głową. – Nie będę przeszkadzała. – Znów pokiwała. Wyszłam.

Następnego ranka obudziłam się wcześnie i natychmiast sprawdziłam pocztę.

lidewij.vliegenthart@gmail.com w końcu odpisał.

Droga Panno Lancaster!

Obawiam się, że pokłada Pani wiarę w niewłaściwej osobie – ale cóż, z wiarą zazwyczaj tak już bywa. Nie mogę odpowiedzieć na Pani pytania, przynajmniej nie pisemnie, ponieważ pisząc odpowiedzi, stworzyłbym na-

stępną część Ciosu udręki, *a Pani mogłaby ją opublikować albo zamieścić w sieci, która zastąpiła mózg Pani pokoleniu. Istnieje jeszcze telefon, lecz mogłaby Pani nagrać naszą rozmowę. Oczywiście, nie żebym Pani nie ufał, choć tak właśnie jest. A zatem, droga Hazel, nie mogę na te pytania odpowiedzieć inaczej niż osobiście. Tymczasem Pani znajduje się tam, a ja tutaj.*

To wyjaśniwszy, muszę wyznać, że zachwycił mnie niespodziewany list od Pani, który przekazała mi panna Vliegenthart: jakaż cudowna jest świadomość, że uczyniłem dla Pani coś pożytecznego – nawet jeżeli ta książka wydaje mi się tak odległa, jakby napisał ją zupełnie inny człowiek. (Autor tej powieści był taki wątły, taki kruchy, tak relatywnie optymistyczny!).

Jednak gdyby znalazła się Pani w Amsterdamie, proszę mnie odwiedzić w wolnej chwili. Zazwyczaj siedzę w domu. Pozwolę Pani nawet zerknąć na moje listy zakupów.

Z poważaniem
Peter van Houten
Na ręce Lidewij Vliegenthart

– CO?! – wrzasnęłam. – CO TO MA BYĆ?

Mama wpadła do pokoju.

– Co się stało?

– Nic – zapewniłam ją.

Zdenerwowana uklękła, żeby sprawdzić, czy Philip dobrze koncentruje tlen. A ja wyobraziłam sobie, jak siedzę w skąpanej w słońcu kawiarence z Peterem van Houtenem. On wspiera się łokciami na stoliku i tak, by nikt inny nie poznał prawdy, opowiada przyciszonym głosem o tym, co się stało z bohaterami, którzy zaprzątają moje myśli od lat. Napisał, że może mi to zdradzić tylko osobiście i zaprosił mnie do Amsterdamu. Wyjaśniłam to mamie i oznajmiłam:

– Muszę jechać!

– Hazel, kocham cię, i wiesz, że zrobiłabym dla ciebie wszystko, ale… nie mamy pieniędzy na zagraniczną wyprawę, a koszt transportu aparatury… kochanie, po prostu nie możemy…

– Jasne – przerwałam jej. Uświadomiłam sobie, jaka byłam głupia, że w ogóle brałam to pod uwagę. – Nie przejmuj się. – Ale mama wyglądała na przejętą.

– To dla ciebie bardzo ważne, prawda? – Usiadła i położyła dłoń na mojej łydce.

– Naprawdę niesamowita by była świadomość, że jestem jedyną osobą prócz niego, która wie, co się stało.

– Naprawdę niesamowita – przyznała mama. – Porozmawiam z tatą.

– Nie, nie rób tego – poprosiłam. – Poważnie, nie możemy sobie na to pozwolić. Coś wymyślę.

Przyszło mi do głowy, że to z mojego powodu rodzice nie mają pieniędzy. Wydrenowałam rodzinne oszczędności dopłatami do Phalanxiforu, a mama nie mogła pójść do pracy, ponieważ opiekowała się mną na pełny etat. Nie chciałam ich wpędzać w jeszcze większe długi.

Powiedziałam mamie, że muszę zadzwonić do Augustusa. Chciałam pozbyć się jej z pokoju, bo nie mogłam znieść tej smutnej miny pod tytułem: „Nie mogę spełnić marzeń mojej córki".

W ramach powitania przeczytałam mu list, tak jak on to zrobił kilka dni wcześniej.

– Kurczę – skomentował.

– No wiem – odrzekłam. – Jak ja się dostanę do Amsterdamu?

– A nie masz już marzenia? – Chodziło mu o tę organizację, o Fundację Jestem Dżinem, która spełnia życzenia chorych dzieciaków.

– Nie – odpowiedziałam. – Wykorzystałam je przed Cudem.

– A na co?

Westchnęłam głośno.

– Miałam trzynaście lat – zaznaczyłam.

– Tylko nie Disney! – przeraził się.

Nie odpowiedziałam.

– Nie pojechałaś do Disney Worldu?

Nadal nic nie mówiłam.

– Hazel GRACE! – krzyknął. – Nie wykorzystałaś chyba swojego jedynego życzenia przed śmiercią, żeby pojechać z rodzicami do Disney Worldu!

– I do Epcot Center – wymamrotałam.

– O, mój Boże – załamał się Augustus. – Nie mogę uwierzyć, że zadurzyłem się w dziewczynie, która ma tak pospolite marzenia.

– Miałam trzynaście lat – powtórzyłam, choć oczywiście w mojej głowie rozbrzmiewało tylko: „zadurzyłem się, zadurzyłem, zadurzyłem". Pochlebiło mi to, lecz natychmiast zmieniłam temat. – Nie powinieneś być w szkole?

– Zerwałem się z lekcji, żeby pobyć z Isaakiem, ale on śpi, więc odrabiam geometrię w atrium.

– Jak on się czuje? – zapytałam.

– Nie wiem, czy nie dociera do niego powaga sytuacji, czy naprawdę bardziej się przejmuje rozstaniem z Monicą, ale o niczym innym nie mówi.

– Hm. A jak długo zostanie jeszcze w szpitalu?

– Kilka dni. Potem będzie chodził na rehabilitację czy coś takiego, ale chyba będzie mógł już mieszkać w domu.

– Kiepska sprawa – powiedziałam.

– Widzę jego mamę. Muszę kończyć.

– Okay.

– Okay – odpowiedział. Słyszałam jego krzywy uśmiech.

W sobotę pojechałam z rodzicami na wiejski kiermasz do Broad Ripple. Dzień był słoneczny, co rzadko się zdarza w kwietniu w Indianie, więc wszyscy włożyli koszulki z krótkimi rękawami, choć temperatura wcale tego nie usprawiedliwiała. My, mieszkańcy Indiany, bardzo optymistycznie podchodzimy do lata. Siedziałam z mamą na ławce naprzeciwko straganu producenta mydła z koziego mleka. Był to pan w kombinezonie, który musiał tłumaczyć każdemu klientowi, że tak, to są jego własne kozy, i nie, to mydło nie śmierdzi kozą.

Zadzwonił mój telefon.

– Kto to? – spytała mama, zanim zdołałam sprawdzić.

– Nie wiem – odrzekłam. To był Gus.

– Jesteś w domu? – zapytał.

– Hm, nie – odpowiedziałam.

– To było podstępne pytanie. Znam odpowiedź, ponieważ sam jestem pod twoim domem.

– Och. To my już chyba będziemy wracać.

– Super. Do zobaczenia za chwilę.

Kiedy wjechaliśmy na podjazd, Augustus Waters siedział na frontowych schodkach. Trzymał w ręku bukiet jaskrawopomarańczowych tulipanów, które dopiero co zaczęły rozkwitać. Miał na sobie polar i koszulkę z logo Indiana Pacers – była to decyzja stylistyczna, która zdawała się zupełnie do niego nie pasować, choć wyglądał całkiem nieźle. Wstał ze schodów, podał mi kwiaty i zapytał:

– Masz ochotę na piknik?

Kiwnęłam głową, przyjmując bukiet.

Tato podszedł do nas i uścisnął dłoń Gusa.

– To koszulka Rika Smitsa? – upewnił się.

– Owszem.

– Boże, uwielbiam tego faceta – wyznał mój ojciec i panowie natychmiast pogrążyli się w koszykarskiej rozmowie, w której nie mogłam (i nie chciałam) brać udziału, zaniosłam więc tulipany do domu.

– Mam je wstawić do wazonu? – zapytała mama, uśmiechając się szeroko.

– Nie trzeba – odrzekłam. Gdybyśmy wstawili je do wazonu w salonie, to należałyby do wszystkich. A ja chciałam, żeby to były wyłącznie moje kwiaty.

Poszłam do pokoju, ale się nie przebrałam. Przeczesałam tylko włosy i wyszczotkowałam zęby, nałożyłam odrobinę błyszczyku na usta i maleńką kroplę perfum na szyję. Cały czas spoglądałam na tulipany. Były agresywnie pomarańczowe, niemalże zbyt pomarańczowe, by wydawały się ładne. Nie miałam żadnego wazonu, więc wyjęłam szczoteczkę do zębów z kubka, napełniłam go do połowy wodą i zostawiłam kwiatki w łazience.

Kiedy wróciłam do pokoju, przez cienkie drzwi sypialni usłyszałam, że obok toczy się rozmowa, usiadłam więc na chwilę na łóżku, by jej posłuchać.

Tata: A zatem poznałeś Hazel na spotkaniu grupy wsparcia.

Augustus: Tak, proszę pana. Mają państwo uroczy dom. Podobają mi się te obrazy.

Mama: Dziękuję, Augustusie.

Tata: Ty też chorowałeś na raka?

Augustus: Tak. Nie odjąłem sobie kończyny dla samej przyjemności, choć to doskonały sposób na utratę wagi. Nogi są ciężkie!

Tata: A jak się czujesz teraz?

Augustus: NEC od czternastu miesięcy.

Mama: To wspaniale! Możliwości współczesnej medycyny są naprawdę niezwykłe.

Augustus: Wiem, mam szczęście.

Tata: Musisz jednak rozumieć, że Hazel jest nadal chora i tak już będzie przez resztę jej życia. Będzie chciała dotrzymać ci tempa, ale jej płuca...

I w tym momencie pojawiłam się, skutecznie go uciszając.

– Dokąd się wybieracie? – zapytała mama. Augustus wstał, pochylił się nad nią i wyszeptał odpowiedź do jej ucha, po czym przyłożył palec do ust. – Ciii, to tajemnica.

Mama uśmiechnęła się.

– Masz telefon? – zapytała mnie. Uniosłam aparat na dowód, że go wzięłam, po czym przechyliłam wózek z tlenem i ruszyłam do drzwi. Augustus pospieszył w moją stronę i oferował mi ramię, które przyjęłam. Położyłam palce na jego bicepsie.

Niestety, uparł się, że on poprowadzi, bo nie chciał popsuć niespodzianki. Kiedy już wystartowaliśmy nagłym zrywem, zauważyłam:

– Zupełnie omotałeś moją mamę.

– A tato jest fanem Smitsa, co ułatwia sprawę. Myślisz, że mnie polubili?

– No pewnie. A zresztą kogo to obchodzi? Przecież to tylko rodzice.

– To t w o i rodzice – odrzekł, zerkając na mnie. – Poza tym lubię być lubiany. Czy to dziwne?

– Nie musisz otwierać przed mną drzwi i zasypywać mnie komplementami, żebym cię lubiła.

Wcisnął hamulec, a ja tak gwałtownie poleciałam do przodu, że mój oddech zrobił się rwany i płytki. Pomyślałam o tomografii. Nie martw się. Zamartwianie się nie ma sensu. Ale martwiłam się mimo to.

Stopiliśmy gumy, ruszając z rykiem spod znaku stopu przed skrętem w lewo, w ulicę o zupełnie nietrafnej nazwie Grandview* (jest stamtąd widok na pole golfowe, ale bynajmniej nie wspaniały). Jedynym znanym mi miejscem w tym kierunku był cmentarz. Augustus sięgnął na przednią półkę i wyjął papierosa z otwartej paczki.

– Wyrzucasz je czasami? – zapytałam.

– Jedną z wielu korzyści z niepalenia jest to, że paczka papierosów wystarcza niemalże na zawsze – wyjaśnił. – Tę mam już prawie od roku. Kilka papierosów złamało się przy filtrze, ale myślę, że wystarczy mi do osiemnastki. – Ścisnął filtr w palcach, po czym włożył go do ust. – No dobrze – powiedział. – Dobrze. Wymień parę rzeczy, których nigdy się nie widuje w Indianapolis.

– Hm... Szczupli dorośli.

Zaśmiał się.

– Dobre. Próbuj dalej.

– Mmm, plaże. Rodzinne restauracje. Krajobrazy.

– Same fantastyczne przykłady tego, czego nam brak. A co powiesz o kulturze?

– Tak, kultury też nie mamy pod dostatkiem – przyznałam i w końcu wpadłam na to, dokąd Augustus mnie zabiera. – Jedziemy do muzeum?

– W pewnym sensie.

– Och, czyli jedziemy do tego parku?

Gus wyglądał na odrobinę przygnębionego.

– Tak, jedziemy do tego parku – potwierdził. – Domyśliłaś się już, prawda?

– Czego się domyśliłam?

– Niczego.

---

* *Grand view* (ang.) – wspaniały widok.

* * *

Za muzeum znajdował się park ozdobiony ogromnymi rzeźbami. Słyszałam o nim, ale nigdy tam nie byłam. Minęliśmy muzeum i zaparkowaliśmy obok boiska do koszykówki zastawionego wysokimi niebieskimi i czerwonymi stalowymi łukami, które symbolizowały ślad po kozłującej piłce.

Zeszliśmy z tego, co w Indianapolis uchodzi za wzgórze, na polankę, na której dzieciaki łaziły po rzeźbie przedstawiającej nadnaturalnej wielkości szkielet. Na wysokość pewnie sięgałby mi do talii, a kość udowa była chyba dłuższa ode mnie. Wyglądał jak narysowany przez dziecko kościotrup leżący na ziemi.

Rozbolało mnie ramię. Przestraszyłam się, że rak rozprzestrzenił się po moim organizmie. Wyobraziłam sobie przerzuty do kości, wygryzające dziury w moim szkielecie niczym oślizgłe, podstępne węgorze.

– To *Funky Bones* – powiedział Augustus. – Autorstwa Joepa van Lieshouta.

– Nazwisko brzmi z holenderska.

– Bo on pochodzi z Holandii. Podobnie jak Rik Smits. I tulipany. – Gus zatrzymał się na środku polany z widokiem na kościotrupa i zsunął plecak najpierw z jednego ramienia, a potem z drugiego. Rozpiął go, wyjął pomarańczowy koc, butelkę soku pomarańczowego i kilka kanapek z odciętymi skórkami zawiniętych w folię.

– O co chodzi z tym pomarańczem? – zapytałam, nadal nie dopuszczając do siebie myśli, że wszystko to prowadzi do Amsterdamu.

– To narodowy kolor Holandii oczywiście. Pamiętasz Wilhelma Orańskiego i tak dalej?

– Nie było go na egzaminie. – Uśmiechnęłam się, próbując powściągnąć podniecenie.

– Kanapkę? – zaproponował.

– Niech zgadnę…

– Holenderski ser. I pomidor. Pomidory pochodzą z Meksyku. Przepraszam.

– No nie, zupełnie zawaliłeś sprawę, Augustusie. Nie mogłeś przynajmniej kupić pomarańczowych pomidorów?

Zaśmiał się. Zjedliśmy kanapki, w milczeniu obserwując dzieci bawiące się na szkielecie. Nie mogłam zapytać wprost, więc siedziałam w tej holenderskiej scenografii pełna nadziei i niepokoju.

Nieopodal, skąpana w nieskalanym świetle słonecznym, tak rzadkim i cennym w naszym rodzinnym mieście, gromadka dzieci uczyniła z kościotrupa plac zabaw, skacząc beztrosko po sztucznych kościach.

– Uwielbiam w tej rzeźbie dwie rzeczy– oznajmił Augustus, trzymając niezapalonego papierosa w palcach i strzepując go, jakby chciał strząsnąć popiół. Włożył go z powrotem do ust. – Po pierwsze, elementy są rozmieszczone w takich odległościach, że dziecko absolutnie nie może oprzeć się pokusie, żeby po nich skakać. Po prostu musi dać susa z klatki piersiowej na czaszkę. A to, po drugie, oznacza, że rzeźba w zasadzie zmusza dzieci do zabawy na kościach. Symboliczne konotacje są wprost nieskończone, Hazel Grace.

– Naprawdę uwielbiasz symbole – zauważyłam w nadziei, że skieruję rozmowę na rozliczne holenderskie symbole obecne na naszym pikniku.

– Masz rację. Prawdopodobnie zastanawiasz się, dlaczego jesz kanapkę z niesmacznym serem i pijesz sok pomarańczowy, a ja mam na sobie koszulkę z nazwiskiem Holendra, który uprawiał znienawidzony przeze mnie sport.

– Przemknęły mi przez głowę podobne myśli – przyznałam.

– Hazel Grace, jak wiele dzieci przed tobą, a mówię to z ogromną życzliwością, nazbyt pochopnie wykorzystałaś swoje marzenie, nie dbając o konsekwencje. Ponury Żniwiarz zaglądał ci w oczy, a lęk, że umrzesz z niespełnionym marzeniem nadal schowanym w kieszeni, kazał ci pospiesznie wybrać pierwszą lepszą fantazję i, jak tłumy innych, zdecydowałaś się na bezosobowe i sztuczne przyjemności parku tematycznego.

– Prawdę mówiąc, wspaniale się bawiłam na tej wycieczce. Poznałam Goofy'ego i Minn…

– Jestem w połowie monologu! Napisałem go i nauczyłem się na pamięć, więc jak mi teraz przerwiesz, to wszystko pomieszam – zaprotestował Augustus. – Jedz, proszę, swoją kanapkę i słuchaj. – (Kanapka była tak sucha, że aż niejadalna, ale uśmiechnęłam się i odgryzłam kęs). – No dobrze, gdzie to ja byłem?

– Przy sztucznych przyjemnościach.

Odłożył papierosa do paczki.

– Racja, bezosobowe i sztuczne przyjemności parku tematycznego. Pozwolę sobie na stwierdzenie, że prawdziwymi bohaterami Fabryki Marzeń są młodzi ludzie, którzy czekają niczym Vladimir i Estragon na Godota czy dobre chrześcijańskie dziewczęta na ślub. Ci młodzi herosi czekają ze stoickim spokojem i bez słowa skargi, aż nadejdzie pora na ich jedno jedyne prawdziwe marzenie. Jasne, może nigdy nie nadejść, ale przynajmniej spokojnie spoczną w grobie, wiedząc, że choćby w niewielkim stopniu przyczynili się do zachowania integralności marzenia jako idei. A może ta chwila nadejdzie. Może uświadomisz sobie, że twoim jedynym prawdziwym marzeniem jest odwiedzić genialnego Petera van Houtena w jego amsterdamskiej samotni, i będziesz szczęśliwa, że zachowałaś swoje marzenie.

Augustus zamilkł na tak długą chwilę, że zrozumiałam, iż monolog dobiegł końca.

– Ale ja nie zachowałam swojego marzenia – sprostowałam.

– Ach! – westchnął. A następnie, po chwili, która wyglądała na wyćwiczoną pauzę, dodał: – Ale ja zachowałem swoje.

– Naprawdę? – Byłam zaskoczona, że Augustusowi należało się marzenie, ponieważ chodził nadal do szkoły i od ponad roku miał remisję. Trzeba było być porządnie chorym, żeby Dżiny przyznały ci prawo do marzenia.

– Dostałem je w zamian za nogę – wyjaśnił. Na jego twarz padało ostre światło. Musiał mrużyć oczy, żeby na mnie patrzeć, przez co uroczo marszczył nos. – Nie zamierzam ci oddać mojego marzenia ani nic takiego. Ale ja też mam interes w tym, żeby się spotkać z Peterem van Houtenem, a takie spotkanie nie miałoby sensu bez dziewczyny, dzięki której przeczytałem jego książkę.

– Z całą pewnością nie miałoby – zgodziłam się.

– Skontaktowałem się więc z przedstawicielami Dżinów, którzy absolutnie się ze mną zgadzają. Twierdzą, że Amsterdam jest wprost cudowny na początku maja. Zaproponowali wyjazd trzeciego i powrót siódmego.

– Augustusie, mówisz poważnie?

Wyciągnął rękę i dotknął mojego policzka. Przez chwilę myślałam, że mnie pocałuje. Napięłam się, a on chyba to zauważył, bo cofnął dłoń.

– Augustusie – powiedziałam. – Naprawdę. Nie musisz tego robić.

– Oczywiście, że muszę – odrzekł. – Znalazłem moje marzenie.

– Boże, jesteś najlepszy – wypaliłam.

– Założę się, że mówisz to wszystkim chłopakom, którzy finansują twoje podróże po świecie – odpowiedział.

6

Kiedy wróciłam do domu, mama składała moje pranie i oglądała program telewizyjny zatytułowany *The View*. Powiadomiłam ją, że tulipany i holenderscy artyści, a także cała reszta wzięła się stąd, że Augustus wykorzystał swoje marzenie, aby zabrać mnie do Amsterdamu.

– To zbyt wiele – oznajmiła, kręcąc głową. – Nie możemy przyjąć takiego prezentu od właściwie obcej osoby.

– On nie jest obcy. To mój drugi najlepszy przyjaciel.

– Po Kaitlyn?

– Po tobie – odrzekłam. Nie skłamałam, ale powiedziałam to przede wszystkim dlatego, że chciałam pojechać do Amsterdamu.

– Zapytam doktor Marię – zaproponowała po chwili.

Doktor Maria uznała, że nie mogę pojechać do Amsterdamu bez opieki osoby dorosłej doskonale zaznajomionej z moim przypadkiem, co mniej więcej oznaczało mamę albo samą doktor Marię. (Ojciec rozumiał moją chorobę tak jak ja: w niejasny i niepełny sposób, w jaki ludzie pojmują obwody elektryczne i pływy oceaniczne. Za to mama wiedziała o zróżnicowanym raku tarczycy u nastolatków więcej niż niejeden onkolog).

– No to pojedziesz z nami – oznajmiłam. – Dżiny za to zapłacą. Są nadziane.

– A twój ojciec? – zaprotestowała. – Będzie za nami tęsknił. To niesprawiedliwe wobec niego, on nie może się zerwać z pracy.

– Żartujesz? Wydaje ci się, że tato się zmartwi, bo przez kilka dni będzie mógł oglądać telewizyjne programy o czymś innym niż początkujące modelki, zamawiać pizzę co wieczór i używać papierowych ręczników zamiast talerzy, żeby nie brudzić naczyń?

Mama wybuchnęła śmiechem. W końcu zaczęła się cieszyć z wyjazdu i wpisywać do telefonu sprawy do załatwienia: będzie musiała zadzwonić do rodziców Gusa, porozmawiać z Dżinami o moich medycznych potrzebach, dowiedzieć się, czy załatwili już hotel, jakie są najlepsze przewodniki, bo musimy się przygotować, skoro mamy tylko trzy dni, i tak dalej. Rozbolała mnie głowa, więc wzięłam dwie tabletki ibuprofenu i postanowiłam się zdrzemnąć.

Ale skończyło się na tym, że leżałam w łóżku i odtwarzałam w pamięci piknik z Augustusem. Nie mogłam przestać myśleć o tej krótkiej chwili, kiedy cała stężałam, gdy mnie dotknął. Jakoś ta delikatna poufałość wydała mi się niewłaściwa. Może dlatego, że wszystko zostało tak starannie wyreżyserowane: Augustus był fantastyczny, ale przedobrzył ze wszystkim, od kanapek nabrzmiałych metaforami, ale paskudnych w smaku, po wyuczony monolog, który uniemożliwił rozmowę. Wszystkie te zagrania, choć tchnęły romantyzmem, w gruncie rzeczy wcale nie były romantyczne.

Problem jednak polegał na tym, że nie chciałam, aby mnie pocałował, nie tak jak powinnam tego chcieć. Oczywiście, Augustus był niezwykle atrakcyjny. Pociągał mnie. Myślałam o nim w *ten* sposób, że wyrażę się jak gimnazjalistka. Ale sam dotyk, prawdziwy dotyk... coś tu nie grało.

Zaczęłam się martwić, że będę *musiała* się z nim całować, żeby pojechać do Amsterdamu, a bynajmniej nie podobało mi się, że tak do tego podchodzę, ponieważ (a) w ogóle nie powinnam mieć wątpliwości, czy chcę go pocałować, i (b) całowanie kogoś, żeby załatwić sobie darmową wycieczkę, jest niebezpiecznie bliskie płatnej miłości, a muszę wyznać, że choć nie uważałam się za szczególnie szlachetną osobę, nigdy nie sądziłam, że moje pierwsze prawdziwe doświadczenie seksualne będzie aktem prostytucji.

Ale przecież nie próbował mnie pocałować, tylko dotknął mojej twarzy, co nawet nie ma podtekstu erotycznego. Ten gest nie miał wzbudzić podniecenia, ale z pewnością był wykalkulowany, ponieważ Augustus Waters nie improwizował. Co zatem próbował mi przekazać? I dlaczego ja nie chciałam tego przyjąć?

W którymś momencie uświadomiłam sobie, że kaitlynizuję to spotkanie, postanowiłam więc napisać do Kaitlyn i zasięgnąć rady u źródła. Oddzwoniła natychmiast.

– Mam problem z chłopakiem – wyznałam.

– PYSZNIE! – zachwyciła się. Opowiedziałam jej wszystko, włącznie z niezręcznym dotknięciem twarzy, pomijając jedynie Amsterdam i imię Augustusa. – Na pewno jest przystojny? – zapytała, gdy skończyłam.

– Z całą pewnością – zagwarantowałam.

– Umięśniony?

– Tak, grał w kosza w North Central.

– Kurczę! Gdzie go poznałaś?

– Na tej durnej grupie wsparcia.

– Aha – przyjęła do wiadomości Kaitlyn. – Tak z ciekawości, ile nóg ma ten facet?

– Gdzieś tak jedną i cztery dziesiąte – odpowiedziałam z uśmiechem. Koszykarze byli znani w Indianie, a choć Kaitlyn nie bywała na meczach w North Central, prowadziła bardzo bogate życie towarzyskie.

– Augustus Waters – domyśliła się.

– Hm, może...

– O mój Boże! Widywałam go na imprezach. Co ja bym robiła z tym chłopakiem! To znaczy, nie teraz, skoro wiem, że jesteś nim zainteresowana. Ale, słodki Jezu, jeździłabym na tym jednonogim kucu po całym korralu.

– Kaitlyn! – przywołałam ją do porządku.

– Przepraszam. Myślisz, że będziesz musiała być na górze?

– Kaitlyn – powtórzyłam.

– O czym to mówiłyśmy... Jasne, ty i Augustus Waters. A może... jesteś lesbijką?

– Chyba nie. To znaczy, on mi się zdecydowanie podoba.

– Ma brzydkie dłonie? Czasami piękni ludzie mają paskudne dłonie.

– Nie, ma fantastyczne dłonie.

– Hmm – zadumała się.

– Hmm – odpowiedziałam.

Po sekundzie zapytała:

– Pamiętasz Dereka? Zerwał ze mną w zeszłym tygodniu, ponieważ uznał, że występuje między nami fundamentalna niezgodność charakterów i że będziemy się tylko krzywdzić, jeśli to pociągniemy. Nazwał to zerwaniem prewencyjnym. Może więc masz przeczucie, że występuje fundamentalna niezgodność i robisz prewencyjną prewencję.

– Hmm – skomentowałam znowu.

– Po prostu myślę na głos.

– Przykro mi z powodu Dereka.

– Och, poradziłam sobie z tym. Potrzebowałam całej paczki miętowych czekoladek i aż czterdziestu minut na żałobę po nim.

Zaśmiałam się.

– Dzięki, Kaitlyn.

– Gdyby jednak do czegoś między wami doszło, oczekuję pikantnych szczegółów.

– Ależ oczywiście – zapewniłam ją. Kaitlyn cmoknęła do słuchawki, ja rzuciłam: – Pa! – i rozłączyłyśmy się.

Rozmawiając z Kaitlyn, zrozumiałam, że nie mam przeczucia, iż zranię Augustusa. Mam postczucie.

Wyjęłam laptop i sprawdziłam Caroline Mathers na Facebooku. Fizyczne podobieństwo między nami było uderzające: taka sama sterydowo okrągła twarz, taki sam nos, podobna ogólna budowa ciała. Tylko oczy miała brązowe (ja mam zielone) i o wiele ciemniejszą cerę – włoską czy jakąś taką.

Tysiące ludzi – dosłownie tysiące – zostawiły na jej tablicy wpisy z kondolencjami. Miałam przed sobą niekończącą się listę osób, które za nią tęskniły, tak długą, że godzinę trwało, zanim przeklikałam od tekstów „Przykro mi, że odeszłaś" do „Modlę się za ciebie". Umarła rok temu na raka mózgu. Udało mi się doklikać do niektórych jej zdjęć. Augustus znajdował się na kilku wcześniejszych: na jednym z uniesionymi kciukami wskazywał postrzępioną bliznę na jej łysej czaszce; na następnym stali ramię w ramię na placu zabaw Memorial Hospital, plecami do fotografującego; na kolejnym całowali się, podczas gdy Caroline trzymała aparat, tak że było widać tylko ich nosy i zamknięte oczy.

Wszystkie ostatnio zamieszczone zdjęcia, wklejone pośmiertnie przez przyjaciół, przedstawiały ją z dawnych czasów, gdy była zdrowa: piękna dziewczyna, ponętna i zgrabna, o długich, prostych, czarnych jak smoła włosach opadających na twarz. Ja jako zdrowa osoba w ogóle nie byłam podobna do niej jako zdrowej osoby. Za to jako chore na raka moglibyśmy być siostrami. Nic dziwnego, że się na mnie gapił, kiedy zobaczył mnie po raz pierwszy.

Klikałam, aż dotarłam do wpisu zamieszczonego dwa miesiące temu, czyli dziewięć miesięcy po jej śmierci, przez jednego z przyjaciół. „Wszystkim nam tak bardzo cię brakuje. Ból nie mija. Tak jakbyśmy wszyscy zostali okaleczeni w twojej bitwie, Caroline. Tęsknię za tobą. Kocham cię".

Po chwili rodzice zawołali mnie na kolację. Wyłączyłam komputer i wstałam, ale nie mogłam wyrzucić z myśli tego wpisu. Byłam przybita i zupełnie straciłam apetyt.

Cały czas przejmowałam się ramieniem, które mnie bolało. Bolała mnie też głowa, ale może dlatego, że myślałam o dziewczynie, która cierpiała na raka mózgu. Powtarzałam sobie, że powinnam skupić się na teraźniejszości, być tu i teraz przy okrągłym stole (o średnicy nieco zbyt dużej dla trzech osób i zdecydowanie za dużej dla dwóch) z rozmiękłym brokułem i burgerem z czarnej fasoli, którego nie zdołałaby nawilżyć żadna ilość keczupu na świecie. Przekonywałam się, że wyobrażanie sobie przerzutów w mózgu czy ramieniu i tak nie wpłynie na niewidoczną rzeczywistość w moim wnętrzu i dlatego wszelkie takie myśli to stracone chwile w życiu z samej swej definicji złożonym ze skończonej liczby chwil. Nawet próbowałam sobie perswadować, że powinnam żyć dziś najlepiej, jak potrafię.

Przez długi czas nie mogłam zrozumieć, dlaczego słowa, które obca osoba napisała w Internecie do innej obcej (i zmarłej) osoby, tak bardzo mnie wzburzyły i obudziły obawy, że mam coś w mózgu – który naprawdę bolał, choć po latach doświadczeń wiedziałam, że ból jest kiepskim i nieprecyzyjnym narzędziem diagnostycznym.

Ponieważ tego dnia trzęsienie ziemi nie dotknęło Papui-Nowej Gwinei, rodzice byli nadmiernie skoncentrowani na mnie i nie udało mi się ukryć tego nagłego przypływu niepokoju.

– Wszystko w porządku? – zapytała mama, gdy zaczęliśmy jeść.

– Aha – odpowiedziałam. Ugryzłam kawałek burgera. Przełknęłam. Spróbowałam powiedzieć coś, co by powiedziała normalna dziewczyna, której mózgu nie zalewają fale paniki: – Czy w burgerze są brokuły?

– Odrobina – odrzekł tato. – To fantastyczne, że pojedziecie do Amsterdamu.

– Tak – potwierdziłam. Próbowałam nie myśleć o słowie „okaleczeni", co oczywiście było sposobem myślenia o nim.

– Hazel! – Mama zorientowała się, że coś jest nie tak. – Wróć do nas!

– Przepraszam, zamyśliłam się.

– Ma motyle w brzuchu – podsunął tato z uśmiechem.

– Nie jadam owadów i nie jestem zakochana w Augustusie Watersie ani w nikim innym – odparłam zdecydowanie zbyt obronnym tonem. „Okaleczeni". Jakby Caroline Mathers była bombą, a kiedy wybuchła, odłamki poraniły wszystkich wokół niej.

Tato zapytał, czy muszę odrobić jakieś zadanie domowe do szkoły.

– Mam zadanie z bardzo zaawansowanej algebry – odpowiedziałam. – Tak zaawansowanej, że nie umiałabym jej wyjaśnić laikowi.

– A jak tam twój przyjaciel Isaac?

– Ślepy – odparłam.

– Zachowujesz się dzisiaj jak typowa nastolatka – uznała mama. Wyglądała na poirytowaną.

– A nie tego chciałaś, mamo? Nie chciałaś, żebym była typową nastolatką?

– Niekoniecznie w takim sensie, ale oczywiście jesteśmy z tatą zachwyceni, że stajesz się młodą kobietą, zawierasz przyjaźnie, chodzisz na randki.

– Nie chodzę na randki – zaprotestowałam. – Nie chcę się z nikim umawiać na randki. To koszmarny pomysł i absolutna strata czasu, i...

– Kotku – przerwała mi mama – co się stało?

– Jestem... jestem jak... Jestem jak granat. Mamo, jestem granatem, który w pewnej chwili wybuchnie, więc chcę zminimalizować ofiary, rozumiesz?

Ojciec lekko przechylił głowę na bok niczym złajany szczeniak.

– Jestem granatem – powtórzyłam. – Chcę trzymać się z dala od ludzi, czytać książki, rozmyślać i spędzać czas z wami, ponieważ i tak nie mogę zrobić nic, żeby was nie zranić. Jesteście zbyt zaangażowani, więc pozwólcie mi po prostu żyć tak, jak chcę, dobrze? Nie mam depresji. Nie muszę nigdzie wychodzić. I nie mogę być typową nastolatką, ponieważ jestem granatem.

– Hazel... – powiedział tato i chlipnął. Sporo płakał ten mój tato.

– Idę do pokoju trochę poczytać, dobrze? Nic mi nie jest. Naprawdę nic mi nie jest. Chcę tylko przez chwilę sobie poczytać.

Otworzyłam tę powieść, którą nam zadano w szkole, ale mieszkaliśmy w domu o tragicznie cienkich ścianach, słyszałam więc większość rozmowy prowadzonej szeptem w pokoju obok. Tato mówił: „To mnie wykańcza", a mama: „Tego akurat nie powinna usłyszeć", więc tato: „Przepraszam, ale...", a mama na to: „Nie jesteś wdzięczny?". Odpowiedział: „Boże, oczywiście, że jestem". Próbowałam skupić się na czytaniu, ale nie mogłam przestać ich słuchać.

Włączyłam więc komputer, żeby puścić muzykę. I z ulubionym zespołem Augustusa, The Hectic Glow, w roli ścieżki dźwiękowej wróciłam do stron upamiętniających Caroline Mathers. Czytałam, że stoczyła heroiczną walkę, że bardzo za nią tęskniono, że była teraz w o wiele lepszym miejscu, że będzie żyła wiecznie w ich wspomnieniach i że wszystkich, którzy ją znali – wszystkich – załamało jej odejście.

Może powinnam była nienawidzić Caroline Mathers, ponieważ chodziła z Augustusem, ale nie. Nie dostrzegałam jej wyraźnie wśród tych wszystkich hołdów, lecz nie dawała chyba wielu powodów do nienawiści – wydawała się głównie osobą zawodowo chorą, tak jak ja, co obudziło we mnie obawy, że kiedy umrę, ludzie nie będą umieli o mnie powiedzieć nic prócz tego, że walczyłam bohatersko, jakby moim jedynym życiowym osiągnięciem było chorowanie na raka.

W każdym razie w końcu zaczęłam czytać krótkie informacje w większości zamieszczane przez rodziców Caroline Mathers, ponieważ jej rak mózgu należał chyba do tych, które najpierw odbierają osobowość, zanim w końcu odbiorą życie.

A zatem tak to szło: „Caroline ma kłopoty emocjonalne. Walczy ze złością i frustracją, ponieważ nie może mówić (nas to też oczywiście frustruje, ale stosujemy bardziej społecznie akceptowalne sposoby radzenia sobie ze złością). Gus zaczął nazywać Caroline HULK SMASH, co się przyjęło wśród lekarzy. Nikomu z nas nie jest łatwo, ale trzeba wykorzystać każdą okazję do poprawy humoru.

Mamy nadzieję, że wrócimy do domu w czwartek. Damy wam znać...".

Nie trzeba dodawać, że już nie wróciła do domu w czwartek.

Oczywiście dlatego tak się napięłam, kiedy mnie dotknął. Być z nim oznaczało zadać mu ból – nie dało się tego uniknąć. I to poczułam, gdy wyciągnął do mnie rękę: jakbym dokonywała na nim aktu przemocy. Bo to właśnie robiłam.

Postanowiłam do niego napisać. Chciałam uniknąć rozmowy na ten temat.

Cześć. No dobra, nie wiem, czy to zrozumiesz, ale nie mogę z Tobą chodzić ani nic w tym rodzaju. Nie żebyś jakoś bardzo nalegał, ale ja i tak nie mogę.
Gdy patrzę na Ciebie w ten sposób, myślę tylko o tym, ile będziesz musiał przeze mnie wycierpieć. To przecież nie ma sensu.
W każdym razie przepraszam.

Odpisał kilka minut później.

Okay.

Napisałam:

Okay.

Odpowiedział:

O Boże, przestań ze mną flirtować!

Napisałam tylko:

Okay.

Po chwili mój telefon zabrzęczał.

Żartowałem, Hazel Grace. Rozumiem. (Ale oboje wiemy, że „okay" to bardzo kokieteryjne słowo. Jest wprost naładowane zmysłowością).

Kusiło mnie, żeby znów odpowiedzieć „okay", ale wyobraziłam go sobie na moim pogrzebie i to mi pomogło napisać właściwą odpowiedź.

Przepraszam.

Próbowałam zasnąć w słuchawkach, lecz po chwili przyszli do mnie rodzice. Mama zdjęła Modraszka z półki i przycisnęła go do brzucha, a tato usiadł na krześle przy biurku i powiedział, nie płacząc:

– Nie jesteś granatem, nie dla nas. Myśl o twojej śmierci nas zasmuca, Hazel, ale nie jesteś granatem. Jesteś cudowna. Nie wiesz tego, kochanie, ponieważ nigdy nie miałaś córki, która staje się błyskotliwą młodą czytelniczką z hobby w postaci koszmarnych telewizyjnych programów, ale radość z powodu twojego istnienia jest o wiele większa niż smutek z powodu twojej choroby.

– Okay – odpowiedziałam.

– Naprawdę – zapewnił mnie – nie ściemnialibyśmy na ten temat. Gdybyś sprawiała więcej kłopotów, niż przewiduje norma, wyrzucilibyśmy cię na ulicę.

– Nie jesteśmy sentymentalni – wtrąciła mama z kamienną twarzą. – Zostawilibyśmy cię w sierocińcu z karteczką przypiętą do piżamy.

Zaśmiałam się.

– Nie musisz bywać na spotkaniach grupy wsparcia – dodała. – Nic nie musisz robić. Poza chodzeniem do szkoły. – Podała mi misia.

– Myślę, że Modraszek może spać dzisiaj na półce – zaprotestowałam. – Przypominam ci, że mam już ponad trzydzieści trzy połówki lat.

– Zatrzymaj go dziś – poprosiła.

– Mamo.

– Jest samotny – uparła się.

– O Boże, mamo – zirytowałam się. Ale wzięłam głupiego Modraszka i nawet go przytuliłam, zasypiając.

Prawdę mówiąc, nadal obejmowałam go jedną ręką, kiedy obudziłam się tuż po czwartej nad ranem z apokaliptycznym bólem próbującym wyszarpać sobie drogę na zewnątrz z jakiegoś niesprecyzowanego miejsca w środku mojej głowy.

7

Krzyknęłam, żeby obudzić rodziców, a oni natychmiast wpadli do pokoju, ale nic nie mogli zrobić, żeby przyćmić supernową wybuchającą w moim mózgu, ugasić niekończący się łańcuch sztucznych ogni eksplodujących wewnątrz mojej czaszki. Byłam pewna, że w końcu odchodzę na dobre, i mówiłam sobie – jak wiele razy wcześniej – że ciało się wyłącza, gdy ból robi się nie do wytrzymania, że świadomość jest czasowa, że to minie. Ale, tak jak za każdym razem do tej pory, nie straciłam przytomności. Zostałam na brzegu, a fale tylko mnie obmywały i nie chciały zatopić.

Tato prowadził, rozmawiając ze szpitalem przez telefon, a ja leżałam z tyłu z głową na kolanach mamy. Nic nie mogłam zrobić: krzyk tylko pogarszał sytuację. Wszelkie bodźce ją pogarszały.

Jedynym rozwiązaniem była próba unicestwienia świata, sprawienia, by znów stał się czarny, cichy i niezamieszkany, powrócenia do chwili sprzed wielkiego wybuchu, do początku, kiedy było Słowo, i do trwania w tej pustej, niestworzonej przestrzeni wraz ze Słowem.

Ludzie opowiadają o odwadze chorych na raka i ja tej odwadze nie zaprzeczam. Byłam dźgana, kłuta i truta od lat, a mimo to nadal jakoś tam funkcjonowałam. Ale zapewniam: w tamtej chwili byłabym bardzo, bardzo szczęśliwa, gdybym mogła po prostu umrzeć.

Obudziłam się na oddziale intensywnej terapii. Wiedziałam, że to intensywna terapia, bo nie leżałam w pojedynczym pokoju, zewsząd słychać było pikanie, a poza tym byłam sama: nie pozwalają rodzinie siedzieć dwadzieścia cztery godziny na dobę na dziecięcym OIOM-ie, ponieważ istnieje ryzyko infekcji. Na korytarzu słychać było głośny płacz. Zmarło czyjeś dziecko. Byłam sama. Nacisnęłam czerwony guzik.

Kilka sekund później pojawiła się pielęgniarka.

– Hej – powiedziałam.

– Witaj, Hazel. Jestem Alison, twoja pielęgniarka – wyjaśniła.

– Witaj, Alison Moja Pielęgniarko – odrzekłam.

I wówczas znów poczułam się bardzo zmęczona. Ponownie rozbudziłam się trochę, kiedy przyszli moi rodzice. Płakali i ciągle całowali moją twarz, a ja wyciągałam do nich ręce i próbowałam ich uściskać, ale wszystko mnie wtedy bolało. Powiedzieli, że nie mam guza mózgu, a ból głowy był spowodowany niedotlenieniem, wynikającym z tego, że moje płuca pływały w płynie, z którego półtora litra (!!!!) udało się odciągnąć i dlatego mogę czuć lekki dyskomfort w boku, gdzie znajduje się – popatrz tylko! – dren prowadzący z klatki piersiowej do plastikowego worka w połowie wypełnionego płynem, który niepokojąco przypominał ulubione bursztynowe piwo mojego ojca.

Mama powiedziała, że wrócę do domu, naprawdę wrócę, tylko raz na jakiś czas lekarze będą ściągali mi płyn i będę musiała używać BiPAP-a, aparatu, który podczas snu ma wtłaczać tlen do moich felernych płuc. Powiedzieli też, że pierwszej nocy w szpitalu zrobiono mi tomografię całego ciała i mieli dla mnie dobrą nowinę: guzy nie rosły. I nie pojawiły się nowe. Ból ramienia wynikał z niedoboru tlenu. Tak naprawdę bolało mnie serce, które musiało pracować za ciężko.

– Doktor Maria dzisiaj rano powiedziała, że jest dobrej myśli – powiadomił mnie tato. Lubiłam doktor Marię, a ona nigdy nie mydliła oczu, więc miło było to usłyszeć.

– To tylko pewna niedogodność, Hazel – dodała mama. – Niedogodność, z którą możemy żyć.

Skinęłam głową, a potem Alison Moja Pielęgniarka uprzejmie nakłoniła ich, żeby sobie poszli. Zapytała, czy mam ochotę na trochę mielonego lodu, a ja pokiwałam głową, więc siadła na łóżku i zaczęła karmić mnie łyżeczką.

– Nie było cię z nami przez parę dni – zagaiła. – Zastanówmy się, co przegapiłaś... Pewna celebrytka brała narkotyki. Politycy się pokłócili. Inna celebrytka pokazała się w bikini, które obnażyło niedoskonałości jej ciała. Jedna drużyna wygrała mecz, a druga przegrała. – Uśmiechnęłam się. – Nie możesz tak znikać wszystkim, Hazel. Zbyt dużo cię omija.

– Jeszcze? – poprosiłam, wskazując głową biały styropianowy kubek w jej dłoni.

– Nie powinnam – odpowiedziała – ale jestem buntowniczką. – Podała mi kolejną łyżeczkę pełną pokruszonego lodu. Wymamrotałam podziękowanie. Chwała Bogu za dobre pielęgniarki. – Zmęczyłaś się? – zapytała. Skinęłam głową. – Prześpij się teraz trochę – zaproponowała. – Spróbuję odwrócić ich uwagę i zapewnić ci kilka godzin spokoju, zanim ktoś wpadnie sprawdzić twoje funkcje życiowe. – Znów jej podziękowałam. W szpitalu człowiek często dziękuje. Próbowałam ułożyć się wygodniej na łóżku. – Nie zapytasz o swojego chłopaka? – zapytała.

– Nie mam chłopaka – odrzekłam.

– Jest taki jeden, który prawie nie wychodzi z poczekalni, od kiedy tu wylądowałaś – oznajmiła.

– Ale nie widział mnie w tym stanie?

– Nie. Tylko rodzina.

Znów kiwnęłam głową i zatonęłam w wodnistym śnie.

Sześć dni trwało, zanim mogłam wyjść do domu, sześć straconych dni wypełnionych gapieniem się w wygłuszony sufit, oglądaniem telewizji, spaniem, bólem i irytacją, że czas płynie tak wolno. Nie widywałam Augustusa ani nikogo innego poza rodzicami. Moje włosy zaczęły przypominać ptasie gniazdo, a chodząc, powłóczyłam nogami jak pacjentka z demencją. Jednak każdego dnia czułam się troszkę lepiej. Każdy sen przybliżał mnie do osoby nieco bardziej podobnej do mnie. Sen pomaga w walce z rakiem, powiedział internista, doktor Jim, po raz tysięczny, gdy pochylał się nade mną w otoczeniu koterii studentów medycyny.

– W takim razie jestem maszyną do zwalczania raka – oznajmiłam.

– Jesteś, Hazel. Odpoczywaj, a niedługo wypuścimy cię do domu.

We wtorek powiedzieli mi, że wrócę do domu w środę. W środę dwie prawie pozbawione nadzoru studentki medycyny usunęły dren z mojej klatki piersiowej, co zabolało jak dźgnięcie nożem od wewnątrz, i ogólnie nie poszło najlepiej, zatem lekarze uznali, że muszę zostać do czwartku. Zaczynałam dochodzić do wniosku, że poddają mnie jakiemuś egzystencjalnemu eksperymentowi polegającemu na odsuwaniu nagrody w nieskończoność, kiedy doktor Maria pojawiła się w piątek rano, powęszyła wokół mnie przez minutę, po czym powiedziała, że nadaję się do wyjścia.

Mama otworzyła swoją ogromną torebkę i okazało się, że cały czas nosi w niej ubrania dla mnie na powrót do domu. Potem pielęgniarka wyjęła mi wenflon. Poczułam się niczym nieograniczona, mimo że nadal musiałam cały czas mieć przy sobie zbiornik z tlenem. Poszłam do łazienki, wzięłam pierwszy od tygodnia prysznic i ubrałam się, a kiedy wróciłam do pokoju, byłam tak wyczerpana, że musiałam się położyć, żeby odzyskać oddech. Mama zapytała:

– Chcesz się zobaczyć z Augustusem?

– Chyba tak – odpowiedziałam po minucie. Wstałam, powlokłam się do jednego ze składanych plastikowych krzeseł pod ścianą i wsunęłam pod nie zbiornik. To też mnie wykończyło.

Tato przyprowadził Augustusa kilka minut później. Zmierzwione włosy opadały mu na czoło. Na mój widok rozjaśnił się w prawdziwym augustusowym krzywym uśmiechu, a ja nie mogłam się powstrzymać i też odpowiedziałam mu uśmiechem. Usiadł na obitej niebieskim skajem leżance obok krzesła, po czym pochylił się w moją stronę, a uśmiech nie schodził mu z twarzy.

Rodzice zostawili nas samych, co wyszło dosyć niezręcznie. Z całych sił starałam się nie uciekać przed nim wzrokiem, choć miał tak ładne oczy, że sprawiało mi to problem.

– Tęskniłem za tobą – powiedział Augustus.

Mój głos brzmiał słabiej, niż chciałam.

– Dzięki, że nie próbowałeś mnie odwiedzać, kiedy wyglądałam jak kupka nieszczęścia.

– Szczerze mówiąc, nadal wyglądasz nieszczególnie.

Zaśmiałam się.

– Też za tobą tęskniłam. Tylko nie chciałam, żebyś widział… no, wiesz, to wszystko. Chcę tylko… jakby… Nieważne. Nie zawsze dostajemy to, czego chcemy.

– Naprawdę? Zawsze mi się wydawało, że świat to jedna wielka instytucja zajmująca się spełnianiem życzeń.

– Chyba jednak wychodzi na to, że nie – powiedziałam. Był taki piękny. Sięgnął po moją rękę, ale pokręciłam głową. – Nie – zaoponowałam cicho. – Jeśli mamy być ze sobą, to musi stać się… inaczej.

– Dobrze – zgodził się. – Mam dobrą i złą nowinę na froncie spełniania życzeń.

– Tak?

– Zła nowina jest taka, że oczywiście nie możemy pojechać do Amsterdamu, dopóki nie poczujesz się lepiej.

Jednak kiedy tylko wydobrzejesz, Dżiny użyją swych słynnych czarów.

– To ta dobra nowina?

– Nie, dobra nowina jest taka, że kiedy spałaś, Peter van Houten podzielił się z nami kolejnymi płodami swojego genialnego umysłu.

Znów sięgnął po moją dłoń, lecz tym razem po to, by wsunąć w nią złożoną kartkę z papeterii z nagłówkiem: „Peter van Houten, powieściopisarz emeritus".

Nie chciałam czytać listu, dopóki nie dotarłam do domu i nie usadowiłam się na moim wielkim, pustym łóżku, gdzie nie mogła mi przeszkodzić żadna interwencja medyczna. Całą wieczność trwało, zanim rozszyfrowałam pochyłe, niewyraźne pismo van Houtena.

Drogi Panie Waters!

*Otrzymałem Pański elektroniczny list z 14 kwietnia i pozostaję pod wrażeniem iście szekspirowskiej złożoności Waszej tragedii. Każdy w tej opowieści przygnieciony jest ciężką niczym głaz hamartią: ona dlatego, że jest taka chora; Pan dlatego, że jest taki zdrowy. Gdyby ona czuła się lepiej lub Pan gorzej, gwiazdy nie rozgniewałyby się tak okrutnie, ale taka jest natura gwiazd i Szekspir nigdy bardziej się nie mylił niż wtedy, kiedy kazał Kasjuszowi powiedzieć: „To nasza tylko, nie gwiazd naszych wina"**. *Łatwo mówić, gdy jest się rzymskim legatem*

* William Szekspir, *Juliusz Cezar*, przeł. Leon Ulrich, Kraków 1895.

(albo Szekspirem!), ale nasze gwiazdy mają wiele win na sumieniu.

Skoro już jesteśmy przy niedostatkach starego Willa, Pańskie słowa o młodej Hazel przypominają mi Sonet LV *naszego Wieszcza, który oczywiście zaczyna się od słów: „Marmur i książąt posągi złocone / Krócej żyć będą niż ten wiersz potężny / I jaśniej zalśnisz w me rymy wprawiony / Niż klejnot, który czas wreszcie zwycięży"**. *(Dygresja: co za gnojek z tego czasu. Wszystko psuje). To ładny wiersz, ale kłamliwy. Rzeczywiście pamiętamy wielki poemat Szekspira, ale cóż zapamiętaliśmy na temat osoby, którą upamiętnia? Nic. Prawdopodobnie był to mężczyzna, a cała reszta to jedynie domysły. Szekspir bardzo mało nam przekazuje na temat człowieka, którego pogrzebał w swoim lingwistycznym sarkofagu. (Proszę również zauważyć, że gdy mówimy o literaturze, używamy czasu teraźniejszego. Gdy mówimy o zmarłych, nie jesteśmy już tak uprzejmi). Nie można zapewnić nieśmiertelności zmarłym, pisząc o nich. Język grzebie, ale nie wskrzesza. (Wyjawię pewną tajemnicę: nie ja pierwszy czynię tę obserwację. Polecam wiersz MacLeisha* Nie marmur i książąt posągi złocone, *który zawiera bohaterski wers: „Powiadam, umrzesz i nikt cię nie wspomni").*

Odbiegłem od tematu, ale oto kwintesencja tych dywagacji: martwi widzialni są tylko przez potworne, pozbawione powiek oczy pamięci. Żywi, dzięki Bogu, zachowują zdolność zaskakiwania i rozczarowywania. Pańska Hazel żyje, Waters, i nie wolno Panu swoją wolą tłamsić

* William Szekspir, *Sonet LV*, przeł. Maciej Słomczyński, Kraków 2000.

jej decyzji, zwłaszcza decyzji przemyślanej. Ona chce Panu oszczędzić bólu, a Pan powinien jej na to pozwolić. Być może logika młodej Hazel do Pana nie przemawia, ale wędruję przez ten padół łez dłużej niż Pan i z mojego punktu widzenia ona naprawdę nie jest szalona.

Z poważaniem
Peter van Houten

To rzeczywiście napisał on. Polizałam palec, przesunęłam nim po papierze i atrament odrobinę się rozmazał, dając dowód, że jest zupełnie prawdziwy.

– Mamo – powiedziałam niezbyt głośno, ale to wystarczyło. Ona zawsze czekała. Wetknęła głowę przez uchylone drzwi.

– Dobrze się czujesz, słonko?

– Możemy zadzwonić do doktor Marii z pytaniem, czy podróż na inny kontynent mnie zabije?

8

Kilka dni później odbyła się wielka narada Zespołu do Walki z Rakiem. Co jakiś czas grupa lekarzy, pracowników społecznych, fizjoterapeutów i innych siadała wokół dużego stołu w sali konferencyjnej i omawiała moją sytuację. (Nie tę związaną z Augustusem Watersem czy z Amsterdamem. Związaną z chorobą).

Naradę prowadziła doktor Maria. Gdy przyszłam, serdecznie mnie przytuliła. Lubiła przytulać.

Chyba czułam się trochę lepiej. Sypiałam całą noc z BiPAP-em, przez co moje płuca funkcjonowały niemalże normalnie, choć przecież nie pamiętam tak naprawdę, jak funkcjonują normalne płuca.

Wszyscy zebrani ostentacyjnie wyłączyli pagery i inne urządzenia, dając do zrozumienia, że koncentrują się wyłącznie na mnie. Doktor Maria powiedziała:

– Dobra nowina jest taka, że Phalanxifor nadal hamuje wzrost guzów, ale oczywiście obserwujemy poważne problemy z gromadzeniem się płynu w płucach. Pytanie więc brzmi: jaką taktykę powinniśmy obrać dalej?

A potem spojrzała na mnie, jakby czekała na odpowiedź.

– Hm – odezwałam się – wydaje mi się, że nie jestem najbardziej odpowiednią osobą w tym gronie, by udzielić kompetentnej odpowiedzi.

Uśmiechnęła się.

– Słusznie. Liczyłam na to, że doktor Simons zabierze głos. Panie doktorze?

To był jakiś kolejny onkolog.

– Cóż, wiemy na podstawie innych przypadków, że większość guzów w końcu zaczyna się rozwijać mimo stosowania Phalanxiforu, ale wówczas obserwowalibyśmy ich wzrost na aktualnych skanach. Ponieważ niczego takiego nie widać, na pewno jeszcze do tego nie doszło.

J e s z c z e, pomyślałam.

Doktor Simons postukał w stół palcem wskazującym.

– Panuje tu opinia, że Phalanxifor powiększa obrzęk, ale uważam, że stanęlibyśmy w obliczu o wiele poważniejszych problemów, gdybyśmy przestali go stosować.

Doktor Maria dodała:

– Tak naprawdę nie znamy odległych skutków działania Phalanxiforu. Niewiele osób przyjmowało go tak długo jak ty.

– A zatem nic nie zrobimy?

– Będziemy trzymać kurs – zaproponowała doktor Maria – lecz musimy też przeciwdziałać obrzękowi. – Z jakiegoś powodu poczułam mdłości, jakbym miała zaraz zwymiotować. Zawsze nienawidziłam spotkań Zespołu do Walki z Rakiem, ale to dzisiejsze było wyjątkowo okropne. – Twoja choroba się nie wycofa, Hazel. Ale znamy ludzi, którzy żyli z nowotworem o tym stopniu zaawansowania przez długi czas. – (Nie pytałam, co oznacza „długi czas". Już raz popełniłam ten błąd). – Wiem, że po pobycie na oddziale intensywnej opieki możesz odbierać to inaczej, lecz wzrost poziomu płynu naprawdę daje się kontrolować, przynajmniej na razie.

– A nie można mi po prostu przeszczepić płuca czy coś w tym rodzaju? – zapytałam.

Doktor Maria zacisnęła usta w wąską kreskę.

– Niestety nie zostaniesz uznana za odpowiednią kandydatkę do transplantacji – powiedziała. Zrozumiałam: nie ma sensu marnować dobrych płuc na beznadziejny przypadek. Kiwnęłam głową, starając się nie okazać, że ten komentarz mnie uraził. Tato zaczął popłakiwać. Nie patrzyłam na niego, ale nikt nic nie mówił przez dłuższy czas, więc jego łkanie było jedynym dźwiękiem w pomieszczeniu.

Nienawidziłam sprawiać mu przykrości. Nie zawsze o tym pamiętałam, lecz nieubłagana prawda była taka: być może cieszyli się, że jestem z nimi, ale byłam też alfą i omegą ich cierpienia.

Tuż przed Cudem, kiedy leżałam na oddziale intensywnej terapii i wyglądało na to, że umrę, a mama mi powtarzała, że nic nie szkodzi, jeśli się poddam, więc próbowałam się poddać, lecz moje płuca ciągle walczyły o powietrze, mama wypłakała w pierś taty coś, czego wolałabym nie usłyszeć, i mam nadzieję, że ona nigdy nie dowie się, iż to słyszałam.

– Nie będę już mamą.

Porządnie mnie to wypatroszyło.

Przez całą naradę Zespołu Rakowego nie mogłam przestać myśleć o tamtych słowach. Nie mogłam wyrzucić z głowy brzmienia jej głosu, kiedy to mówiła, jakby nigdy już nie miała dojść do siebie, co zapewne było prawdą.

W każdym razie ostatecznie postanowiliśmy postępować tak jak dotychczas, tylko częściej odciągać płyn. W końcu zapytałam, czy mogę pojechać do Amsterdamu, a doktor Simons naprawdę i dosłownie wybuchnął śmiechem. Za to doktor Maria powiedziała:

– A dlaczego nie?

Doktor Simons powtórzył z niedowierzaniem:

– Dlaczego nie?

I doktor Maria oznajmiła:

– No właśnie, nie rozumiem, dlaczego nie. Przecież w samolotach mają tlen.

Doktor Simons zapytał:

– I zrobią odprawę BiPAP-a?

A doktor Maria odrzekła:

– Tak, albo przygotują dla niej własnego.

– Mamy wysłać pacjentkę – i to najlepiej rokującą chorą leczoną Phalanxiforem – w miejsce odległe o osiem godzin lotu od najbliższego lekarza zaznajomionego z jej przypadkiem? To proszenie się o katastrofę.

Doktor Maria wzruszyła ramionami.

– Oznacza to pewne ryzyko – przyznała, a potem zwróciła się do mnie słowami: – Ale to twoje życie.

* * *

Choć nie do końca. W drodze powrotnej do domu rodzicie ustalili: nie pojadę do Amsterdamu, dopóki lekarze nie uznają, że będzie to całkowicie bezpieczne.

Augustus zadzwonił tego wieczoru po kolacji. Leżałam już w łóżku – w tamtym okresie chodziłam spać tuż po kolacji – podparta miliardem poduszek i z laptopem na kolanach.

Powitałam go słowami:

– Złe wieści.

A on na to:

– Kurka, co znowu?

– Nie mogę jechać do Amsterdamu. Jeden z moich lekarzy uważa, że to zły pomysł.

Milczał przez chwilę.

– Boże. Mogłem sam za wszystko zapłacić. Powinienem był cię zabrać do Amsterdamu prosto z *Funky Bones*.

– Ale wtedy zapewne miałabym śmiertelny atak niedotlenienia w Amsterdamie, a moje ciało wróciłoby do domu w ładowni samolotu – zauważyłam.

– No tak – zgodził się – ale zanim do tego by doszło, dzięki mojemu wspaniałemu romantycznemu gestowi mógłbym uprawiać seks.

Wybuchnęłam szczerym śmiechem – tak szczerym, że poczułam, w którym miejscu klatki piersiowej miałam dren.

– Śmiejesz się, bo to prawda – uznał.

Zaśmiałam się jeszcze głośniej.

– To prawda!

– Zapewne nie – odrzekłam, ale po chwili dodałam: – Choć nigdy nic nie wiadomo.

Jęknął ze smutkiem.

– Umrę jako prawiczek.

– Jesteś prawiczkiem? – spytałam ze zdumieniem.

– Hazel Grace – zaczął – masz długopis i kawałek kartki? – Potwierdziłam. – Dobrze. Narysuj, proszę, kółko. – Wykonałam polecenie. – A teraz narysuj w nim mniejsze kółko. – Zrobiłam to. – Większy okrąg to prawiczki, a mniejszy to siedemnastoletni kolesie z jedną nogą.

Znów się zaśmiałam, po czym wyznałam, że nawiązywanie większości kontaktów towarzyskich w szpitalach dziecięcych też nie sprzyja rozwiązłości, a potem rozmawialiśmy o zdumiewająco błyskotliwej uwadze Petera van Houtena, że czas jest zwykłym gnojkiem. Choć leżałam u siebie w łóżku, a on był w swojej piwnicy, wydawało się, że przebywamy razem w tej trzeciej autonomicznej przestrzeni. Naprawdę bardzo lubiłam odwiedzać z nim to miejsce.

Potem rozłączyłam się, a rodzice przyszli do mojego pokoju, i choć łóżko nie było wystarczająco duże dla naszej trójki, położyli się po obu stronach i obejrzeliśmy razem *ANTM* na moim małym telewizorku. Ta dziewczyna, której nie lubiłam, Selena, odpadła z programu, co z jakiegoś powodu naprawdę mnie uszczęśliwiło. Potem mama podłączyła mnie do BiPAP-a i otuliła kołdrą, a tato pocałował w czoło, drapiąc zarostem. Następnie zamknęłam oczy.

Bardzo mnie irytowało, kiedy BiPAP przejmował kontrolę nad moim oddechem. Natomiast uwielbiałam to, że wydawał te wszystkie dźwięki: łomotał przy każdym wdechu i mruczał przy wydechu. Wyobrażałam sobie, że jest smokiem i oddycha w takim samym rytmie jak ja. Jakbym miała swojego smoczego przyjaciela, który leży zwinięty obok mnie i zależy mu na mnie tak bardzo, że dostosowuje swój oddech do mojego. Myślałam o tym, zapadając w sen.

Następnego ranka wstałam późno. Obejrzałam telewizję w łóżku, sprawdziłam maile, a po jakimś czasie zaczęłam pisać do Petera van Houtena o tym, że nie mogę przyjechać do Amsterdamu, ale przysięgam na życie mojej matki, że nigdy z nikim nie podzielę się informacjami na temat bohaterów jego książki, że nawet nie chcę się dzielić, ponieważ jestem bardzo wielką egoistką, i czy mógłby mi tylko zdradzić, czy Holenderski Tulippan jest uczciwy, czy mama Anny wyjdzie za niego i co z chomikiem Syzyfem?

Nie wysłałam tego maila. Był zbyt żałosny nawet jak na mnie.

Około trzeciej, kiedy uznałam, że Augustus już powinien wrócić ze szkoły, wyszłam do ogródka i zadzwoniłam do niego. Słuchając sygnału, siadłam na trawie, która była już za wysoka i poprzerastana mleczami. Kawałek dalej ciągle stała moja dziecięca huśtawka, pod którą znajdowało się płytkie zagłębienie wygrzebane podeszwami butów. Teraz zarosło chwastami. Przypomniało mi się, jak tato przywiózł wielką paczkę z Toys „R" Us i wraz z sąsiadem zmontował huśtawkę w ogrodzie. Uparł się, że usiądzie na niej pierwszy, żeby sprawdzić jej wytrzymałość, i prawie ją połamał.

Niebo było szare, niskie i brzemienne deszczem, choć jeszcze nie padało. Rozłączyłam się, usłyszawszy pocztę głosową Augustusa, i położyłam telefon na ziemi obok. Gapiłam się na huśtawkę, myśląc o tym, że oddałabym wszystkie dni choroby, które mi zostały, za kilka dni zdrowia. Próbowałam sobie wmówić, że mogło być gorzej, że świat to nie instytucja do spełniania życzeń, że żyję z rakiem, a nie umieram na niego, i że nie mogę pozwolić, by mnie zabił, zanim naprawdę mnie zabije, a potem zaczęłam mruczeć durna durna durna durna durna durna bez przerwy, aż dźwięk oderwał się od znaczenia. Nadal mruczałam, kiedy Augustus oddzwonił.

– Cześć – powiedziałam.

– Hazel Grace – odrzekł.

– Cześć – powtórzyłam.

– Ty płaczesz, Hazel Grace?

– Tak jakby.

– Dlaczego?

– Ponieważ... chcę jechać do Amsterdamu, żeby van Houten powiedział mi, co się stało po zakończeniu książki, i nie chcę takiego życia, poza tym przygnębia mnie niebo, no i jeszcze chodzi o tę starą huśtawkę, którą tato kupił, kiedy byłam dzieckiem.

– Muszę natychmiast zobaczyć tę starą huśtawkę płaczu – oznajmił. – Będę u ciebie za dwadzieścia minut.

* * *

Zostałam w ogródku, ponieważ mama zawsze niepokoiła się, kiedy płakałam, co nie zdarzało mi się zbyt często. Wiedziałam, że będzie chciała to omówić i zastanowić się, czy nie powinnam zmienić leków, a na samą myśl o tej rozmowie robiło mi się niedobrze.

Nie chodzi o to, bym miała jakieś niezwykle przejmujące, promienne wspomnienie zdrowego ojca huśtającego zdrowe dziecko, które woła: „Wyżej, wyżej, wyżej!", czy jakiejś innej naładowanej metaforami chwili. Huśtawka po prostu stała porzucona w ogródku, dwa małe siedziska zwisały smętnie i nieruchomo z poszarzałej deski, kształtem przypominając narysowane dziecięcą ręką uśmiechy.

Usłyszałam, jak za moim plecami otwierają się przesuwne szklane drzwi. Odwróciłam się. To był Augustus, ubrany w spodnie khaki i koszulę w kratę z krótkimi rękawami. Otarłam twarz i uśmiechnęłam się.

– Cześć – powiedziałam.

Chwilę trwało, zanim udało mu się usiąść na ziemi obok mnie. Wykrzywił się, gdy w końcu niezbyt wdzięcznie wylądował na tyłku.

– Cześć – odpowiedział. Zerknęłam na niego, ale on spoglądał w głąb ogródka. – Rozumiem, co masz na myśli – wyznał, obejmując mnie. – To cholernie smutna huśtawka.

Położyłam mu głowę na ramieniu.

– Dzięki, że przyjechałeś.

– Zdajesz sobie sprawę, że trzymając mnie na dystans, nie zmniejszysz mojego uczucia do ciebie?

– Nie?

– Wszelkie wysiłki, by uchronić mnie przed tobą, skazane są na porażkę – dodał.

– Dlaczego? Dlaczego w ogóle mnie lubisz? Nie dość się wycierpiałeś? – zapytałam, myśląc o Caroline Mathers.

Gus nie odpowiedział. Obejmował mnie tylko, a ja czułam siłę jego palców na lewym ramieniu.

– Musimy coś zrobić z tą cholerną huśtawką – oznajmił. – Mówię ci, to dziewięćdziesiąt dziewięć procent problemu.

Gdy już całkiem się uspokoiłam, wróciliśmy do domu i siedliśmy tuż obok siebie na kanapie, z laptopem do połowy na jego (sztucznym) kolanie i do połowy na moim.

Wszedł na stronę o nazwie Za Darmo Bez Haczyków, gdzie można zamieszczać ogłoszenia o rzeczach, które chce się oddać. Zaczęliśmy razem tworzyć.

– Nagłówek? – zapytał.

– Huśtawka poszukuje domu – podpowiedziałam.

– Rozpaczliwie samotna huśtawka potrzebuje kochającego domu – poprawił.

– Samotna, nieco pedofilska huśtawka pragnie dziecięcych tyłeczków – rozwinęłam temat.

Wybuchnął śmiechem.

– Właśnie dlatego!

– Co?

– Właśnie dlatego cię lubię. Wiesz, jak rzadko można spotkać atrakcyjną dziewczynę, która tworzy przymiotnikową wersję słowa „pedofil"? Tak cię pochłania bycie sobą, że nie masz nawet pojęcia, jaka jesteś nadzwyczajna.

Głęboko odetchnęłam przez nos. Zawsze brakowało mi powietrza, ale w tym szczególnym momencie było to wyjątkowo odczuwalne.

Pisaliśmy ogłoszenie razem, poprawiając się nawzajem w trakcie. W końcu zdecydowaliśmy się na następującą wersję:

Rozpaczliwie samotna huśtawka poszukuje kochającego domu

Huśtawka ogrodowa, porządnie zużyta, lecz o zdrowej konstrukcji, szuka nowego domu. Twórz wspomnienia ze swoim dzieckiem lub dziećmi, aby pewnego dnia spojrzały na ogród i poczuły sentymentalny ból równie dotkliwy jak ja dzisiejszego popołudnia. Wszystko jest kruche i ulotne, drogi czytelniku, lecz z tą huśtawką twoje dziecko zostanie wprowadzone we wzloty i upadki ludzkiego życia łagodnie oraz bezpiecznie. Być może przyswoi sobie również najważniejszą lekcję: nieważne, jak mocno się odbijasz, nieważne, jak wysoko wzlatujesz, nigdy nie uda ci się zrobić pełnego obrotu.

Huśtawka obecnie przebywa w pobliżu Osiemdziesiątej Trzeciej i Spring Mill.

* * *

Potem na chwilę włączyliśmy telewizor, ale nie znaleźliśmy niczego ciekawego, przyniosłam więc *Cios udręki* ze stolika nocnego i Augustus Waters czytał mi, a mama przysłuchiwała się, przygotowując kolację.

– „Szklane oko mamy zwróciło się do środka..." – zaczął Augustus. W miarę jak czytał, zakochiwałam się w nim tak, jakbym zapadała w sen: najpierw powoli, a potem nagle i całkowicie.

Kiedy sprawdziłam maile godzinę później, okazało się, że jest bardzo wielu starających się o huśtawkę. W końcu wybraliśmy faceta, który nazywał się Daniel Alvarez i dołączył zdjęcie trójki swoich dzieci grających na komputerze opatrzone podpisem: „Chcę tylko, by wyszły wreszcie na dwór". Odpisałam mu, że może zabrać huśtawkę, kiedy zechce.

Augustus zapytał, czy mam ochotę wybrać się z nim na grupę wsparcia, ale byłam naprawdę wyczerpana po ciężkim dniu chorowania na raka, więc spasowałam. Siedzieliśmy razem na kanapie, a on podciągnął się, żeby wstać, następnie z impetem opadł na siedzenie i ukradkiem pocałował mnie w policzek.

– Augustusie! – zawołałam.

– To był czysto przyjacielski pocałunek – zapewnił. Znów odepchnął się od siedziska, ale tym razem naprawdę wstał, a potem podszedł do mojej mamy i powiedział: – Cieszę się, że mogłem się z panią spotkać. – Mama otworzyła ramiona, żeby go objąć, a on pochylił się i złożył całusa na jej policzku. Odwrócił się do mnie: – Widziałaś? – zapytał.

Poszłam do łóżka tuż po kolacji, a BiPAP odciął mnie od świata poza moim pokojem.

Nigdy więcej nie widziałam tej huśtawki.

Spałam długo, ponad dziesięć godzin, może z powodu powolnego zdrowienia, a może dlatego, że sen zwalcza raka albo też dlatego, że byłam nastolatką, która nie musiała wstawać o żadnej określonej godzinie. Nie czułam się jeszcze na siłach, żeby pójść na zajęcia w MCC. Kiedy w końcu nabrałam chęci, by coś zrobić, wyjęłam dyszę BiPAP-a z nosa, założyłam wąsy od butli z tlenem, odkręciłam ją, a następnie wygrzebałam laptopa spod łóżka, gdzie go schowałam poprzedniego wieczoru.

Dostałam mail od Lidewij Vliegenthart.

Droga Hazel!

Otrzymałam od Fundacji Jestem Dżinem wiadomość, że przyjedziecie do nas wraz z Augustusem Watersem i Twoją mamą 4 maja. To już tylko tydzień! Jesteśmy z Peterem zachwyceni i nie możemy się doczekać, kiedy Was poznamy. Wasz hotel, Filosoof, znajduje się tylko jedną przecznicę od domu Petera. Może powinniśmy dać Wam dzień na odpoczynek po podróży? Zatem jeśli to Wam odpowiada, spotkajmy się w domu Petera 5 maja rano, może o dziesiątej. Wypijemy kawę, on odpowie na

Wasze pytania dotyczące książki, a potem może zwiedzimy jakieś muzeum albo Dom Anny Frank?

Serdecznie pozdrawiam
Lidewij Vliegenthart
Asystentka Petera van Houtena,
Autora Ciosu udręki

– Mamo – powiedziałam. Nie zareagowała. – MAMO! – krzyknęłam. Nic. Jeszcze raz głośniej: – MAMO!

Wbiegła, trzymając pod pachami wytarty różowy ręcznik, cała mokra i wyraźnie spanikowana.

– Co się dzieje?

– Nic. Przepraszam, nie wiedziałam, że bierzesz prysznic – wyjaśniłam.

– Kąpiel – sprostowała. – Ja tylko... – Zamknęła oczy. – Próbowałam wziąć krótką kąpiel. Przepraszam. Co się dzieje?

– Możesz zadzwonić do Dżinów i zawiadomić ich, że podróż się nie odbędzie? Dostałam właśnie maila od asystentki Petera van Houtena. Ona myśli, że przyjedziemy.

Ułożyła usta w ciup i odwróciła wzrok.

– O co chodzi? – zapytałam.

– Nie mogę nic mówić, dopóki ojciec nie wróci do domu.

– O co chodzi? – powtórzyłam.

– Podróż się odbędzie – wyjawiła w końcu. – Doktor Maria zadzwoniła do nas wczoraj wieczorem i przekonała nas, że powinnaś żyć swoim...

– MAMO, TAK BARDZO CIĘ KOCHAM! – wrzasnęłam, a ona podeszła do łóżka i pozwoliła, żebym ją objęła.

Napisałam do Augustusa SMS-a, bo wiedziałam, że jest w szkole.

Nadal masz czas 3 maja? :-)

Odpisał natychmiast:

Nigdy nie miałem go więcej.

Jeżeli będę żyła jeszcze tylko tydzień, poznam niezapisane tajemnice mamy Anny i Holenderskiego Tulippana. Zerknęłam w dół.

– Lepiej weźcie tyłek w troki – wyszeptałam do moich beznadziejnych płuc.

9

Dzień przed wyjazdem do Amsterdamu wybrałam się na grupę wsparcia po raz pierwszy, od kiedy poznałam Augustusa. Obsada w Dosłownym Sercu Jezusa nieco się przetasowała. Przyszłam wcześniej, tak że Lida, silna jak bylina dziewczyna po nowotworze wyrostka robaczkowego, mogła mi przekazać bieżące informacje, podczas gdy ja, opierając się o stół, jadłam kupione w spożywczym kruche czekoladowe ciasteczka.

Zmarł dwunastoletni Michael chory na białaczkę. Ciężko walczył, powiedziała mi Lida, jakby była inna metoda walki. Wszyscy pozostali nadal jakoś żyli. Ken po naświetlaniach był NEC. Lucas miał nawrót, co powiedziała ze smutnym uśmiechem i lekkim wzruszeniem ramion, tak jak mówi się o tym, że alkoholik znów poddał się nałogowi.

Słodka, pucułowata dziewczynka podeszła do stołu, powiedziała: „Cześć" do Lidy, a mnie przedstawiła się jako Susan. Nie wiedziałam, na co choruje, ale miała bliznę od boku nosa do wargi i w poprzek policzka. Próbowała zamaskować ją makijażem, ale w ten sposób tylko bardziej zwróciła na nią uwagę. Trochę mi brakowało tchu od długiego stania, więc oświadczyłam:

– Muszę usiąść.

I wtedy otworzyła się winda, z której wysiedli Isaac z mamą. Miał ciemne okulary, jedną ręką trzymał mamę pod ramię, a w drugiej niósł laskę.

– Hazel z grupy wsparcia, nie Monica – odezwałam się, kiedy podszedł bliżej, a on uśmiechnął się i odpowiedział:

– Hej, Hazel. Jak leci?

– Dobrze. Zrobiła się ze mnie niezła laska, od kiedy straciłeś wzrok.

– Nie wątpię – odrzekł. Mama podprowadziła go do krzesła, pocałowała w czubek głowy i zawróciła do windy. Isaac dotykiem odnalazł krzesło i usiadł. Ja usadowiłam się obok.

– A jak u ciebie?

– W porządku. Cieszę się, że wróciłem już do domu. Gus mówił, że leżałaś na intensywnej terapii?

– Tak – potwierdziłam.

– Cholera.

– Teraz czuję się o wiele lepiej – zapewniłam go. – Jadę jutro z Gusem do Amsterdamu.

– Wiem. Jestem na bieżąco z twoim życiem, bo Gus nie mówi o niczym innym.

Uśmiechnęłam się. Patrick odchrząknął i zaproponował:

– Może wszyscy usiądziemy? – Pochwycił mój wzrok. – Hazel! – zawołał. – Tak się cieszę, że cię widzę!

Wszyscy usiedli i Patrick po raz kolejny zaczął opowiadać o swoim braku jaj, a ja popadłam w rutynę charakterystyczną dla spotkań grupy wsparcia: komunikowanie się westchnieniami z Isaakiem, współczucie wszystkim obecnym, a także nieobecnym, wycofywanie się z rozmowy, żeby skupić się na kłopotach z oddechem i na bólu. Świat toczył się dalej, jak zwykle, bez mojego aktywnego udziału. Ocknęłam się z zadumy dopiero wówczas, gdy ktoś wypowiedział moje imię.

To była Silna Lida. Lida w remisji. Jasnowłosa, zdrowa, krzepka Lida, która trenowała w szkolnej drużynie pływackiej. Lida, pozbawiona tylko wyrostka robaczkowego, wymówiła moje imię:

– Hazel jest dla mnie wzorem, naprawdę. Po prostu toczy swoją bitwę, wstaje co rano i bez słowa skargi rusza na wojnę. Jest silna. Jest o wiele silniejsza ode mnie. Chciałabym mieć tyle siły co ona.

– Hazel? – zwrócił się do mnie Patrick. – Jak się z tym czujesz?

Wzruszyłam ramionami i spojrzałam na Lidę.

– Oddam moją siłę za twoją remisję. – Już gdy to mówiłam, ogarnęło mnie poczucie winy.

– Lidzie chyba nie o to chodziło – zauważył Patrick. – Sądzę, że ona...– Ale ja już przestałam słuchać.

Po modlitwie za żywych i niekończącej się litanii zmarłych (z Michaelem wymienionym na końcu) chwyciliśmy się za ręce i powiedzieliśmy:

– Będę dziś żył najlepiej, jak potrafię!

Lida natychmiast pospieszyła do mnie z przeprosinami i wyjaśnieniami.

– Nie, nie, naprawdę nic się nie stało – powiedziałam, zbywając ją machnięciem ręki, i zwróciłam się do Isaaca: – Zechcesz mi towarzyszyć na górę?

Ujął mnie pod ramię. Ruszyłam w stronę windy, wdzięczna za pretekst, dzięki któremu nie musiałam wspinać się po schodach. Prawie dotarliśmy do windy, kiedy dostrzegłam jego mamę w kącie Dosłownego Serca.

– Tu jestem – powiedziała do Isaaca, a on puścił moje ramię i chwycił jej, po czym zapytał:

– Masz ochotę do mnie wpaść?

– Jasne – odrzekłam. Było mi go żal. Choć nienawidziłam, kiedy ludzie okazywali mi litość, nie mogłam zapanować nad swoim współczuciem dla niego.

Isaac mieszkał w niewielkim domu w stylu rancho w Meridian Hills niedaleko tej ekskluzywnej, prywatnej szkoły. Mama poszła do kuchni przygotować kolację, a my usiedliśmy w salonie. Isaac zapytał, czy mam ochotę zagrać.

– Pewnie – zgodziłam się. Poprosił więc o pilota. Uruchomił telewizor, a potem podłączony do niego komputer. Ekran nadal był czarny, ale po kilku sekundach odezwał się głęboki głos:

– Gra Deception. Jeden gracz czy dwóch?

– Dwóch – odpowiedział Isaac. – Pauza. – Zwrócił się do mnie. – Często grywam w to z Gusem, ale on doprowadza mnie do szału, bo jako gracz ma silne tendencje samobójcze. Zbyt agresywnie usiłuje chronić ludność cywilną i w ogóle.

– Wiem – przyznałam, wspominając Wieczór Niszczenia Pucharów.

– Koniec pauzy – oznajmił Isaac.

– Gracz pierwszy, proszę o identyfikację.

– Oto bardzo seksowny głos gracza pierwszego – powiedział Isaac.

– Gracz drugi, proszę o identyfikację.

– Chyba ja jestem graczem drugim – odezwałam się.

„Sierżant sztabowy Max Mayhem i szeregowy Jasper Jacks budzą się w ciemnym, pustym pomieszczeniu o powierzchni mniej więcej półtora metra kwadratowego".

Isaac wskazał na telewizor, jakbym miała z nim rozmawiać.

– Hm – zafrasowałam się. – Czy jest tam jakiś włącznik światła?

„Nie".

– Czy są drzwi?

„Szeregowy Jacks lokalizuje drzwi. Są zamknięte".

– Na framudze leży klucz – włączył się Isaac.

„Tak".

– Mayhem otwiera drzwi.

„Nadal panuje absolutna ciemność".

– Wyjmij nóż – polecił Isaac.

– Wyjmij nóż – poleciłam ja.

Jakiś dzieciak – chyba brat Isaaca – wypadł z kuchni. Miał około dziesięciu lat, był silny i tryskał energią. Pokonał w podskokach cały salon, a potem krzyknął, całkiem udatnie naśladując głos Isaaca:

– ZABIJ SIĘ!

„Sierżant Mayhem przykłada nóż do szyi. Czy na pewno...".

– Nie – zaoponował Isaac. – Pauza. Graham, nie zmuszaj mnie, żebym przetrzepał ci tyłek. – Graham zaśmiał się wesoło i poskakał korytarzem w głąb domu.

Potem Isaac i ja, czyli Mayhem i Jack, po omacku brnęliśmy przez jaskinię, aż natknęliśmy się na faceta, którego zadźgaliśmy, po tym jak wycisnęliśmy z niego informacje, że znajdujemy się w ukraińskim więzieniu, usytuowanym w jaskini ponad półtora kilometra pod powierzchnią ziemi. Szliśmy dalej, a efekty dźwiękowe – rycząca podziemna rzeka, głosy mówiące po ukraińsku lub po angielsku z silnym akcentem – prowadziły nas przez jaskinię, choć nadal nie było niczego widać. Po godzinie usłyszeliśmy wołanie jakiegoś zrozpaczonego więźnia, błagającego:

– Boże, pomóżcie mi. Boże, pomóżcie mi!

– Pauza – powiedział Isaac. – W tym miejscu Gus zawsze upiera się, żeby odnaleźć tego człowieka, mimo że to uniemożliwia wygraną, a tak naprawdę jedynym sposobem, aby go uwolnić, jest wygranie gry.

– Tak, traktuje gry komputerowe zbyt poważnie – zgodziłam się. – Odrobinę za bardzo ceni metafory.

– Lubisz go? – zapytał Isaac.

– Oczywiście. Jest super.

– Ale nie chcesz z nim chodzić?

Wzruszyłam ramionami.

– To skomplikowane.

– Wiem, o co ci chodzi. Nie chcesz go obarczyć czymś, z czym sobie nie poradzi. Nie chcesz, by był twoją Monicą.

– Może – zgodziłam się. Ale nie o to chodziło. Prawda była taka, że nie chciałam być jego Isaakiem. – Należy oddać sprawiedliwość Monice – dodałam – i przyznać szczerze, że to, co ty jej zrobiłeś, też nie było miłe.

– A co ja jej zrobiłem? – zapytał obronnym tonem.

– No wiesz, straciłeś wzrok i tak dalej.

– Ale to nie moja wina – obruszył się.

– Nie mówię, że to twoja wina. Mówię, że to nie było miłe.

10

Mogłyśmy zabrać ze sobą tylko jedną walizkę. Ja nie dałabym rady nic nieść, a mama uparła się, że nie będzie dźwigała dwóch sztuk bagażu, musiałyśmy więc bezlitośnie walczyć o miejsce w czarnej walizce, którą rodzice dostali w prezencie ślubnym milion lat temu. Walizka ta miała spędzić życie na podróżach do egzotycznych miejsc, ale skończyła na eskapadach tam i z powrotem do Dayton, gdzie Morris Property, Inc., miało swój oddział, który tato często odwiedzał.

Przekonywałam mamę, że należy mi się więcej niż połowa walizki, bo przecież beze mnie i mojego raka nigdy nie pojechałybyśmy do Amsterdamu. Mama kontrargumentowała, że skoro jest dwukrotnie ode mnie większa, to potrzebuje więcej materiału, żeby zachować skromność, więc zasługuje na co najmniej dwie trzecie przestrzeni.

W końcu obie przegrałyśmy. Tak to już jest.

Samolot wylatywał dopiero w południe, ale mama obudziła mnie już o wpół do szóstej, włączając światło i krzycząc: „AMSTERDAM!". Biegała cały ranek, sprawdzając, czy zapakowałyśmy adaptery do gniazdek europejskich, i czterokrotnie się upewniając, czy zabrałyśmy odpowiedni zapas zbiorników z tlenem na drogę, czy są pełne i tak dalej. Tymczasem ja spokojnie zwlekłam się z łóżka i włożyłam Strój na Wyjazd do Amsterdamu (dżinsy, różową koszulkę na ramiączkach i czarny rozpinany sweter, na wypadek gdyby w samolocie było zimno).

Przed szóstą piętnaście samochód był już zapakowany, a mama uparła się, żebyśmy zjadły śniadanie z tatą, choć ja miałam moralne opory, by jeść przed świtem, z tej prostej przyczyny, że nie jestem dziewiętnastowiecznym rosyjskim chłopem, który musi się wzmocnić przed całym dniem roboty w polu. W każdym razie próbowałam wmusić w siebie jajka, podczas gdy rodzice z apetytem pochłaniali domową wersję Egg McMuffinów, które tak bardzo lubili.

– Dlaczego właściwie menu śniadaniowe jest śniadaniowe? – zapytałam ich. – Dlaczego nie możemy zjeść curry na śniadanie?

– Hazel, jedz.

– Ale dlaczego? – dopytywałam się. – Poważnie: jak to się stało, że jajecznica została przypisana wyłącznie do śniadania? Można położyć bekon na kanapce i nikt nie wydziwia. Ale gdy tylko na tej kanapce pojawi się jajko, bach!, nagle jest to kanapka śniadaniowa.

Tato odpowiedział z pełnymi ustami:

– Jak wrócisz, zjemy śniadanie na obiad, zgoda?

– Ja nie chcę „śniadania na obiad"! – zaprotestowałam, odkładając nóż i widelec na prawie pełny talerz. – Chcę zjeść jajecznicę na obiad bez tego śmiesznego przeświadczenia, że posiłek złożony z jajecznicy jest śniadaniem, nawet jeżeli pojawia się w porze obiadowej.

– Trzeba wybierać swoje życiowe batalie, Hazel – odezwała się mama. – Ale jeśli to jest kwestia, o która zamierzasz walczyć, będziemy stać za tobą murem.

– Spory kawałek za tobą – dodał tato, a mama wybuchnęła śmiechem.

Wiem, że to głupie, ale jakoś współczułam jajecznicy.

Kiedy skończyli jeść, tato umył naczynia i odprowadził nas do samochodu. Oczywiście rozpłakał się i złożył na moim policzku mokry, kłujący pocałunek. Przycisnął nos do mojej skroni i wyszeptał:

– Kocham cię. Jestem z ciebie taki dumny. – (Ciekawe dlaczego, pomyślałam).

– Dzięki, tato.

– Zobaczymy się za kilka dni, tak, słoneczko? Tak bardzo cię kocham.

– Ja też cię kocham, tato. – Uśmiechnęłam się. – To tylko trzy dni.

Machałam do niego cały czas, kiedy mama wycofywała samochód z podjazdu. A on machał do mnie i płakał. Przyszło mi na myśl, że może obawia się, iż już nigdy więcej mnie nie zobaczy. Ale zapewne obawiał się tego każdego ranka, gdy wychodził z domu do pracy, za którą pewnie nie przepadał.

Podjechałyśmy pod dom Augustusa. Mama chciała, żebym czekała w samochodzie i odpoczywała, ale i tak ruszyłam za nią. Kiedy zbliżyłyśmy się do drzwi, usłyszałam, że ktoś w środku krzyczy. Początkowo nawet nie przyszło mi na myśl, że to może być Gus, ponieważ ten krzyk w ogóle nie przypominał jego niskiego pomruku, ale w tym momencie głos będący niewątpliwie przekręconą wersją jego głosu zawołał: „PONIEWAŻ TO MOJE ŻYCIE, MAMO! ONO NALEŻY DO MNIE!". Moja mama natychmiast objęła mnie za ramiona i szybko zawróciła do samochodu, a ja się zdziwiłam:

– Co się dzieje?

– Nie wypada podsłuchiwać, Hazel – odrzekła.

Wsiadłyśmy do auta, a ja wysłałam Augustusowi SMS-a, że czekamy pod domem i żeby wyszedł, kiedy będzie gotowy.

Przez chwilę wpatrywałyśmy się w dom. Dziwne w domach jest to, że zawsze wyglądają tak, jakby w środku nic się nie działo, choć przecież tam toczy się większość naszego życia. Pomyślałam, że może to jest główna funkcja architektury.

– No cóż – odezwała się po chwili mama – chyba przyjechałyśmy sporo za wcześnie.

– I mówi to osoba, która zwlekła mnie z łóżka o wpół do szóstej – jęknęłam. Mama sięgnęła po kubek z kawą i upiła łyk. Mój telefon zabrzęczał. Wiadomość od Augustusa.

Nie mogę się zdecydować, co włożyć. Wolisz mnie w polo czy w koszuli?

Odpowiedziałam:

W koszuli.

Trzydzieści sekund później otworzyły się frontowe drzwi i pojawił się w nich uśmiechnięty Augustus z torbą

NIKE

na kółkach. Był ubrany w niebieską jak niebo wyprasowaną koszulę wpuszczoną w dżinsy. W ustach trzymał camela light. Mama wysiadła, żeby się z nim przywitać. Natychmiast wyjął papierosa i odezwał się spokojnym głosem, do którego przywykłam:

– Cieszę się, że panią widzę.

Obserwowałam ich w tylnym lusterku, dopóki mama nie podniosła klapy bagażnika. Chwilę później Augustus otworzył drzwi i zajął się skomplikowaną procedurą, którą musi wykonać człowiek z jedną nogą, żeby wsiąść na tylne siedzenie samochodu.

– Chcesz jechać z przodu? – zapytałam.

– Absolutnie nie – odrzekł. – I witaj, Hazel Grace.

– Cześć. Wszystko okay? – zapytałam.

– Okay – odpowiedział.

– No to okay – uznałam.

Mama wsiadła i zamknęła drzwi.

– Następny przystanek: Amsterdam – oznajmiła.

Co nie było do końca prawdą. Następnym przystankiem był parking na lotnisku, skąd autobusem pojechaliśmy na terminal, a potem elektrycznym pojazdem do hali odpraw. Koleś z obsługi stojący na początku kolejki krzyczał, że nasze bagaże nie powinny zawierać materiałów wybuchowych, broni palnej ani żadnej cieczy o wadze powyżej 80 gramów.

– Uwaga na marginesie: stanie w kolejce to forma opresji – zwróciłam się do Augustusa.

– Święta racja – odrzekł.

Zamiast poddać się kontroli osobistej, postanowiłam przejść przez wykrywacz metalu bez wózka, tlenu czy choćby plastikowej rurki w nosie. Przejście przez aparat rentgenowski było pierwszym od wielu miesięcy krokiem bez butli i czułam się zdumiewająco, gdy taka niczym nieobciążona przekraczałam Rubikon, a milczenie maszynerii dowodziło, że jestem, przynajmniej chwilowo, stworzeniem niemetalicznym.

Czułam fizyczną swobodę, której nie potrafię opisać, może tylko tak, że kiedy byłam dzieckiem, miałam naprawdę ciężki plecak z książkami, który wszędzie ze sobą nosiłam, a gdy chodziłam z nim odpowiednio długo, to po zdjęciu go miałam takie wrażenie, jakbym unosiła się w powietrzu.

Po mniej więcej dziesięciu sekundach zaczęło mi się wydawać, że moje płuca stuliły się w sobie niczym kwiaty o zmierzchu. Usiadłam na szarej ławce tuż za wykrywaczem metalu, próbując złapać oddech. Wstrząsał mną wilgotny kaszel. Czułam się naprawdę nietęgo, zanim wąsy wróciły na swoje miejsce.

Ale nawet wówczas bolało. Ból był ciągle obecny, wciągał mnie do wewnątrz, domagając się, bym go czuła. Miałam wrażenie, że budzę się z tego bólu tylko wtedy, gdy coś w świecie zewnętrznym nagle wymaga mojej uwagi lub komentarza. Mama przyglądała mi się z troską. Właśnie coś powiedziała. Co ona takiego powiedziała? Przypomniałam sobie. Spytała, co mi jest.

– Nic – odrzekłam.

– Amsterdam! – prawie krzyknęła.

Uśmiechnęłam się.

– Amsterdam – odpowiedziałam. Wyciągnęła do mnie rękę i pomogła mi wstać.

Dotarliśmy do bramki godzinę przed porą wejścia na pokład.

– Pani Lancaster, jest pani imponująco punktualną osobą – zauważył Augustus, siadając obok mnie w prawie pustej hali odlotów.

– Cóż, to zasługa tego, że nie mam zbyt wielu zajęć – wyjaśniła mama.

– Ma pani ogromnie dużo zajęć – sprostował, ale mnie przyszło do głowy, że głównym zajęciem mamy jestem ja. No, była jeszcze funkcja żony mojego taty – on nie bardzo sobie radził z takimi sprawami, jak banki, hydraulicy, gotowanie i wykonywanie jakichkolwiek innych obowiązków niż praca dla Morris Property, Inc. – ale przede wszystkim byłam ja. Główny motyw jej życia i główny motyw mojego życia były bardzo mocno ze sobą związane.

Gdy siedzenia wokół nas zaczęły się zapełniać, Augustus powiedział:

– Zjem hamburgera, zanim wystartujemy. Przynieść ci coś?

– Nie – odpowiedziałam – ale naprawdę doceniam to, że nie poddajesz się społecznym konwencjom śniadaniowym.

Zaskoczony przekrzywił głowę.

– Hazel zgłębia problem zamknięcia jajecznicy w śniadaniowym getcie – wyjaśniła mama.

– To żenujące, że wszyscy idziemy przez życie, ślepo akceptując to, iż jajecznica musi być kojarzona wyłącznie z porankami.

– Chętnie to przedyskutuję – zgodził się Augustus – ale teraz umieram z głodu. Zaraz wrócę.

Ponieważ Augustus nie pojawił się z powrotem po dwudziestu minutach, zapytałam mamę, czy nie sądzi, że coś mu się stało, a ona na moment uniosła wzrok znad swojego strasznego czasopisma i odrzekła:

– Pewnie poszedł do ubikacji albo coś w tym rodzaju.

Pracownica hali odlotów przyszła wymienić mój zbiornik z tlenem na inny, zapewniony przez lotnisko. Czułam się zawstydzona, gdy ta kobieta klęczała przede mną, podczas gdy wszyscy na nas patrzyli, zajęłam się więc pisaniem SMS-a do Augustusa.

Nie odpowiedział. Mama wyraźnie się nie przejmowała, ale ja wyobrażałam sobie wszelkie możliwe wypadki, które mogłyby przeszkodzić nam w wyprawie do Amsterdamu (aresztowanie, uszkodzenie ciała, załamanie psychiczne) i w miarę jak mijały kolejne minuty, czułam, że coś jest nie tak z moimi płucami w zupełnie niezwiązany z rakiem sposób.

Akurat gdy pani z kontroli biletów ogłosiła, że zaczną wpuszczać na pokład osoby, które mogą potrzebować trochę więcej czasu, i absolutnie wszyscy w hali spojrzeli prosto na mnie, zobaczyłam, że Augustus pospiesznie kuśtyka w naszą stronę z torbą z McDonalda w ręce i plecakiem przerzuconym przez ramię.

– Gdzie się zgubiłeś? – zapytałam.

– Była totalnie długa kolejka, przepraszam – odrzekł, podając mi rękę. Ujęłam ją i ruszyliśmy razem do bramki.

Czułam, że wszyscy się nam przyglądają i zastanawiają się, co jest z nami nie tak, czy to coś nas zabije, i podziwiają bohaterską postawę mojej mamy. Czasami to było najgorsze w chorowaniu na raka: fizyczne oznaki choroby separują cię od ludzi. Byliśmy nieodwracalnie inni i nigdy nie odczułam tego bardziej dotkliwie niż wtedy, gdy w trójkę szliśmy przez pusty samolot, a stewardesa współczująco kiwała głową, wskazując nam nasz rząd prawie na samym końcu, tuż za skrzydłem. Usiadłam w środku z Augustusem na fotelu przy oknie i mamą przy przejściu. Czułam się trochę przytłoczona przez mamę, więc oczywiście przysunęłam się bliżej Augustusa, który od razu otworzył torbę i rozpakował burgera.

– Jeśli chodzi o jajka – zaczął – przypisanie ich do śniadania nadaje im pewien walor sakralny, prawda? Bekonem czy cheddarem możesz się poczęstować w każdej chwili, ale jajecznica… ona ma swoją wagę.

– To absurdalne – obruszyłam się.

Ludzie zaczęli rządkiem wchodzić do samolotu. Nie chciałam na nich patrzeć, więc odwróciłam wzrok w drugą stronę, co oznaczało patrzenie na Augustusa.

– Twierdzę tylko, że być może jajecznica została zamknięta w śniadaniowym getcie, ale jednocześnie jest też wyjątkowa. Ma swoje miejsce i czas, jak kościół.

– Bardzo się mylisz – zaprotestowałam. – Głosisz wyszyte ściegiem krzyżykowym sentymentalne prawdy z poduszek twoich rodziców. Utrzymujesz, że krucha, rzadka rzecz jest piękna tylko dlatego, że jest krucha i rzadka. Ale to kłamstwo i wiesz o tym.

– Trudno cię pocieszyć – uznał Augustus.

– Łatwa pociecha to żadna pociecha – odparowałam. – Byłeś kiedyś kruchym i rzadkim kwiatem. Pamiętasz to.

Przez chwilę nic nie mówił.

– Wiesz, jak mnie uciszyć, Hazel Grace.

– To moja powinność i mój przywilej – odpowiedziałam.

Zanim zerwałam z nim kontakt wzrokowy, wyznał:

– Słuchaj, uciekłem z hali odlotów. Kolejka w McDonaldzie nie był wcale taka długa. Po prostu... Po prostu nie chciałem tam siedzieć, bo wiedziałem, że wszyscy ci ludzie będą się na nas gapili i w ogóle.

– Przede wszystkim na mnie – dopowiedziałam. Po Augustusie nie było widać, że na cokolwiek chorował, ale ja nosiłam moją dolegliwość na zewnątrz, i głównie dlatego stałam się taką domatorką. – Augustus Waters, wybitny charyzmatyk, wstydzi się siedzieć obok dziewczyny z butlą tlenową.

– Nie wstydzi się – sprostował. – Ludzie po prostu czasami mnie wkurzają. A dzisiaj nie chcę się wkurzać. – Po minucie sięgnął do kieszeni i otworzył paczkę papierosów.

Jakieś dziewięć sekund później blond stewardesa podeszła do nas szybkim krokiem i oznajmiła:

– Proszę pana, nie wolno palić w tym samolocie. Zresztą w żadnym samolocie nie wolno.

– Ja nie palę – odparł, a papieros podskakiwał w jego ustach, gdy mówił.

– Ale...

– To metafora – wyjaśniłam. – Trzyma w zębach czynnik niosący śmierć, ale nie daje mu mocy, by zabijał.

Stewardesa tylko przez chwilę wyglądała na zbitą z tropu.

– Cóż, ta metafora jest niedozwolona podczas dzisiejszego lotu – odpowiedziała. Gus kiwnął głową i schował papierosa do pudełka.

W końcu samolot pokołował na pas startowy i pilot powiedział:

– Proszę przygotować się do startu.

Następnie dwa ogromne silniki odrzutowe obudziły się z rykiem do życia i zaczęliśmy przyspieszać.

– Tak się człowiek czuje, jadąc z tobą samochodem – wyznałam, a on się uśmiechnął, ale milczał, mocno zaciskając zęby. – Okay?

Nabieraliśmy prędkości, a Gus nagle chwycił podłokietniki. Miał szeroko otwarte oczy. Położyłam dłoń na jego ręce i spytałam:

– Okay?

Nie odpowiedział, wpatrywał się tylko we mnie tymi szeroko otwartymi oczami, więc zapytałam:

– Boisz się latać?

– Powiem ci za chwilę – odrzekł. Dziób samolotu uniósł się i wzbiliśmy się w powietrze. Gus wyjrzał przez okno i patrzył, jak planeta pod nami maleje, a ja poczułam, że jego dłoń pod moją się odpręża. Zerknął na mnie, a potem znów przez okno.

– Lecimy – oznajmił.

– Nigdy przedtem nie podróżowałeś samolotem?

Pokręcił głową.

– PATRZ! – niemalże krzyknął, wskazując za okno.

– Tak – potwierdziłam – widzę. Zdaje się, że jesteśmy w samolocie.

– W CAŁEJ HISTORII LUDZKOŚCI NIC NIGDY TAK NIE WYGLĄDAŁO – oznajmił. Jego entuzjazm był uroczy. Nie mogłam się powstrzymać i pocałowałam go w policzek.

– Tak dla twojej wiadomości, ja tu ciągle jestem – wtrąciła mama. – Siedzę obok ciebie. Ja, twoja matka. Która trzymała cię za rączkę, gdy stawiałaś pierwsze kroki.

– To był czysto przyjacielski gest – przypomniałam jej i odwróciłam się, żeby ją też pocałować w policzek.

– A nie wydawał się taki – mruknął Gus na tyle głośno, bym usłyszała. Gdy spod oblicza Augustusa Wielkiego Gestu i Głębokiej Metafory wyłaniał się zaskoczony, podekscytowany i niewinny Gus, dosłownie nie umiałam mu się oprzeć.

Najpierw odbyliśmy krótką podróż do Detroit, a tam mały elektryczny autobus przewiózł nas na lot do Europy. Samolot do Amsterdamu był wyposażony w telewizory umieszczone w oparciach foteli i gdy tylko znaleźliśmy się nad chmurami, tak je ustawiliśmy z Augustusem, żebyśmy mogli oglądać równocześnie tę samą komedię romantyczną. Ale choć z idealną synchronizacją nacisnęliśmy włączniki, jego film ruszył kilka sekund przed moim, więc w każdym zabawnym momencie on wybuchał śmiechem w chwili, gdy u mnie dopiero padał żart.

Wielki plan mamy zakładał, że prześpimy kilka ostatnich godzin lotu, i kiedy wylądujemy o ósmej rano, ruszymy w miasto gotowi chłonąć życie wszystkimi zmysłami czy coś w tym rodzaju. A zatem gdy skończył się film, wszyscy w trójkę zażyliśmy tabletki nasenne. Mama padła w ciągu kilku sekund, lecz my chcieliśmy jeszcze chwilę popatrzeć przez okno. Dzień był pogodny i choć nie widzieliśmy zachodzącego słońca, widzieliśmy, jak reaguje na nie niebo.

– Boże, jak pięknie – powiedziałam, głównie do siebie.

– „Wschodzące słońce zbyt jaskrawe dla jej gasnących oczu" – Augustus zacytował *Cios udręki*.

– Ale ono nie wschodzi – zaprotestowałam.

– Gdzieś wschodzi – odpowiedział, a po chwili dodał: – Uwaga na marginesie: byłoby wspaniale polecieć superszybkim samolotem, który mógłby przez jakiś czas ścigać wschód słońca dookoła ziemi.

– I żyłabym wtedy dłużej. – Spojrzał na mnie krzywo. – No wiesz, z powodu względności czasu i tak dalej. – Nadal wyglądał, jakby nie rozumiał. – Starzejemy się wolniej, jeśli ruszamy się szybciej zamiast stać w miejscu. Dlatego dla nas czas teraz płynie wolniej niż dla ludzi na ziemi.

– Ach, te laski z college'u! – zażartował. – Straszne z nich mądrale.

Wzniosłam oczy w górę. Stuknął swoim (prawdziwym) kolanem w moje, a ja mu oddałam.

– Jesteś śpiący? – zapytałam.

– Ani trochę – odrzekł.

– No, ja też nie. – Środki nasenne i narkotyki nie działały na mnie tak jak na innych.

– Chcesz obejrzeć coś jeszcze? – zapytał. – Mają tu film z Portman z jej okresu Hazel.

– Chcę zobaczyć coś, czego ty nie widziałeś.

W końcu włączyliśmy *300*, wojenny film o trzystu wojownikach, którzy bronią Sparty przed najazdem armii złożonej chyba z miliarda Persów. Wersja Augustusa znów zaczęła się przed moją, więc po kilku minutach słuchania: „Auć!" i „A to pech!" za każdym razem, gdy kogoś zabito w jakiś paskudny sposób, przechyliłam się nad podłokietnikiem i położyłam mu głowę na ramieniu, żeby patrzeć na jego ekran i żebyśmy naprawdę mogli oglądać film razem.

W *300* występowała pokaźna gromadka półnagich, mocno naoliwionych, muskularnych młodzieńców, więc nie był to bynajmniej widok bolesny dla oczu, ale głównie chodziło tam o bezsensowne machanie mieczem. Liczba ofiar śmiertelnych rosła, a ja nie mogłam do końca zrozumieć, dlaczego Persowie są tacy źli, a Spartanie tacy fantastyczni. „Współczesność – by zacytować *Cios* – specjalizuje się w bitwach, w których nikt nie traci niczego szczególnie wartościowego, poza być może życiem". I tak też było w tym starciu tytanów.

Pod koniec filmu giną prawie wszyscy. Potem następuje ten szalony moment, kiedy Spartanie zaczynają składać ciała poległych, by wybudować z nich mur. Martwi stają się ogromną zaporą pomiędzy Persami a drogą do Sparty. Bezwzględność tego obrazu wydała mi się nieuzasadniona, więc odwróciłam wzrok i spytałam Augustusa:

– Jak myślisz, ilu jest zmarłych?

Zbył mnie machnięciem ręki.

– Ciii. Ciii. Robi się świetnie.

Kiedy Persowie atakowali, musieli się wspinać po murze poległych, na którego szczycie Spartanie zajmowali dogodną pozycję. W miarę wzrostu liczby trupów, ściana męczenników stawała się coraz wyższa i trudniejsza do zdobycia. Wszyscy machali mieczami/wypuszczali strzały, rzeki krwi spływały zboczami Góry Śmierci i tak dalej.

Uniosłam głowę, żeby odpocząć od tej rzezi, i przez chwilę obserwowałam, jak Augustus ogląda film. Nie mógł pohamować krzywego uśmiechu. Spojrzałam przymrużonymi oczami na mój ekran, na którym góra ciał ciągle rosła. Gdy Persowie w końcu pokonali Spartan, znów popatrzyłam na Augustusa. Mimo że ci dobrzy właśnie przegrali, Gus wydawał się bardzo uradowany. Znów przytuliłam twarz do jego ramienia, ale nie otwierałam oczu, dopóki bitwa całkiem się nie skończyła.

Kiedy pojawiły się napisy, Augustus zdjął słuchawki i powiedział:

– Przepraszam, pochłonął mnie wzniosły gest składania ofiar. Co mówiłaś?

– Jak myślisz, ilu jest zmarłych?

– To znaczy, ile fikcyjnych osób zginęło w fikcyjnym filmie? Za mało – zażartował.

– Nie, ogólnie. Jak myślisz, ilu ludzi do tej pory zmarło?

– Tak się składa, że znam odpowiedź na to pytanie – odrzekł. – Jest siedem miliardów żyjących i około dziewięćdziesięciu ośmiu miliardów zmarłych.

– Och – zdziwiłam się. Myślałam, że skoro populacja rośnie w takim tempie, to może żywych jest więcej niż wszystkich martwych razem wziętych.

– Wychodzi około czternastu zmarłych na jedną żywą osobę – dodał. Napisy leciały dalej. Potrzeba sporo czasu, żeby zidentyfikować te wszystkie trupy. Nadal trzymałam głowę na ramieniu Augustusa. – Sprawdziłem to kilka lat temu – wyjaśnił. – Zastanawiałem się, czy da się pamiętać o wszystkich. To znaczy, gdybyśmy się zorganizowali i przypisali pewną liczbę zmarłych każdemu żywemu, to czy wystarczyłoby żywych, żeby pamiętać o wszystkich zmarłych.

– I wystarczyłoby?

– Jasne, każdy może wymienić czternastu zmarłych. Ale my jesteśmy niezorganizowanymi żałobnikami, więc wielu z nas pamięta Szekspira, a nikt człowieka, o którym napisał *Sonet LV*.

– To prawda – zgodziłam się.

Przez chwilę panowała cisza, a potem Gus zapytał:

– Chcesz poczytać?

Powiedziałam, że chętnie. Ja zajęłam się tym długim poematem zatytułowanym *Skowyt* na zajęcia z poezji, a Gus po raz kolejny pogrążył się w *Ciosie udręki*.

Po chwili zapytał:

– Dobry jest?

– Wiersz? – upewniłam się.

– Tak.

– Świetny. Bohaterowie łykają więcej prochów niż ja. A jak tam *Cios*?

– Nadal doskonały – odrzekł. – Poczytaj mi.

– Ten poemat raczej nie nadaje się do tego, by czytać go na głos, kiedy obok siedzi pogrążona we śnie matka. Jest w nim mowa o sodomii i anielskim pyle – wyjaśniłam.

– Wymieniłaś moje dwa ulubione sposoby spędzania wolnego czasu – oznajmił. – No dobrze, to poczytaj mi coś innego.

– Hm, nie mam nic innego.

– Fatalnie. Jestem w nastroju na poezję. Może znasz coś na pamięć?

– „Cóż zatem, pójdź ze mną – zaczęłam nerwowo – Tam, gdzie rozpięty pod kopułą ciemną / Jak chory pod eterem na stole"…

– Wolniej – poprosił.

Czułam się onieśmielona – tak jak wtedy, gdy po raz pierwszy powiedziałam mu o *Ciosie udręki*.

– Hm, okay. Okay. „W zakazane uliczki, gdzie w bezsenne noce / Życie mamroce / W podrzędnych hotelikach i w knajpach po drodze / Z wiórami, skorupami ostryg na podłodze: / Zaułki dłużą się jak dowód żmudny / W intencji obłudnej / Dotarcia do pytania przytłaczającego… / Och, nie pytaj: „Cóż my?". / Pójdź, wizytę złóżmy".*

– Kocham cię – powiedział cicho.

---

* Thomas Stearns Eliot, *Śpiew miłosny J. Alfreda Prufrocka*, przeł. Adam Pomorski, Warszawa 2007.

– Augustusie...

– Naprawdę. – Wpatrywał się we mnie, a ja widziałam, jak w kącikach jego oczu pojawiają się zmarszczki. – Zakochałem się w tobie i nie zamierzam sobie odmawiać prostej przyjemności wyznania prawdy. Kocham cię i wiem, że miłość jest tylko wołaniem w próżni, a zapomnienia nie da się uniknąć, że wszyscy jesteśmy skazani i nadejdzie dzień, kiedy cały nasz wysiłek obróci się w pył, wiem, że słońce pochłonie jedyną ziemię, jaką mamy, a ja cię kocham.

– Augustusie – powtórzyłam, nie wiedząc, co jeszcze mogę powiedzieć. Czułam się, jakby wszystko we mnie narastało, jakbym tonęła w tej dziwnie bolesnej radości, ale nie mogłam odwzajemnić jego wyznania. Nie mogłam nic powiedzieć. Po prostu patrzyłam na niego i pozwalałam jemu patrzeć na mnie, aż skinął głową z zaciśniętymi ustami i odwrócił wzrok, a potem oparł się skronią o okno.

11

Chyba zasnął. Mnie też się to w końcu udało i obudziłam się dopiero, kiedy samolot wysuwał podwozie. W ustach miałam okropny smak, więc trzymałam je zamknięte w obawie, że zatruję powietrze w kabinie.

Zerknęłam na Augustusa, który patrzył przez okno, a gdy przelecieliśmy przez nisko zawieszone chmury, wyprostowałam plecy, żeby zobaczyć Holandię. Ziemia wydawała się zanurzona w morzu – małe prostokąty zieleni ze wszystkich stron otoczone kanałami. Wylądowaliśmy równolegle do kanału, jakby były dwa lądowiska: jedno dla nas i jedno dla ptactwa wodnego.

Po odebraniu bagaży i przejściu przez obsługę celną wcisnęliśmy się do taksówki prowadzonej przez nalanego, łysego gościa, który mówił perfekcyjną angielszczyzną – chyba lepszą niż moja.

– Hotel Filosoof – podałam cel podróży.

A on na to:

– Jesteście Amerykanami?

– Tak – potwierdziła mama. – Pochodzimy z Indiany.

– Indiana – powtórzył. – Ukradli ziemię Indianom, ale nazwę zostawili, tak?

– Coś w tym rodzaju – zgodziła się mama.

Taksówka włączyła się do ruchu i skierowała na autostradę obstawioną mnóstwem niebieskich drogowskazów z podwójnymi samogłoskami: Oosthuizen, Haarlem. Wokół autostrady całymi kilometrami ciągnął się pusty płaski teren, gdzieniegdzie tylko stały siedziby jakichś wielkich korporacji. Krótko mówiąc, Holandia wyglądała tak jak Indianapolis, tylko samochody były tu mniejsze.

– To jest Amsterdam? – zapytałam kierowcę.

– I tak, i nie – odrzekł. – Amsterdam przypomina słoje na pniu drzewa: im bliżej centrum, tym jest starszy.

Wszystko wydarzyło się naraz: zjechaliśmy z autostrady i od razu pojawiły się takie szeregówki, jakie sobie wyobrażałam, chylące się niepewnie nad kanałami, wszechobecne rowery i coffeeshopy reklamujące swoje „duże palarnie". Kiedy przejeżdżaliśmy przez kanał, ujrzałam z mostu dziesiątki barek mieszkalnych cumujących wzdłuż brzegów. Nic tu nie wyglądało jak w Ameryce. Wyglądało jak na starym obrazie, ale było prawdziwe – boleśnie idylliczne w porannym świetle – i pomyślałam, jak cudownie i dziwnie byłoby zamieszkać w miejscu, w którym prawie wszystko zbudowali nieżyjący już ludzie.

– Czy te domy są bardzo stare? – zapytała mama.

– Wiele budynków wzdłuż kanałów pochodzi ze Złotego Wieku, czyli z siedemnastego stulecia – wyjaśnił. – Nasze miasto ma bogatą historię, choć turyści chcą oglądać głównie Dzielnicę Czerwonych Latarni. – Umilkł. – Niektórzy przyjezdni uważają, że Amsterdam to miasto grzechu, ale prawda jest taka, że to miasto wolności. A w wolności wielu odnajduje grzech.

Wszystkie pokoje w hotelu Filosoof nazwane były na cześć filozofów: my z mamą mieszkałyśmy na parterze w Kierkegaardzie, a Augustus na piętrze nad nami w Heideggerze. Nasz pokój był mały, a musiał pomieścić podwójne łoże dosunięte do ściany, BiPAP-a, koncentrator tlenu, a w nogach łóżka kilkanaście wielorazowych butli tlenowych. Prócz tego znajdowały się tam stary, mocno wysiedziany, obity wzorzystą tkaniną fotel, biurko i półka na książki z wybranymi dziełami Sørena Kierkegaarda. Na biurku zastałyśmy wiklinowy koszyk z upominkami od Dżinów: drewniakami, pomarańczową holenderską koszulką, czekoladkami i różnymi innymi drobiazgami.

Filosoof mieścił się tuż obok Vondelparku, najsłynniejszego parku w Amsterdamie. Mama chciała iść na spacer, ale ja byłam totalnie zmęczona, więc włączyła BiBAP-a i włożyła mi maskę tlenową. Nie znosiłam mówić z tym czymś na twarzy, ale mimo to powiedziałam:

– Idź do parku, a ja zadzwonię, jak się obudzę.

– Okay – zgodziła się. – Śpij słodko, kotku.

Lecz kiedy obudziłam się kilka godzin później, siedziała w wysłużonym fotelu w rogu pokoju i czytała przewodnik.

– Dzień dobry – odezwałam się.

– Właściwie prawie wieczór – sprostowała, z westchnieniem dźwigając się z krzesła. Podeszła do łóżka, włożyła butlę na wózek i podłączyła ją, a ja zdjęłam maskę BiPAP-a i umieściłam rurkę z tlenem pod nosem. Mama nastawiła przepływ na 2,5 litra na minutę – dopiero za sześć godzin trzeba będzie wymienić zbiornik na nowy – a ja wstałam.

– Jak się czujesz? – zapytała.

– Dobrze – odrzekłam. – Wspaniale. Jak było w Vondelparku?

– Odpuściłam sobie – powiedziała. – Przeczytałam o nim wszystko w przewodniku.

– Mamo, nie musiałaś tu zostawać.

Wzruszyła ramionami.

– Wiem. Ale chciałam. Lubię patrzeć, jak śpisz.

– Wyznał podglądacz. – Zaśmiała się, ale mimo to czułam się z tym źle. – Chcę, żebyś się tu rozerwała i tak dalej, wiesz?

– Dobrze. Rozerwę się wieczorem, okay? Będę robić te wszystkie szalone rzeczy, które robią matki na wolności, kiedy ty i Augustus pójdziecie na kolację.

– Bez ciebie? – zdziwiłam się.

– Beze mnie. Macie rezerwację w restauracji o nazwie Oranjee – wyjaśniła. – Załatwiła ją asystentka pana van Houtena. To w dzielnicy Jordaan. Bardzo eleganckiej, według przewodnika. Tuż za rogiem jest przystanek tramwajowy. Augustus wie, jak trafić. Możecie zjeść na zewnątrz, patrząc na przepływające barki. Będzie cudownie. Bardzo romantycznie.

– Mamo…

– Tak tylko mówię – wycofała się. – Powinnaś się ubrać. Może w tę letnią sukienkę na ramiączkach?

Niektórych pewnie zdumiałaby dziwaczność tej sytuacji: matka wysyła swoją szesnastoletnią córkę samą z siedemnastoletnim chłopakiem do miasta słynącego z lekkich obyczajów. Ale to też było efektem ubocznym umierania: nie mogłam biegać, tańczyć czy jeść potraw bogatych w azot, ale w mieście wolności należałam do grona jego najbardziej wyzwolonych mieszkańców.

Rzeczywiście włożyłam letnią sukienkę – tę zwiewną do kolan z niebieskim nadrukiem, kupioną w Forever 21 – a do niej rajstopy i czółenka na płaskim obcasie, bo bardzo mi się podobało, że jestem o tyle niższa od Augustusa. Weszłam do śmiesznie maleńkiej łazienki i przez chwilę walczyłam z fryzurą prosto z łóżka, aż znów zaczęłam przypominać zbuntowaną Natalie Portman. Punktualnie o szóstej (czyli w południe czasu domowego) rozległo się pukanie.

– Kto tam? – spytałam przez drzwi. W hotelu Filosoof nie było wizjerów.

– Okay – odrzekł Augustus. Słyszałam, że ma papierosa w ustach. Przyjrzałam się sobie. Letnia sukienka ujawniała największą partię mojej klatki piersiowej i obojczyków, jaką do tej pory Augustus miał okazję oglądać. Nie była nieprzyzwoita, broń Boże, ale nigdy jeszcze nie pokazałam tyle skóry. (Moja mama w tej kwestii wyznawała motto, z którym absolutnie się zgadzałam: „Lancasterowie nie obnażają przepony").

Otworzyłam drzwi. Augustus miał na sobie czarny, doskonale skrojony garnitur z wąskimi klapami oraz jasnoniebieską koszulę z wąskim czarnym krawatem. Papieros kołysał się w kąciku jego nieuśmiechniętych ust.

– Hazel Grace – powiedział – wyglądasz wspaniale.

– Ja... – odrzekłam. Wydawało mi się, że reszta zdania wyłoni się wraz z powietrzem przepływającym między moimi strunami głosowymi, ale nic takiego się nie wydarzyło. W końcu powiedziałam: – Czuję się nieubrana.

– A to zawsze jest modne – odparł, uśmiechając się do mnie szelmowsko.

– Augustusie – odezwała się mama za moimi plecami – prezentujesz się wyjątkowo przystojnie.

– Dziękuję pani – odrzekł. Podał mi ramię. Wsunęłam pod nie dłoń, oglądając się na mamę.

– Do zobaczenia o jedenastej – pożegnała nas.

Gdy czekaliśmy na tramwaj numer jeden przy szerokiej, ruchliwej ulicy, zwróciłam się do Augustusa:

– To zapewne garnitur, który nosisz na pogrzeby?

– Prawdę mówiąc, nie – odparł. – Tamten nie jest nawet w połowie taki ładny.

Przyjechał biało-niebieski tramwaj i Augustus podał nasze karty motorniczemu, który wyjaśnił, że powinniśmy nimi machnąć przed okrągłym czujnikiem. Kiedy szliśmy przez zatłoczony wagon, pewien starszy pan wstał, żebyśmy mogli usiąść razem. Próbowałam mu powiedzieć, że nie trzeba, ale z uporem gestykulował, wskazując na siedzenie. Przejechaliśmy trzy przystanki, wyglądając przez okno.

Augustus wskazał drzewa i zapytał:

– Widzisz to?

Widziałam. Wzdłuż kanałów rosły wiązy, a wokół nich unosiły się nasiona, które wcale nie wyglądały jak nasiona. Wyglądały zupełnie jak miniaturowe płatki róż wypłukane z koloru. Te wyblakłe płatki wirowały na wietrze jak klucze ptaków – tysiące płatków, niczym wiosenna burza śnieżna.

Starszy pan, który ustąpił nam miejsca, zauważył, że przyglądamy się im, i powiedział:

– Wiosenny śnieg w Amsterdamie. *Iepen* rzucają confetti na powitanie wiosny.

Przesiedliśmy się do innego tramwaju i po kolejnych czterech przystankach dotarliśmy do ulicy, której pasy rozdzielał piękny kanał. W jego wodach migotały odbicia starego mostu i malowniczych domów.

Oranjee mieściło się zaledwie kilka kroków od przystanku. Restauracja znajdowała się po jednej stronie ulicy, a miejsce ze stolikami na zewnątrz po drugiej, na betonowym podwyższeniu przy samej krawędzi kanału. Oczy kelnerki rozbłysły, gdy ruszyliśmy w jej stronę.

– Państwo Waters?

– Chyba tak – odpowiedziałam.

– Oto stolik dla państwa. – Wskazała wąski stół stojący kilka centymetrów od kanału. – Szampan w prezencie od firmy.

Zerknęliśmy na siebie z Gusem i uśmiechnęliśmy się. Przeszliśmy przez ulicę, a on wysunął krzesło dla mnie i pomógł mi je później dostawić. Rzeczywiście na przykrytym białym obrusem stoliku stały dwa wysokie kieliszki szampana. Lekki chłód w powietrzu cudownie równoważył ciepło słońca. Po jednej stronie mijali nas rowerzyści – elegancko ubrani mężczyźni i kobiety wracający z pracy do domu, nieprawdopodobnie atrakcyjne jasnowłose dziewczyny siedzące bokiem na bagażnikach rowerów, malutkie dzieci bez kasków podskakujące w plastikowych siedzonkach za plecami rodziców. A po drugiej stronie wodę w kanale dławiły miliony nasion confetti. Małe łódki cumowały przy ceglanych nabrzeżach, pełne deszczówki, niektóre bliskie zatonięcia. Kawałek dalej widziałam pływające domy unoszące się na pontonach, a środkiem kanału leniwie płynęła w naszą stronę otwarta, płaskodenna łódź, na której pokładzie stały leżaki i przenośny magnetofon. Augustus uniósł kieliszek, a ja ujęłam w palce swój, choć zazwyczaj nie piłam alkoholu, poza kilkoma łykami piwa od ojca.

– Okay – powiedział.

– Okay – odrzekłam i stuknęliśmy się kieliszkami. Upiłam łyk. Maleńkie bąbelki rozprysły w moich ustach i ruszyły na północ do mózgu. Słodkie. Świeże. Przepyszne.

– Naprawdę dobry – uznałam. – Jeszcze nigdy nie piłam szampana.

Pojawił się rosły, młody kelner o falujących jasnych włosach. Był chyba nawet wyższy od Augustusa.

– Czy wiedzą państwo – zapytał z rozkosznym akcentem – co Dom Pérignon powiedział po wynalezieniu szampana?

– Nie – przyznałam się.

– Zawołał do swoich towarzyszy z klasztoru: „Chodźcie szybko, piję gwiazdy!". Witamy w Amsterdamie. Czy życzą sobie państwo menu, czy może podać dania polecane przez szefa kuchni?

Spojrzałam na Augustusa, a on na mnie.

– Chętnie zaufamy szefowi kuchni, ale Hazel jest wegetarianką.

Wspomniałam mu o tym jeden jedyny raz tego dnia, gdy się spotkaliśmy po raz pierwszy.

– To nie problem – zapewnił kelner.

– Wspaniale. A możemy dostać więcej szampana? – spytał Augustus.

– Oczywiście – odparł kelner. – Dziś wieczór złapaliśmy do butelek wszystkie gwiazdy, młodzi przyjaciele. O, confetti! – zauważył i delikatnie strzepnął płatek z mojego nagiego ramienia. – Od wielu lat nie było tak źle. Jest wszędzie. To bardzo irytujące.

Kelner zniknął. Patrzyliśmy, jak confetti leci z nieba, sunie po ziemi w podmuchach wiatru i wpada do kanału.

– Trudno uwierzyć, że komuś może się to wydawać irytujące – stwierdził po chwili Augustus.

– Ludzie przyzwyczajają się do piękna.

– Ja się do ciebie jeszcze nie przyzwyczaiłem – odrzekł z uśmiechem. Poczułam, że się rumienię. – Dziękuję, że przyjechałaś do Amsterdamu – dodał.

– Dziękuję, że pozwoliłeś mi się podłączyć do twojego marzenia – odparłam.

– Dziękuję, że włożyłaś tę czadową sukienkę – powiedział. Pokręciłam głową, próbując się do niego nie uśmiechać. Nie chciałam być granatem. Ale przecież on chyba wiedział, co robi? To był też jego wybór. – Hej, jak się kończy ten wiersz? – zapytał.

– Słucham?

– Ten, który recytowałaś w samolocie.

– A, *Prufrock*? Kończy się tak: „W pałacu wodnic wiek strawimy cały / W rudobrunatnym morszczynie na skroni: / Głos ludzki, budząc, pogrąży nas w toni".

Augustus wyjął papierosa i postukał filtrem o blat stołu.

– Głupi ludzki głos zawsze wszystko psuje.

Kelner przyniósł kolejne dwa kieliszki szampana i coś, co nazwał „białymi belgijskimi szparagami z nutą lawendową".

– Ja też nigdy nie piłem szampana – wyznał Gus, gdy Holender odszedł. – Gdyby cię to interesowało. Nie jadłem też białych szparagów.

Żułam właśnie pierwszy kęs.

– Są wyśmienite – obiecałam.

Ugryzł kawałek i przełknął.

– Boże. Gdyby szparagi zawsze tak smakowały, też zostałbym wegetarianinem. – Kanałem zbliżała się lakierowana drewniana łódź z kilkoma osobami na pokładzie. Jedna z nich, kobieta o kręconych blond włosach, może trzydziestoletnia, upiła łyk piwa, wzniosła szklankę w naszą stronę i coś zawołała.

– Nie mówimy po holendersku! – odkrzyknął Gus.

Ktoś inny przekazał tłumaczenie:

– Jaka ta piękna para jest piękna.

Jedzenie było tak dobre, że z każdym kolejnym daniem nasza konwersacja coraz bardziej ograniczała się do hymnów pochwalnych na temat jego doskonałości: „Chciałbym, żeby to risotto z czerwoną marchewką stało się kobietą, abym mógł zabrać ją do Las Vegas i poślubić". „Sorbecie ze słodkiego groszku, jesteś nadspodziewanie znakomity". Żałuję, że nie byłam bardziej głodna.

Po zielonych czosnkowych gnocchi z liśćmi gorczycy sarepskiej kelner powiedział:

– Pora na deser. Podać przedtem więcej gwiazd?

Pokręciłam głową. Dwa kieliszki w zupełności mi wystarczyły, choć szampan nie stanowił wyjątku dla mojej wysokiej tolerancji środków uspokajających i przeciwbólowych. Nie czułam się wstawiona, jedynie rozgrzana, ale nie chciałam się upić. Takie wieczory jak ten nie zdarzają się często i pragnęłam dokładnie go zapamiętać.

– Mmm – mruknęłam, kiedy kelner odszedł, a Augustus uśmiechnął się krzywo, spoglądając w jedną stronę kanału, podczas gdy ja popatrzyłam w drugą. Mieliśmy wiele do obserwowania, więc cisza nie wydawała się niezręczna, ale chciałam, by wszystko było doskonałe. Chyba naprawdę było doskonałe, lecz miałam wrażenie, jakby ktoś usiłował zainscenizować Amsterdam moich marzeń, przez co trudno mi było zapomnieć, że ta kolacja, podobnie jak cała podróż, była Bonusem Rakowym. Chciałam, żebyśmy bez skrępowania rozmawiali i żartowali, jakbyśmy siedzieli na kanapie w domu, tymczasem wszystko było podszyte jakimś napięciem.

– To nie jest mój pogrzebowy garnitur – odezwał się Augustus po chwili. – Kiedy dowiedziałem się, że jestem chory, powiedzieli mi, że mam osiemdziesiąt pięć procent szans na wyzdrowienie. Wiem, że to sporo, ale cały czas prześladowała mnie myśl, że to i tak rosyjska ruletka. Miałem przechodzić piekło przez pół roku albo rok, stracić nogę, a potem mogło się okazać, że to wszystko i tak na nic, rozumiesz?

– Tak – odpowiedziałam, choć tak naprawdę wcale nie rozumiałam. Zawsze byłam śmiertelnie chora. Moje leczenie miało na celu jedynie przedłużenie życia, a nie całkowite ozdrowienie. Phalanxifor wprowadził pewną dozę niejasności do historii mojej choroby, lecz różniłam się od Augustusa: mój ostatni akt został napisany już podczas diagnozy. Natomiast Gus, jak większość chorych na raka, żył w niepewności.

– No właśnie – podjął. – Postanowiłem więc, że będę gotowy. Wykupiliśmy miejsce na cmentarzu Crown Hill i pewnego dnia poszedłem z ojcem, żeby je wybrać. Zaplanowałem cały pogrzeb i tak dalej, i tuż przed operacją spytałem rodziców, czy mógłbym kupić garnitur, taki naprawdę porządny, na wszelki wypadek, gdyby się jednak nie udało. No i nie miałem okazji go włożyć. Aż do dzisiaj.

– A więc to twój strój do trumny.

– A ty nie masz takiego ubrania?

– Mam. To sukienka, którą sobie kupiłam na przyjęcie z okazji piętnastych urodzin. Ale nie wkładam jej na randki.

Rozbłysły mu oczy.

– Jesteśmy zatem na randce? – zapytał.

Onieśmielona spuściłam wzrok.

– Nie naciskaj.

Oboje byliśmy przejedzeni, ale deser – gęste, aksamitne *crémeux* otoczone owocami marakui – był tak pyszny, że musieliśmy zjeść choćby odrobinę, więc siedzieliśmy nad nim, próbując znowu zgłodnieć. Słońce zachowywało się jak dziecko, które uparcie nie zgadza się pójść spać: chociaż minęło już wpół do dziewiątej, nadal było jasno.

Zupełnie bez związku z czymkolwiek Augustus nagle zapytał:

– Wierzysz w życie po śmierci?

– Sądzę, że wieczność jest błędną koncepcją – odrzekłam.

Parsknął śmiechem.

– Ty jesteś błędną koncepcją.

– Wiem. Dlatego zostaję wycofana z obiegu.

– To nie jest śmieszne – zaprotestował, patrząc na ulicę. Minęły nas dwie dziewczyny na rowerze, jedna siedziała bokiem na bagażniku.

– Daj spokój, to był żart – zapewniłam go.

– Myśl o wycofaniu ciebie z obiegu nie jest dla mnie zabawna – wyjaśnił. – A teraz poważnie: życie po śmierci?

– Nie – zaprzeczyłam, ale zaraz się zmitygowałam: – Może nie powinnam być aż tak kategoryczna. A ty?

– Tak – odpowiedział z pełnym przekonaniem. – Tak, absolutnie. Nie w formie nieba, w którym jeździ się na jednorożcu, gra na harfie i mieszka w pałacu z chmur. Ale tak. Wierzę w Coś, przez duże C. Zawsze wierzyłem.

– Naprawdę? – zdziwiłam się. Zaskoczył mnie. Do tej pory kojarzyłam wiarę w niebo z, szczerze mówiąc, czymś w rodzaju intelektualnego zacofania. A Gus nie był tępy.

– Tak – potwierdził cicho. – Wierzę w ten wers z *Ciosu udręki*. „Wschodzące słońce zbyt jaskrawe dla jej gasnących oczu". Wydaje mi się, że to wschodzące słońce jest

Bogiem, światło świeci zbyt jasno, a jej oczy gasną, ale nie przegrywają. Nie wierzę, że wracamy na ziemię, by nawiedzać albo pocieszać żyjących czy coś w tym rodzaju, lecz wierzę, że coś się z nami jednak dzieje po śmierci.

– Przecież boisz się zapomnienia.

– Jasne, boję się zapomnienia. Ale, choć nie chcę nudzić jak moi rodzice, wierzę, że ludzie mają dusze, i wierzę, że te dusze nie umierają. Strach przed zapomnieniem to coś całkiem innego. To lęk, że nie będę mógł dać nic w zamian za moje życie. Jeśli nie żyjesz w służbie większego dobra, to przynajmniej powinieneś umrzeć dla tego większego dobra, rozumiesz? A ja się boję, że ani moje życie, ani moja śmierć nie będą nic znaczyły.

Tylko pokręciłam głową.

– No co? – zapytał.

– Chodzi o twoją obsesję na punkcie umierania za coś czy życia pod wspaniałym sztandarem heroizmu? To dziwaczne.

– Każdy chce, by jego życie było niezwykłe.

– Nie każdy – odrzekłam, nie potrafiąc ukryć rozdrażnienia.

– Oszalałaś?

– Chodzi o to… – zaczęłam, ale nie umiałam dokończyć zdania. – O to… – spróbowałam znów. Świeczka między nami zamigotała. – To naprawdę podłe z twojej strony twierdzić, że liczą się jedyne ci, którzy żyli dla czegoś lub umarli za coś. To podłe, że mówisz to akurat do mnie.

Z jakiegoś powodu poczułam się jak małe dziecko, więc zjadłam łyżeczkę deseru, żeby wyglądało, że to wszystko wcale mnie nie obeszło.

– Przepraszam – powiedział. – Nie chciałem, żeby tak to zabrzmiało. Myślałem o sobie.

– No właśnie – zgodziłam się. Byłam zbyt obżarta, żeby dokończyć deser. Właściwie bałam się, że mogę zwymiotować, bo często mi się to zdarzało po jedzeniu. (Nie bulimia, tylko rak). Podsunęłam mój talerzyk Gusowi, ale on pokręcił głową.

– Przepraszam – powtórzył znów, sięgając przez stół po moją dłoń. Nie odsunęłam jej. – Mogłem być jeszcze gorszy, wiesz?

– Niby jak? – spytałam, żeby się z nim podroczyć.

– No, mam nad toaletą wykaligrafowaną sentencję: „Kąp się codziennie w pocieszeniu słów Bożych", Hazel. Mogłem być o wiele gorszy.

– Brzmi niehigienicznie – uznałam.

– Mogłem być gorszy.

– Mogłeś. – Uśmiechnęłam się. Naprawdę mnie lubił. Może byłam nimfomanką, ale w tamtej chwili w Oranjee kiedy to zrozumiałam, spodobał mi się jeszcze bardziej.

Kelner pojawił się, żeby zabrać nakrycia po deserze i powiedział:

– Rachunek za państwa posiłek został uregulowany przez pana Petera van Houtena.

Augustus uśmiechnął się.

– Ten cały Peter van Houten to zupełnie niezły gość.

Szliśmy wzdłuż kanału, a wokół zapadał zmrok. Przecznicę od Oranjee zatrzymaliśmy się przy parkowej ławce otoczonej przez stare zardzewiałe rowery przypięte do stojaków i do siebie nawzajem. Usiedliśmy zwróceni twarzami do kanału, a Augustus objął mnie ramieniem.

Widziałam poświatę bijącą od Dzielnicy Czerwonych Latarni. Chociaż była to Dzielnica Czerwonych Latarni, otaczająca ją łuna była dziwnie zielona. Wyobraziłam sobie tysiące turystów, którzy upijają się, narkotyzują i uprawiają hazard przy tych wąskich uliczkach.

– Nie mogę uwierzyć, że już jutro wszystko nam powie – wyznałam. – Peter van Houten zdradzi nam słynne, nienapisane zakończenie najlepszej książki świata.

– A do tego postawił nam kolację – dodał Augustus.

– Wyobrażam sobie, że zrobi nam rewizję w poszukiwaniu urządzeń do nagrywania, zanim cokolwiek powie. A potem usiądzie między nami na kanapie w salonie i szeptem zdradzi, czy mama Anny poślubiła Holenderskiego Tulippana.

– Nie zapominaj o chomiku Syzyfie – wtrącił Augustus.

– I oczywiście jaki los spotkał chomika Syzyfa. – Pochyliłam się, żeby spojrzeć na kanał. Na wodzie unosiło się takie mnóstwo bladych wiązowych płatków, że wydawało się to aż absurdalne. – Część druga, która powstanie tylko dla nas – dodałam.

– A jakie masz przeczucia? – zapytał.

– Naprawdę nie wiem. Przerabiałam to w tę i we w tę chyba z tysiąc razy. Lecz zawsze, gdy czytam książkę na nowo, myślę co innego, rozumiesz? – Kiwnął głową. – A ty masz jakąś teorię?

– Tak. Wydaje mi się, że Tulippan nie jest oszustem, ale też nie ma tak wielkiego majątku, jak sugeruje. I uważam, że po śmierci Anny jej mama wyjedzie z nim do Holandii, myśląc, że zostaną tam razem na zawsze, lecz to się nie uda, ponieważ będzie tęskniła za miejscem, w którym żyła jej córka.

Nie uświadamiałam sobie, że tyle myślał o tej książce i że nabrała dla niego znaczenia zupełnie niezwiązanego z moją osobą.

Woda cicho chlupała o kamienne ściany kanału pod nami. Grupka przyjaciół przejechała obok nas na rowerach, wykrzykując gardłowe holenderskie słowa, które brzmiały jak strzały z karabinu. Małe łódeczki, mierzące może półtora metra, unosiły się na wodzie do połowy zatopione. Zapach wody, która stała nieruchomo przez zbyt długi czas. Jego ramię obejmujące mnie. Jego prawdziwa noga dotykająca mojej od biodra aż po stopę. Przytuliłam się odrobinę mocniej. Skrzywił się.

– Przepraszam, coś ci jest?

Wydusił z siebie „nie", ale wyraźnie cierpiał.

– Przepraszam – powtórzyłam. – Mam kościste ramiona.

– Nic się nie stało – odrzekł. – Właściwie to przyjemne.

Siedzieliśmy tak bardzo długo. W końcu zsunął rękę z mojego ramienia i ułożył ją na oparciu ławki. Wpatrywaliśmy się w kanał. Myślałam o tym, że ludzie zbudowali to miasto, choć powinno znajdować się pod wodą, i o tym, że byłam dla doktor Marii czymś w rodzaju Amsterdamu, na pół zatopioną anomalią, a to z kolei skierowało moją uwagę ku śmierci.

– Mogę cię zapytać o Caroline Mathers?

– A mówisz, że życie po śmierci nie istnieje – odpowiedział, nie patrząc na mnie. – Ależ oczywiście. Co chcesz wiedzieć?

Chciałam wiedzieć, że nic mu nie będzie, jeśli umrę. Chciałam nie być granatem, niszczycielską siłą w życiu ludzi, których kochałam.

– Po prostu, jak było.

Westchnął, a wydychał powietrze tak długo, że dla moich beznadziejnych płuc zabrzmiało to niemalże jak przechwałka. Wsunął świeżego papierosa do ust.

– Wiesz, że szpitalne place zabaw słyną z tego, że nikt nigdy się na nich nie bawi? – Pokiwałam głową. – Spędziłem w Memorialu kilka tygodni, kiedy amputowali mi nogę. Leżałem na piątym piętrze i miałem widok na plac zabaw, który oczywiście zawsze był kompletnie opustoszały. Delektowałem się metaforyczną wymową pustego placu zabaw na szpitalnym dziedzińcu. Ale potem zaczęła się tam pojawiać samotna dziewczyna. Codziennie huśtała się na huśtawce, zupełnie sama, jak w scenie z filmu czy coś takiego. Poprosiłem więc jedną z sympatyczniejszych pielęgniarek, żeby dowiedziała się czegoś o tej dziewczynie, a ona przyprowadziła ją do mnie z wizytą. To była Caroline. Natychmiast wykorzystałem swoją niezwykłą charyzmę, żeby ją zdobyć.

Zamilkł, więc postanowiłam coś powiedzieć.

– Nie jesteś aż tak charyzmatyczny – sprostowałam. Prychnął z niedowierzaniem. – Jesteś przede wszystkim seksowny – wyjaśniłam.

Przyjął to z rozbawieniem.

– Problem ze zmarłymi… – podjął wątek, ale przerwał na chwilę. – Problem w tym, że człowiek wychodzi na łajdaka, jeśli ich nie idealizuje, ale prawda jest... bardziej skomplikowana. Znasz ten ideał pełnych stoicyzmu i determinacji chorych, którzy okazując nadludzką siłę, heroicznie walczą z rakiem, nigdy nie narzekają i uśmiechają się aż do samego końca, i tak dalej?

– Naturalnie – potwierdziłam. – To życzliwe i pogodne duszyczki, a każdy ich oddech stanowi wielką inspirację dla nas wszystkich. Są tacy silni! Tak bardzo ich podziwiamy!

– No właśnie, ale tak naprawdę, oczywiście pomijając nas, statystycznie rzecz biorąc, dzieciaki chore na raka nie są jakoś szczególnie fajne, dzielne, pełne współczucia i tak dalej. Caroline zawsze była humorzasta i marudna, ale lubiłem ją. Lubiłem to poczucie, że wybrała mnie jako jedynego człowieka na świecie, którego nie będzie nienawidziła, więc przez cały czas razem szydziliśmy ze wszystkich, rozumiesz? Kpiliśmy z pielęgniarek i innych dzieciaków, z naszych rodzin i z czego tylko się dało. Ale nie wiem, czy to była ona, czy guz. Pielęgniarka powiedziała mi kiedyś, że nowotwór Caroline znany jest jako rak typu dupek, bo zmienia człowieka w potwora. A zatem była dziewczyną, której brakowało jednej piątej mózgu i która przeżywała właśnie nawrót raka typu dupek. Nie zachowywała się więc, sama rozumiesz, jak uosobienie stoickiego i heroicznego dziecka. Była... Jeśli mam być szczery, to była wrednym bachorem. Oczywiście nie można tego mówić, bo chorowała na raka, a poza tym nie żyje. Ale miała wiele powodów, żeby zachowywać się nieprzyjemnie, rozumiesz?

Rozumiałam.

– Pamiętasz ten fragment *Ciosu udręki,* kiedy Anna idzie przez boisko do piłki nożnej na wuef czy gdzie tam i wywraca się, padając najpierw twarzą w trawę? Od razu wie, że rak wrócił i zaatakował jej system nerwowy. Nie może wstać, a twarz ma zaledwie kilka centymetrów od powierzchni boiska i tkwi tak, przyglądając się z bliska trawie, obserwując, jak pada na nią światło i... Nie pamiętam dokładnie słów, ale chodziło o to, że doznała whitmanowskiego olśnienia, i zrozumiała, że istotą człowieczeństwa jest możliwość podziwiania majestatu stworzenia czy jakoś tak. Znasz ten fragment?

– Znam ten fragment – potwierdziłam.

– A więc trochę później, kiedy chemia mnie wyniszczała, z jakiegoś powodu postanowiłem zachować optymizm. Nie tylko w kwestii przeżycia, ale tak jak Annę w powieści, ogarnęło mnie poczucie radości i wdzięczności, że mogę zachwycać się tym całym majestatem. Tymczasem stan Caroline pogarszał się z dnia na dzień. Wreszcie wróciła do domu i zdarzały się chwile, kiedy wydawało mi się, że moglibyśmy stworzyć normalny związek, ale to nie było możliwe, ponieważ ona nie miała żadnego filtra między myślami i mową, co było smutne i nieprzyjemne, a często wręcz bolesne. Ale przecież nie można rzucić dziewczyny z guzem mózgu. I jej rodzice mnie polubili, i miała małego brata, naprawdę fajnego dzieciaka. No jak można było ją rzucić? Przecież umierała. To trwało całą wieczność. Minął prawie rok, a ja przez cały ten czas chodziłem z dziewczyną, która potrafiła ni z tego, ni z owego wybuchnąć śmiechem i, pokazując palcem na moją protezę, nazywać mnie kuternogą.

– Nie – powiedziałam.

– Tak. To był rak. Pożerał jej mózg, rozumiesz? Albo to nie był rak. Nie miałem jak tego sprawdzić, bo byli nierozdzielni, ona i jej nowotwór. Lecz w miarę postępu choroby, powtarzała te same historie i śmiała się z własnych komentarzy, nawet jeśli wygłaszała je po raz setny jednego dnia. Na przykład całymi tygodniami mówiła ten sam żart: „Gus ma świetne nogi, ups, to znaczy nogę!". A potem wybuchała obłąkańczym śmiechem.

– Och, Gus… – westchnęłam. – To… – Nie wiedziałam, co powiedzieć. Nie patrzył na mnie i wydawało mi się, że patrzenie na niego będzie nietaktem. Poczułam, że się pochylił do przodu. Wyjął papierosa z ust i obracał między kciukiem i palcem wskazującym, a potem odłożył.

– Cóż – odezwał się – szczerze mówiąc, naprawdę mam świetną nogę.

– Tak mi przykro – powiedziałam. – Naprawdę bardzo mi przykro.

– Wszystko w porządku, Hazel Grace. Ale dla jasności, kiedy wydawało mi się, że ujrzałem ducha Caroline Mathers na grupie wsparcia, nie byłem zbyt uszczęśliwiony. Gapiłem się, ale nie wzdychałem, jeśli wiesz, co mam na myśli. – Wyciągnął pudełko z kieszeni i schował do niego papierosa.

– Przykro mi – powtórzyłam.

– Mnie też.

– Nigdy ci tego nie zrobię.

– Och, nie miałbym nic przeciwko temu, Hazel Grace. To byłby dla mnie zaszczyt, gdybyś złamała mi serce.

12

Obudziłam się o czwartej nad ranem czasu holenderskiego gotowa rozpocząć dzień. Wszelkie próby, żeby ponownie zasnąć, zawiodły, więc leżałam z BiPAP-em wpompowującym i wypompowującym ze mnie powietrze, radując się jego smoczymi dźwiękami, ale też żałując, że nie umiem oddychać samodzielnie.

Czytałam *Cios udręki*, dopóki około szóstej mama się nie obudziła i nie przetoczyła na moją połowę łóżka. Oparła mi głowę na ramieniu w nieco augustusowym geście, przez co zrobiło mi się niewygodnie.

Obsługa hotelowa przyniosła nam śniadanie do pokoju. Ku mojemu zachwytowi wśród wielu smakołyków wykluczonych z amerykańskiego menu śniadaniowego podano również wędliny. Sukienka, którą planowałam włożyć na spotkanie z Peterem van Houtenem, została awansowana na ubiór odpowiedni na kolację w Oranjee, więc kiedy już wzięłam prysznic i zmusiłam włosy, żeby leżały względnie gładko, przez mniej więcej pół godziny debatowałyśmy z mamą na temat różnych zalet i wad strojów, którymi dysponowałam. W końcu zdecydowałam się wystąpić podobnie jak Anna w *Ciosie*: w trampkach, ciemnych dżinsach, które zawsze nosiła, i w jasnoniebieskiej koszulce.

Koszulka miała nadruk ze słynną surrealistyczną pracą René Magritte'a przedstawiającą fajkę z wykonanym kursywą podpisem *Ceci n'est pas une pipe.* („To nie jest fajka").

– Nie rozumiem tej koszulki – wyznała mama.

– Peter van Houten zrozumie, uwierz mi. W *Ciosie udręki* zamieścił chyba z siedem tysięcy odnośników do Magritte'a.

– Ale to j e s t fajka.

– Nie, nie jest – zaprzeczyłam. – To rysunek fajki. Rozumiesz? Wszystkie podobizny rzeczy są w swej istocie abstrakcyjne. To bardzo inteligentne.

– Kiedy tak dojrzałaś, że rozumiesz sprawy, które przerastają twoją prastarą matkę? – zapytała mama. – Wydaje się, że zaledwie wczoraj tłumaczyłam siedmioletniej Hazel, dlaczego niebo jest niebieskie. Wówczas miałaś mnie za geniusza.

– A dlaczego niebo jest niebieskie? – zapytałam.

– Bo jest – odrzekła. Zaśmiałam się.

Zbliżała się dziesiąta, a ja byłam coraz bardziej zdenerwowana: bo miałam zobaczyć Augustusa, bo miałam się spotkać z Peterem van Houtenem, bo mój strój mógł okazać się nieodpowiedni, bo może nie znajdziemy właściwego domu, ponieważ wszystkie domy w Amsterdamie wyglądają podobnie, bo się zgubimy i nigdy nie trafimy z powrotem do Filosoofa – zdenerwowana, zdenerwowana, zdenerwowana. Mama cały czas usiłowała coś do mnie mówić, ale w ogóle jej nie słuchałam. Już miałam poprosić, żeby poszła na górę sprawdzić, czy Augustus wstał, kiedy zapukał do drzwi.

Otworzyłam mu. Spojrzał na koszulkę z Magritte'em i powiedział:

– Zabawne.

– Nie nabijaj się z moich piersi – ostrzegłam.

– Jestem tu – odezwała się mama za moimi plecami. Ale sprawiłam, że Augustus się zarumienił i stracił rezon, dzięki czemu odważyłam się w końcu na niego popatrzeć.

– Na pewno nie chcesz iść z nami? – zapytałam mamę.

– Wybieram się dzisiaj do Rijksmuseum i do Vondelparku – wyjaśniła. – A poza tym nie załapałam się na tę książkę. Bez urazy. Podziękujcie jemu i Lidewij w naszym imieniu, dobrze?

– Dobrze – odrzekłam. Przytuliłam mamę, a ona pocałowała mnie w głowę tuż nad uchem.

Biały szeregowy dom Petera van Houtena znajdował się za rogiem ulicy, przy której stał hotel, przy Vondelstraat, naprzeciwko parku. Miał numer 158. Augustus ujął mnie pod ramię, drugą ręką chwycił wózek z tlenem, po czym pokonaliśmy trzy schodki do niebiesko-czarnych lakierowanych drzwi frontowych. Serce mi mocno biło. Tylko jedne zamknięte drzwi dzieliły mnie od odpowiedzi, o których marzyłam, od kiedy przeczytałam tę niedokończoną stronę.

Z domu dochodziło dudnienie basów na tyle głośne, że drżały szyby w oknach. Pomyślałam, że może Peter van Houten ma dziecko, które lubi rap.

Chwyciłam kołatkę w kształcie głowy lwa i zapukałam z wahaniem. Basy nie ucichły.

– Może nie słyszy w tym hałasie? – zasugerował Augustus. Chwycił lwi łeb i zastukał dużo głośniej.

Basy zamilkły, zastąpione przez szuranie stóp. Szczęknęła zasuwa. I jeszcze jedna. Drzwi uchyliły się ze skrzypieniem. Brzuchaty mężczyzna o rzadkich włosach i obwisłym podbródku pokrytym tygodniowym zarostem zmrużył oczy przed słonecznym blaskiem. Był ubrany w błękitną męską piżamę, taką jak na starych filmach. Twarz i brzuch miał tak okrągłe, a kończyny tak chude, że wyglądał jak kula ciasta, w którą wetknięto cztery patyki.

– Pan van Houten? – zapytał Augustus nieco piskliwie.

Drzwi zatrzasnęły się. Usłyszałam, jak za nimi zacinający się, cienki głos woła:

– LII–DUU–ŁII!

(Do tej pory wymawiałam imię jego asystentki jak „li-duu-łidż").

Przez drzwi wszystko było doskonale słychać.

– Przyszli, Peterze? – spytała kobieta.

– Pod drzwiami, Lidewij, stoją dwa nastoletnie widziadła.

– Widziadła? – zdziwiła się z miłym holenderskim zaśpiewem.

Van Houten odpowiedział pospiesznie:

– Zjawy, widma, upiory, duchy, pozaziemskie istoty, widziadła, Lidewij. Jak ktoś, kto robi studia podyplomowe z literatury amerykańskiej, może wykazywać się taką okropną niekompetencją?

– Peterze, to nie są istoty pozaziemskie. To Augustus i Hazel, młodzi fani, z którymi korespondowałeś.

– Kto?... Jak to...? Myślałem, że są w Ameryce.

– Tak, ale zaprosiłeś ich tutaj, chyba pamiętasz?

– Wiesz, dlaczego wyjechałem z Ameryki, Lidewij? Żebym nie musiał nigdy więcej mieć do czynienia z Amerykanami.

– Przecież sam jesteś Amerykaninem.

– To nieuleczalne, niestety. A jeśli chodzi o tych tu Amerykanów, musisz im powiedzieć, żeby sobie natychmiast poszli, że nastąpiło okropne nieporozumienie, że błogosławiony van Houten złożył propozycję spotkania wyłącznie retoryczną, a nie faktyczną, i że takie propozycje należy traktować symbolicznie.

Myślałam, że zwymiotuję. Zerknęłam na Augustusa, który w osłupieniu wpatrywał się w drzwi, i ujrzałam, jak opadają mu ramiona.

– Nie zrobię tego, Peterze – odpowiedziała Lidewij. – Musisz się z nimi spotkać. Musisz. Potrzebujesz tego spotkania. Musisz się przekonać, ile znaczy twoja praca.

– Lidewij, świadomie mnie oszukałaś, organizując tę wizytę?

Nastąpiła długa cisza, a potem w końcu drzwi znów się otworzyły. Van Houten z regularnością metronomu odwracał głowę od Augustusa do mnie i z powrotem, mrużąc oczy.

– Które z was to Augustus Waters? – zapytał. Augustus niepewnie uniósł dłoń. Van Houten skinął głową i dodał: – Sfinalizowałeś już sprawę z tą laską?

I wtedy po raz pierwszy i ostatni widziałam, jak Augustusowi odjęło mowę.

– No... – zaczął – hm, ja... Hazel... hm. No...

– Ten chłopak jest chyba trochę opóźniony w rozwoju – van Houten zwrócił się do Lidewij.

– Peterze – upomniała go.

– No dobrze – rzekł, wyciągając do mnie rękę. – W każdym razie to przyjemność poznać istoty tak nieprawdopodobne w sensie ontologicznym. – Uścisnęłam jego obrzmiałą dłoń, a potem podali sobie ręce z Augustusem. Zastanawiałam się, co znaczy słowo „ontologiczny". Nieważne, i tak mi się spodobało. Augustus i ja wylądowaliśmy razem w Klubie Istot Nieprawdopodobnych: my i dziobaki z kaczymi dziobami.

Oczywiście miałam nadzieję, że Peter van Houten będzie przy zdrowych zmysłach, ale świat to nie instytucja do spełniania życzeń. Ważne, że drzwi zostały otwarte i miałam przekroczyć próg, by dowiedzieć się, co się wydarzyło po zakończeniu *Ciosu udręki*. To wystarczy. Weszliśmy do środka, minęliśmy wielki dębowy stół jadalny, przy którym stały tylko dwa krzesła, i znaleźliśmy się w przerażająco sterylnym salonie. Przypominał muzeum, tyle że na gładkich białych ścianach nie wisiały żadne dzieła sztuki. Poza kanapą i jednym fotelem, wykonanymi ze stali i czarnej skóry, pokój wydawał się zupełnie pusty. Potem dostrzegłam za kanapą dwa wielkie czarne worki na śmieci, pełne i zawiązane.

– Śmieci? – mruknęłam do Augustusa tak cicho, by nie usłyszał nikt inny.

– Poczta od fanów – wyjaśnił Peter van Houten, sadowiąc się w fotelu. – Dorobek osiemnastu lat. Nie otwieram jej. Przeraża mnie. Wasze listy to pierwsze, na jakie odpowiedziałem, i proszę do czego to doprowadziło. Szczerze mówiąc, rzeczywistość czytelników uważam za zupełnie nieapetyczną.

To wyjaśniało, dlaczego nie odpisał na moje listy. Nawet ich nie przeczytał. Zastanowiło mnie, po co w ogóle je trzyma, zwłaszcza w zupełnie pustym salonie. Van Houten ułożył nogi na podnóżku i skrzyżował stopy w kostkach. Machnął ręką w stronę kanapy. Usiedliśmy z Augustusem obok siebie, ale nie za blisko.

– Macie może ochotę na śniadanie? – zapytała Lidewij.

Chciałam właśnie powiedzieć, że już jedliśmy, kiedy wtrącił się Peter:

– Jest o wiele za wcześnie na śniadanie, Lidewij.

– Oni przyjechali z Ameryki, Peterze, czyli ich organizmy uważają, że jest już po południu.

– W takim razie to za późno na śniadanie – odparł. – Ale skoro organizmy uważają, że jest po południu i tak dalej, to może uraczymy się drinkiem. Pijesz szkocką? – zapytał mnie.

– Ja... hm, nie, dziękuję – odpowiedziałam.

– Augustusie Watersie? – Van Houten kiwnął głową do Gusa.

– Również dziękuję.

– W takim razie tylko ja, Lidewij. Szkocka z wodą, proszę. – Peter spojrzał na Augustusa, pytając: – Wiesz, jak przygotowujemy w tym domu szkocką z wodą?

– Nie.

– Nalewamy porcję szkockiej do szklanki, a potem przywołujemy myśli o wodzie. Następnie mieszamy szkocką z abstrakcyjną ideą wody.

– Może najpierw niewielkie śniadanie, Peterze? – zaproponowała Lidewij.

Zwrócił się do nas scenicznym szeptem:

– Ona uważa, że mam problem alkoholowy.

– Uważam też, że słońce wzeszło – odpowiedziała Lidewij. Mimo to podeszła do barku, sięgnęła po butelkę szkockiej i napełniła szklaneczkę do połowy.

Peter van Houten upił łyk, po czym siadł prosto.

– Tak dobry alkohol wymaga jak najlepszej postawy – dodał.

Uświadomiłam sobie, że się garbię, więc wyprostowałam się. Poprawiłam wąsy tlenowe. Ojciec zawsze mi powtarzał, że ludzi można poznać po tym, jak traktują kelnerów i asystentów. Według tej miary Peter van Houten był prawdopodobnie największym draniem na świecie.

– Zatem podoba ci się moja książka – zwrócił się do Augustusa po kolejnym łyku.

– Tak – odpowiedziałam w jego imieniu. – I my, to znaczy Augustus wykorzystał swoje marzenie, żebyśmy mogli przyjechać i żeby zdradził nam pan, co się dzieje po zakończeniu *Ciosu udręki*.

Van Houten nie odezwał się, tylko przełknął kolejny długi łyk swojego drinka.

Po minucie Augustus dodał:

– Wybraliśmy się razem w tę podróż z powodu pańskiej książki.

– Ale tak w ogóle nie jesteście razem – zauważył, nie patrząc na mnie.

– Dzięki niej jesteśmy prawie razem – uściśliłam.

Teraz zwrócił się do mnie.

– Celowo ubrałaś się tak jak ona?

– Jak Anna? – upewniłam się.

Wpatrywał się we mnie bez słowa.

– Poniekąd – potwierdziłam.

Upił długi łyk i skrzywił się.

– Nie mam problemu z piciem – oznajmił niepotrzebnie głośno. – Mam churchillowski stosunek do alkoholu: mogę opowiadać dowcipy, rządzić Anglią i robić wszystko, co zechcę. Poza niepiciem. – Zerknął na Lidewij i skinieniem głowy wskazał szklankę. Poszła z nią do barku. – Tylko idea wody, Lidewij – polecił.

– Taa, kapuję – odrzekła z prawie amerykańskim akcentem.

Pojawił się drugi drink i kręgosłup pisarza znów zesztywniał w postawie pełnej szacunku. Van Houten kopniakiem zrzucił kapcie. Miał naprawdę ohydne stopy. Rujnował wszelkie moje wyobrażenia o genialnym twórcy. Ale znał odpowiedzi.

– A zatem – zaczęłam – przede wszystkim chcielibyśmy podziękować za wczorajszą kolację i...

– Postawiliśmy im kolację? – zapytał van Houten Lidewij.

– Tak, w Oranjee.

– Ach, tak. Możecie wierzyć, że nie musicie dziękować mnie, tylko Lidewij, która przejawia szczególny talent do wydawania moich pieniędzy.

– Cała przyjemność po naszej stronie – zapewniła mnie Lidewij.

– W każdym razie dziękujemy – wtrącił Augustus. Dosłyszałam rozdrażnienie w jego głosie.

– A więc spotkaliśmy się – powiedział van Houten po chwili. – Jakie macie pytania?

– Hm – mruknął Augustus.

– A na piśmie wydawał się taki inteligentny – pisarz zwrócił się do Lidewij. – Może rak założył już przyczółek w jego mózgu.

– Peterze! – jęknęła Lidewij, stosownie przerażona.

Mnie też ogarnęło przerażenie, choć było coś sympatycznego w facecie tak podłym, by traktować nas bez grama szacunku.

– Rzeczywiście mamy kilka pytań – wtrąciłam. – Wymieniłam je w mailu. Nie wiem, czy pan pamięta.

– Nie.

– Jego pamięć jest skompromitowana – zażartowała Lidewij.

– Gdyby tylko zechciała czasem pójść na kompromis – odparował van Houten.

– Przejdźmy może do naszych pytań – zaproponowałam ponownie.

– Dziewczyna używa królewskiej liczby mnogiej. – Peter nie skierował tej uwagi do nikogo konkretnego. Kolejny łyk. Nie wiedziałam, jak smakuje szkocka, ale jeżeli choć odrobinę tak jak szampan, nie rozumiałam, jak może pić jej tak dużo, tak szybko i tak wcześnie rano. – Znasz paradoks Zenona z żółwiem? – zapytał mnie.

– Mamy pytania o to, co dzieje się z bohaterami po zakończeniu książki, zwłaszcza z…

– Niesłusznie zakładasz, że muszę usłyszeć twoje pytania, aby na nie odpowiedzieć. Znasz filozofa Zenona? – Nieznacznie pokręciłam głową. – No tak. Zenon był presokratejskim filozofem, który podobno znalazł czterdzieści paradoksów w światopoglądzie Parmenidesa... Jego z pewnością znasz – dodał, a ja kiwnęłam twierdząco głową, choć nie była to prawda. – Dzięki Bogu – westchnął. – Zenon zawodowo specjalizował się w ujawnianiu nieścisłości i uproszczeń u Parmenidesa, co wcale nie było trudne, ponieważ Parmenides mylił się spektakularnie wszędzie i zawsze. Parmenides jest przydatny dokładnie w taki sposób, w jaki przydatny jest znajomy, który stawia na złego konia za każdym razem, kiedy wybierzecie się na wyścigi. Ale najważniejszy u Zenona... zaraz, zdradź mi, co wiesz na temat szwedzkiego hip-hopu?

Nie potrafiłam rozszyfrować, czy van Houten żartuje. Po chwili Augustus odpowiedział za mnie:

– Niewiele.

– Okay, ale zakładam, że słyszeliście nowatorski album *Fläcken* zespołu Afasi och Filthy?

– Nie – odrzekłam w imieniu nas obojga.

– Lidewij, puść natychmiast *Bomfalleralla*. – Lidewij podeszła do odtwarzacza, coś poustawiała i wcisnęła guzik. Ze wszystkich stron runęła na nas muzyka. Brzmiała jak zupełnie zwyczajny utwór rapowy, tyle że po szwedzku.

Kiedy kawałek się skończył, Peter van Houten spojrzał na nas wyczekująco, szeroko otwierając swoje małe oczka.

– No? – zagaił. – No i?

Odpowiedziałam:

– Przykro mi, proszę pana, ale nie znamy szwedzkiego.

– To oczywiste. Ja też nie. Kto, u diabła, zna szwedzki? Ważne jednak jest nie to, jakie nonsensy te głosy artykułują, ale to, co one odczuwają. Na pewno wiecie, że istnieją tylko dwie emocje – miłość i strach – a Afasi och Filthy nawigują między nimi ze zręcznością, której po prostu nie spotyka się w muzyce hip-hopowej nigdzie poza Szwecją. Chcecie posłuchać jeszcze raz?

– Pan żartuje? – zapytał Gus.

– Słucham?

– Czy to jakiś happening? – Uniósł wzrok na Lidewij. – Tak?

– Obawiam się, że nie – odrzekła kobieta. – On nie zawsze... Dziś wyjątkowo...

– Och, milcz, Lidewij. Rudolf Otto powiedział, że jeśli ktoś nie doświadczył świętości, jeśli nie przeżył irracjonalnego spotkania z *mysterium tremendum**, to nie zrozumie jego dzieła. A ja powiadam wam, młodzi przyjaciele, że jeśli nie słyszycie brawurowego odzewu Afasi och Filthy na strach, to nie zrozumiecie mojego dzieła.

Nie umiem wyrazić tego dosadniej: to był zupełnie zwyczajny rap, tyle że po szwedzku.

– Hm – mruknęłam. – Wracając do *Ciosu udręki*. Kiedy książka dobiega końca, mama Anny ma właśnie...

Van Houten przerwał mi, mówiąc i stukając palcem w szklankę, dopóki Lidewij znów jej nie napełniła.

– Zatem Zenon najbardziej zasłynął paradoksem o żółwiu. Wyobraź sobie, że ścigasz się z żółwiem. Dajesz mu dziesięć

---

* *Mysterium tremendum* (łac.) – tajemnica przerażająca.

metrów forów. W czasie, którego potrzebujesz na przebiegnięcie dziesięciu metrów, żółw przesuwa się może o metr. Ale zanim ty pokonasz ten dystans, żółw znów ucieknie kawałek, i tak dalej, i tak dalej. Jesteś szybsza niż żółw, ale nigdy go nie dogonisz. Możesz tylko zmniejszać jego przewagę.

Oczywiście, biegniesz za żółwiem, nie analizując mechaniki całego procesu, ale zagadka, jak to się dzieje, okazuje się niewiarygodnie skomplikowana, i nikt jej tak naprawdę nie rozwiązał, dopóki Cantor nie wykazał, że niektóre nieskończoności są większe od innych.

– Hm – skomentowałam.

– Zakładam, że odpowiedziałem na twoje pytanie – oznajmił z pewnością siebie i hojnie pociągnął ze szklanki.

– Raczej nie – zaprotestowałam. – Zastanawialiśmy się, czy po zakończeniu *Ciosu udręki*...

– Wyrzekam się wszystkiego w tej odrażającej powieści – przerwał mi van Houten.

– Nie – powiedziałam.

– Słucham?

– To nie do przyjęcia – sprecyzowałam. – Rozumiem, że powieść kończy się w pół zdania, ponieważ Anna umiera albo jest zbyt chora, żeby pisać dalej, ale obiecał pan, że nam zdradzi, co się dzieje z pozostałymi, i dlatego tu przyjechaliśmy, i my... ja muszę to wiedzieć.

Van Houten westchnął. Po kolejnym łyku alkoholu skapitulował:

– Dobrze. Czyje losy cię interesują?

– Mamy Anny, Holenderskiego Tulippana, chomika Syzyfa, jednym słowem – jak się ułożyło życie im wszystkim.

Van Houten zamknął oczy i wydął policzki, wypuszczając powietrze, a potem uniósł wzrok na drewniane belki krzyżujące się na suficie.

– A zatem chomik – odezwał się po chwili. – Adoptuje go Christine. – Czyli jedna z przyjaciółek Anny z czasów sprzed choroby. To miało sens. Christine i Anna bawiły się z Syzyfem w kilku scenach. – Chomik zostaje adoptowany przez Christine, żyje jeszcze kilka lat po zakończeniu powieści i umiera spokojnie w chomiczym śnie.

Nareszcie do czegoś dochodziliśmy.

– Świetnie – ucieszyłam się. – Wspaniale. A teraz Holenderski Tulippan. Czy on jest oszustem? Czy mama Anny go poślubi?

Van Houten nadal wpatrywał się w belki na suficie. Napił się. Szklanka znów była prawie pusta.

– Lidewij, nie mogę tego zrobić. Nie mogę. Nie mogę! – Spojrzał na mnie. – Życie Holenderskiego Tulippana nijak się nie ułożyło. Nie jest ani oszustem, ani uczciwym człowiekiem; jest Bogiem. Jest oczywistym i niedwuznacznym metaforycznym wyobrażeniem Boga, a zatem pytanie, jak się ułożyło jego życie, jest intelektualnym ekwiwalentem pytania, jak się ułożyło życie pozbawionym ciała oczom doktora T.J. Eckleburga z *Wielkiego Gatsby'ego*. Czy mama Anny go poślubi? Rozmawiamy o powieści, drogie dziecko, nie o jakimś fakcie z historii.

– Oczywiście, ale przecież musiał pan myśleć o tym, co się z nimi dzieje jako z postaciami, niezależnie od ich metaforycznego znaczenia i tak dalej.

– To postacie fikcyjne – podkreślił, znów stukając palcem w szklankę. – Nic się z nimi nie dzieje.

– Obiecał pan, że mi powie – upierałam się. Postanowiłam być asertywna. Chciałam, żeby skupiał pijacką uwagę na moich pytaniach.

– Być może zrobiłem to, ponieważ niesłusznie założyłem, że nie możesz udać się w podróż przez Atlantyk. Próbowałem... dodać ci otuchy, jak mi się wydaje, a powinienem być ostrożniejszy. Ale mówiąc zupełnie szczerze, ten dziecinny pomysł, że autor ma jakąś wyjątkową wiedzę na temat bohaterów powieści... jest śmieszny. Ta powieść powstała z linii wydrapanych na papierze, moja droga. Zamieszkujący ją bohaterowie nie mają żadnego innego życia poza tymi liniami. Co się z nimi dzieje? Wszyscy przestają istnieć w chwili, gdy powieść się kończy.

– Nie – zaprotestowałam. Dźwignęłam się z kanapy. – Nie. Rozumiem to, ale nie można sobie nie wyobrażać ich przyszłości. A pan najbardziej się nadaje do tego, by ją sobie wyobrazić. Życie mamy Anny jakoś się ułożyło. Albo wyszła za mąż, albo nie. Albo przeprowadziła się do Holandii z Tulippanem, albo nie. Albo urodziła więcej dzieci, albo nie. Muszę wiedzieć, co się z nią stało.

Van Houten wydął usta.

– Żałuję, że nie mogę spełnić twoich dziecinnych zachcianek, ale odmawiam litowania się nad tobą w sposób, do jakiego przywykłaś.

– Nie chcę pańskiej litości – zapewniłam.

– Jak wszystkie chore dzieci – odrzekł beznamiętnie – twierdzisz, że nie chcesz litości, ale całe twoje istnienie jest od niej zależne.

– Peter... – próbowała go powstrzymać Lidewij, ale mówił dalej, półleżąc na fotelu, a słowa brzmiały dosadnie, wymawiane z pijacką precyzją.

– Chore dzieci nieuchronnie zostają zamrożone w czasie: jesteś skazana, by dożyć swych dni jako dziecko, którym byłaś, gdy postawiono diagnozę, i które wierzy, że istnieje jakieś życie po zakończeniu powieści. A my, dorośli, litujemy się nad tobą, więc płacimy za leczenie, za butle tlenowe. Zapewniamy ci jedzenie i wodę, choć jest niezbyt prawdopodobne, byś pożyła wystarczająco długo...

– PETER! – krzyknęła Lidewij.

– Jesteś skutkiem ubocznym procesu ewolucyjnego – kontynuował van Houten – który nie przywiązuje wagi do życia jednostek. Jesteś nieudanym eksperymentem z zakresu mutacji.

– ODCHODZĘ! – wrzasnęła Lidewij. Miała łzy w oczach. Ale ja nie byłam zła. Van Houten szukał najboleśniejszego sposobu na powiedzenie prawdy, lecz przecież ja znałam już tę prawdę. Latami wpatrywałam się w sufity – począwszy od tego w mojej sypialni po ten na oddziale intensywnej opieki – więc już dawno temu znalazłam najboleśniejszy sposób postrzegania swojej choroby. Postąpiłam krok w jego stronę.

– Niech pan posłucha, panie mądralo – powiedziałam. – Nie powie mi pan o mojej chorobie niczego, czego bym już nie wiedziała. Chcę od pana jednej jedynej informacji, zanim na zawsze zniknę z pańskiego życia: CO SIĘ STAŁO Z MATKĄ ANNY?

Uniósł twarz o obwisłych policzkach i wzruszył ramionami.

– Wiem o jej losie tyle samo, co o losie siostry Holdena Caulfielda, narratora u Prousta czy Huckleberry'ego Finna po tym, jak postanawia zwiać do puszczy.

– GÓWNO PRAWDA! Bzdura. Niech pan mi powie! Niech pan coś wymyśli!

– Nie. I będę wdzięczny, jeśli przestaniesz przeklinać w moim domu. To nie przystoi damie.

Nadal nie byłam zła, jedynie bardzo zdeterminowana, żeby uzyskać to, co mi obiecano. Coś we mnie wezbrało, wyciągnęłam rękę i plasnęłam w obrzmiałą dłoń, która trzymała szklaneczkę ze szkocką. Resztka alkoholu prysnęła na wielką płaszczyznę twarzy van Houtena, szklanka odbiła się od jego nosa, a następnie, wirując w powietrzu niczym baletnica, rozbiła się z głośnym brzękiem na zabytkowej drewnianej podłodze.

– Lidewij – odezwał się van Houten spokojnie – poproszę martini. Tylko cień wermutu, jeśli można.

– Ale ja odeszłam z pracy – zauważyła Lidewij po chwili.

– Nie bądź śmieszna.

Nie miałam pojęcia, co robić. Miłe zachowanie nie poskutkowało, podłe również. Potrzebowałam odpowiedzi. Przebyłam kawał świata, wykorzystałam marzenie Augustusa. Musiałam wiedzieć.

– Czy kiedykolwiek zastanawiałaś się nad tym – powiedział van Houten bełkotliwie – dlaczego tak ci zależy na tych głupich odpowiedziach?

– OBIECAŁ PAN! – krzyknęłam, słysząc w swoim głosie echo bezsilnego zawodzenia Isaaca z Nocy Niszczenia Pucharów. Van Houten nie zareagował.

Nadal stałam nad nim, czekając, aż coś do mnie powie, kiedy poczułam dłoń Augustusa na ramieniu. Pociągnął mnie do drzwi, a ja bezwolnie ruszyłam za nim, podczas gdy van Houten uraczył Lidewij tyradą na temat niewdzięczności współczesnych nastolatków i upadku zasad dobrego wychowania w społeczeństwie, a ona histerycznie odkrzyknęła do niego po holendersku, wypowiadając słowa z prędkością karabinu maszynowego.

– Musicie wybaczyć mojej byłej asystentce – zwrócił się do nas van Houten. – Holenderski to bardziej choroba gardła niż język.

Augustus wyprowadził mnie z pokoju, a potem przez frontowe drzwi w późny wiosenny poranek i opadające z wiązów confetti.

W moim wypadku nie mogło być mowy o czymś takim jak szybka ewakuacja, ale w końcu zeszliśmy po schodach – Augustus zniósł mój wózek – a potem ruszyliśmy w drogę powrotną do Filosoofa po wyboistym chodniku z prostokątnych cegieł. Po raz pierwszy od epizodu z huśtawką zaczęłam płakać.

– Hej – powiedział Gus, obejmując mnie w talii. – Hej, nie przejmuj się. – Pokiwałam głową i otarłam twarz wierzchem dłoni. – To palant. – Znów pokiwałam głową. – Ja napiszę ci ten epilog – obiecał. Rozpłakałam się jeszcze gwałtowniej. – Naprawdę – dodał. – Zrobię to. I będzie lepszy niż szmelc, który by wyszedł spod pióra tego pijaka. Jego mózg przypomina ser szwajcarski. On nawet nie pamięta, jak pisał tę książkę. Mogę stworzyć powieść dziesięć razy lepszą niż on. Będzie w niej krew, flaki i poświęcenie. *Cios udręki* plus *Cena świtu*. Będziesz zachwycona. – Kiwałam głową, udając, że się uśmiecham, a on mnie przytulił, silnymi ramionami przyciągając do muskularnego torsu, więc trochę zmoczyłam jego koszulkę polo. Po chwili doszłam do siebie na tyle, żeby móc coś powiedzieć.

– Wykorzystałam twoje marzenie na tego bufona – wymamrotałam w jego pierś.

– Nie, Hazel Grace. Przyznaję, że wykorzystałaś moje jedyne marzenie, ale nie na tego bufona. Wykorzystałaś je na nas.

Usłyszałam z tyłu stukot wysokich obcasów. Odwróciłam się. Bardzo przejęta Lidewij goniła za nami chodnikiem, a po jej policzkach spływała kredka do oczu.

– Może wybierzemy się do Anne Frank Huis? – zaproponowała.

– Nigdzie nie pójdę z tym potworem – oznajmił Augustus.

– On nie jest zaproszony – odrzekła Lidewij.

Augustus nadal opiekuńczo mnie obejmował, trzymając dłoń na moim policzku.

– Nie wydaje mi się… – zaczął, ale mu przerwałam.

– Chodźmy. – Nadal chciałam uzyskać odpowiedzi od van Houtena, ale pragnęłam nie tylko tego. Zostały mi zaledwie dwa dni w Amsterdamie z Augustusem Watersem. Nie pozwolę, by ten smutny staruch je zniszczył.

Lidewij miała brzydkiego szarego fiata, którego silnik wydawał takie dźwięki jak podekscytowana czterolatka. Jechaliśmy ulicami Amsterdamu, a była asystentka bezustannie wylewnie przepraszała.

– Bardzo mi przykro. Nic nie usprawiedliwia tego, co się stało. On jest bardzo chory – mówiła. – Myślałam, że pomoże mu, kiedy się przekona, że wywiera wpływ na życie prawdziwych ludzi, ale... Bardzo przepraszam. To takie strasznie żenujące. – Nie odzywaliśmy się. Siedziałam na tylnym siedzeniu za Augustusem. Wsunęłam dłoń między drzwi i fotel w poszukiwaniu jego ręki, ale mi się nie udało. Lidewij mówiła dalej: – Pracowałam dla niego, bo uważałam go za geniusza, a poza tym dobrze płacił, ale stał się prawdziwym potworem.

– Pewnie nieźle zarobił na tej książce – odezwałam się po chwili.

– Och, nie, nie. On jest z tych van Houtenów – wyjaśniła. – W siedemnastym wieku jego przodkowie odkryli, jak mieszać kakao z wodą. Część van Houtenów dawno temu przeniosła się do Stanów i Peter pochodzi z tej linii, ale po wydaniu powieści przeprowadził się do Holandii. Przynosi wstyd swojej wspaniałej rodzinie.

Silnik krzyknął. Lidewij zmieniła bieg i przemknęliśmy przez most nad kanałem.

– To okoliczności – dodała. – Okoliczności uczyniły z niego okrutnika. On nie jest złym człowiekiem. Ale nie przypuszczałam... Wprost nie mogłam uwierzyć, że naprawdę mówi te potworne rzeczy. Bardzo mi przykro. Bardzo, bardzo.

Musieliśmy zaparkować całą przecznicę od Domu Anny Frank, a potem gdy Lidewij stała w kolejce po bilety, usiadłam, opierając się plecami o drzewko i patrząc na barki mieszkalne zacumowane w kanale Prisengracht. Augustus stał nade mną, zataczając leniwe kręgi wózkiem z tlenem i patrząc, jak kręcą się jego kółka. Chciałam, żeby usiadł obok mnie, ale wiedziałam, że siadanie sprawia mu spory kłopot, a wstawanie jeszcze większy.

– Okay? – zapytał, spoglądając na mnie. Wzruszyłam ramionami i sięgnęłam ręką do jego łydki. To była sztuczna łydka, ale jej nie puściłam. Patrzył na mnie.

– Ja tylko chciałam... – odezwałam się.

– Wiem – zapewnił. – Wiem. Ale świat najwyraźniej nie jest instytucją zajmującą się spełnianiem życzeń.

Nareszcie choć trochę się uśmiechnęłam.

Lidewij wróciła z biletami, lecz wąskie usta miała ściągnięte w wyrazie troski.

– Nie ma windy – oznajmiła. – Bardzo, bardzo przepraszam.

– Nie szkodzi – zapewniłam ją.

– Tam jest mnóstwo schodów – wyjaśniła. – I to stromych.

– Nie szkodzi – powtórzyłam. Augustus chciał coś powiedzieć, ale nie dopuściłam go do głosu. – Nie szkodzi, dam radę.

Rozpoczęliśmy zwiedzanie od pokoju, w którym wyświetlano film o Żydach w Holandii, o nazistowskiej inwazji i rodzinie Franków. Potem poszliśmy na górę, do domu nad kanałem, w którym znajdowało się biuro Ottona Franka. Schody stanowiły nie lada przeszkodę zarówno dla mnie, jak i dla Augustusa, ale czułam się silna. Już wkrótce patrzyłam na słynną biblioteczkę, za którą skrywali się Anna Frank, jej rodzina oraz cztery inne osoby. Biblioteczka była uchylona, a za nią znajdowała się jeszcze bardziej pionowa klatka schodowa szerokości człowieka. Otaczali nas inni zwiedzający, a ja nie chciałam ich opóźniać, ale Lidewij powiedziała:

– Prosimy wszystkich o cierpliwość.

I zaczęłam iść w górę, Lidewij niosła za mną wózek, a za nią kuśtykał Augustus.

Było tam czternaście stopni. Cały czas myślałam o tych ludziach za moimi plecami – to byli głównie dorośli różnych narodowości – i czułam się zawstydzona. Czułam się jak duch, który jednocześnie dręczy i pociesza. W końcu udało mi się dotrzeć na górę. Weszłam do upiornie pustego pokoju i oparłam się o ścianę. Mój mózg powtarzał płucom: „Wszystko okay, wszystko okay, uspokójcie się, wszystko okay", a płuca odpowiadały mózgowi: „O Boże, umieramy!". Nawet nie zauważyłam, jak Augustus wszedł na górę, ale stanął obok mnie, otarł czoło w geście oznaczającym „A niech to!" i wyraził swoje uznanie:

– Jesteś wielka!

Jeszcze kilka minut opierałam się o ścianę, a następnie przeszłam do sąsiedniego pokoiku, który Anna dzieliła z dentystą Fritzem Pfefferem. Był maleńki i pozbawiony jakichkolwiek mebli. Nic nie wskazywało na to, że ktokolwiek tu mieszkał – może poza zdjęciami z gazet i czasopism, które Anna nakleiła na ścianę i które nadal tam wisiały.

Kolejne schody prowadziły do pomieszczenia zajmowanego przez rodzinę van Pelsów. Osiemnaście schodków, jeszcze bardziej stromych niż poprzednie, właściwie zwykła drabina. Stanęłam na dole, spojrzałam w górę i zrozumiałam, że nie dam rady, ale równocześnie wiedziałam, że to jedyna droga.

– Wracajmy – zaproponował Gus zza moich pleców.

– Nic mi nie jest – odpowiedziałam cicho. To głupie, ale uważałam, że jestem jej to w i n n a – to znaczy Annie Frank – ponieważ ona nie żyła, a ja żyłam, ponieważ siedziała cicho, zaciągała rolety, robiła wszystko, jak należy, a mimo to zginęła, a więc powinnam wejść po tych schodach i obejrzeć resztę świata, w którym egzystowała przez te wszystkie lata, zanim przyszło gestapo.

Zaczęłam wspinać się po schodach. Gramoliłam się po nich jak małe dziecko, początkowo powoli, żeby móc oddychać, a potem szybciej, bo uświadomiłam sobie, że jednak nie mogę oddychać, i chciałam dotrzeć na górę, zanim stracę przytomność. Zaczął mnie ogarniać mrok, a ja wciąż podciągałam się wyżej, osiemnaście stopni, piekielnie stromych. W końcu dotarłam na szczyt klatki schodowej, z silnymi mdłościami i prawie oślepła, a mięśnie moich ramion i nóg rozpaczliwie wołały o tlen. Bezwładnie usiadłam pod ścianą, targana mokrym kaszlem. Nade mną znajdowała się pusta szklana gablota. Patrzyłam przez nią na sufit i usiłowałam nie zemdleć.

Lidewij kucnęła przy mnie, mówiąc:

– Dotarłaś na samą górę.

Kiwnęłam głową. Niejasno zdawałam sobie sprawę, że ludzie wokół przyglądają mi się z troską, Lidewij po cichu mówi coś do nich w jednym języku, potem w kolejnym, i w jeszcze innym, a Augustus stoi nade mną i głaszcze mnie po głowie wzdłuż przedziałka.

Po długiej chwili Lidewij i Gus dźwignęli mnie na nogi i wreszcie zobaczyłam, co kryje się pod szklaną gablotą: wykonane ołówkiem kreski na tapecie dokumentujące, jak rosły dzieci z dobudówki, centymetr po centymetrze, aż nie mogły już rosnąć.

Potem opuściliśmy mieszkanie Franków, ale nadal znajdowaliśmy się w muzeum: w długim wąskim korytarzu umieszczono zdjęcia wszystkich ośmiu mieszkańców dobudówki i opisy, jak, gdzie i kiedy zmarli.

– Jedyny członek rodziny, który przetrwał wojnę – powiedziała Lidewij o ojcu Anny, Ottonie. Mówiła przyciszonym głosem, jakby była w kościele.

– To nie była kwestia przetrwania wojny – zauważył Augustus – tylko przetrwania ludobójstwa.

– To prawda – zgodziła się Lidewij. – Nie wiem, jak można żyć bez rodziny. Nie wyobrażam sobie tego. – Czytając o całej siódemce, myślałam o Ottonie Franku, który już nie był ojcem i któremu zamiast żony i dwóch córek został tylko dziennik. Na końcu korytarza leżała wielka księga, grubsza niż słownik, zawierająca nazwiska stu trzech tysięcy Holendrów, którzy zginęli w Holocauście. (Jedynie pięć tysięcy deportowanych holenderskich Żydów, jak podawał napis na ścianie, przeżyło. Pięć tysięcy Ottonów Franków). Księga była otwarta na stronie z nazwiskiem Anny Frank, ale mnie uderzyło to, że tuż pod nim znajdowało się czterech Aronów Franków. C z t e r e c h. Czterech Aronów Franków bez muzeów, bez historycznych wpisów, bez nikogo, kto by ich opłakiwał. Złożyłam milczącą przysięgę, że dopóki będę żyła, będę pamiętać i modlić się za tych Aronów Franków. (Może niektórzy potrzebują wierzyć w jakiegoś określonego, wszechmocnego Boga, żeby się modlić, ale ja do nich nie należę).

Gdy dotarliśmy do końca korytarza, Gus zapytał:

– Dobrze się czujesz?

Skinęłam głową.

Wskazał zdjęcie Anny.

– Najgorsze jest to, że prawie jej się udało, wiesz? Zginęła zaledwie kilka tygodni przed wyzwoleniem.

Lidewij oddaliła się kawałek, żeby obejrzeć film, a ja chwyciłam Gusa za rękę, gdy przechodziliśmy dalej. Znaleźliśmy się w pokoju na poddaszu. Wystawiono tu listy pisane przez Ottona Franka w ciągu tych długich miesięcy, gdy poszukiwał swoich córek. Na ścianie na środku wyświetlano film, w którym Otto mówił po angielsku.

– Czy zostali jeszcze jacyś naziści, których mógłbym wytropić i postawić przed obliczem sprawiedliwości? – zapytał Augustus, gdy pochylaliśmy się nad witrynami zawierającymi listy i bolesne odpowiedzi, że nie, nikt nie widział jego dzieci po wyzwoleniu.

– Chyba już wszyscy nie żyją. Ale naziści nie mieli monopolu na zło.

– Racja – zgodził się. – Wiesz, co powinniśmy zrobić, Hazel Grace? Powinniśmy zjednoczyć siły i stworzyć kaleki duet straży obywatelskiej, który przemierza świat, naprawiając zło, chroniąc słabych i broniąc zagrożonych.

Choć to było jego pragnienie, a nie moje, uległam mu. W końcu on spełnił moje marzenie.

– Naszą sekretną bronią będzie brak lęku – podsunęłam.

– Opowieści o naszych wyczynach przetrwają tak długo jak cywilizacja człowieka.

– A nawet jeszcze dłużej, kiedy roboty będą rozpamiętywać ludzkie absurdy poświęcenia i ofiarności, też będą o nas wspominać.

– Będą śmiać się mechanicznie z naszej szalonej odwagi – ciągnął. – Jednak w ich metalowych sercach obudzi się pragnienie, by mogli żyć i umrzeć tak jak my: w bohaterskiej misji.

– Augustusie Watersie – powiedziałam, podnosząc na niego wzrok i myśląc, że nie można nikogo pocałować w Domu Anny Frank, a potem doszłam do wniosku, że Anna Frank chyba pocałowała kogoś w Domu Anny Frank, i że prawdopodobnie marzyłaby o tym, żeby jej dom stał się miejscem, w którym zakochują się ludzie młodzi i nieuleczalnie chorzy.

– Muszę wyznać – wyznał Otto Frank z silnym akcentem – że byłem bardzo zaskoczony głębią przemyśleń Anny.

A potem się pocałowaliśmy. Puściłam wózek z tlenem i położyłam dłoń na karku Augustusa, a on objął mnie w tali i uniósł tak, że stałam na palcach. Gdy jego rozchylone wargi dotknęły moich, zabrakło mi tchu w zupełnie nowy i fascynujący sposób. Przestrzeń wokół nas wyparowała i przez jeden dziwny moment naprawdę lubiłam swoje ciało. Ta trawiona przez raka ruina, z którą od lat się mordowałam, nagle wydała się warta całej tej walki, warta rurek w klatce piersiowej, kroplówek i ciągłej zdrady ze strony guzów.

– Anna jako moja córka była całkiem inną dziewczynką. Nigdy nie dzieliła się swoimi refleksjami – kontynuował Otto Frank.

Pocałunek trwał wieczność, a Frank ciągle mówił za moimi plecami.

– Ponieważ miałem z nią naprawdę dobre relacje, dochodzę do wniosku, że większość rodziców tak naprawdę nie zna swoich dzieci.

Uświadomiłam sobie, że mam zamknięte powieki, więc je uniosłam. Augustus wpatrywał się we mnie, a jego niebieskie oczy znajdowały się bliżej niż kiedykolwiek. Natomiast za nim ujrzałam tłum ludzi stojących w trzech rzędach wokół nas. Muszą być wściekli, pomyślałam. Wstrząśnięci. Te nastolatki z tymi ich hormonami obmacujące się na tle filmu, w którym rozbrzmiewa głos załamanego byłego ojca.

Odsunęłam się od Augustusa, a on cmoknął mnie jeszcze w czoło. Wbiłam wzrok w swoje trampki. A potem ludzie zaczęli klaskać. Wszyscy zgromadzeni, wszyscy ci dorośli zaczęli klaskać, a jeden nawet krzyknął: „Brawo!" z europejskim akcentem. Augustus ukłonił się z uśmiechem. Śmiejąc się, dygnęłam lekko, co wywołało kolejny aplauz.

Zeszliśmy na dół, przepuszczając najpierw innych zwiedzających, a tuż przed tym, jak dotarliśmy do kawiarni (skąd na szczęście winda zabrała nas na parter do sklepu z pamiątkami), obejrzeliśmy strony z dziennika Anny, a także jej niepublikowaną kolekcję cytatów. Księga z cytatami była otwarta akurat na stronie z Szekspirem. „Któż jest tak stały, by nie dał się uwieść?"* – zapisała.

Lidewij odwiozła nas do Filosoofa. Gdy wysiedliśmy, zaczął padać drobny deszcz. Staliśmy z Augustusem na ceglanym chodniku, moknąc powoli.

Augustus: Pewnie potrzebujesz odpocząć.

Ja: Nic mi nie jest.

Augustus: Okay. (Pauza). O czym myślisz?

Ja: O tobie.

Augustus: Co o mnie?

Ja: Sam nie wiem, co wolę: / piękno modulacji głosu / czy piękno aluzji do głosu, / kosa, gdy gwiżdże, / czy kosa zaraz potem**.

Augustus: Boże, jaka ty jesteś seksowna.

Ja: Moglibyśmy pójść do twojego pokoju.

Augustus: Całkiem niezły pomysł.

---

* William Szekspir, *Juliusz Cezar*, przeł. Zofia Winnicka.

** Wallace Stevens, *Trzynaście sposobów spoglądania na kosa*, przeł. Stanisław Barańczak.

* * *

Wcisnęliśmy się razem do maleńkiej windy. Wszystkie powierzchnie, łącznie z podłogą, były wyłożone lustrami. Musieliśmy mocno szarpać drzwi, żeby się zamknęły. Wreszcie starowinka, trzeszcząc, powoli powiozła nas na drugie piętro. Byłam zmęczona, spocona i martwiłam się, że ogólnie wyglądam i pachnę fatalnie, ale mimo to pocałowałam go, a potem on wskazał na lustra i powiedział:

– Popatrz, nieskończone Hazel.

– Niektóre nieskończoności są większe niż inne – wycedziłam, parodiując van Houtena.

– Co za pajac – zirytował się Augustus. Przez cały ten czas wjeżdżaliśmy na drugie piętro. W końcu winda zatrzymała się z szarpnięciem, a Gus pchnął lustrzane drzwi. Gdy były do połowy otwarte, skrzywił się z bólu i na sekundę puścił uchwyt.

– Nic ci nie jest? – zaniepokoiłam się.

Odpowiedział po chwili:

– Nie, nie, te drzwi są dosyć ciężkie.

Znów popchnął je i otworzył. Oczywiście przepuścił mnie przodem, ale nie wiedziałam, w którą stronę pójść, więc stanęłam przed windą, a on obok mnie z twarzą nadal wykrzywioną, więc spytałam:

– Okay?

– Po prostu słaba kondycja, Hazel Grace. Wszystko w porządku.

Staliśmy w korytarzu i on wcale nie zamierzał zaprowadzić mnie do swojego pokoju ani nic takiego, a ja nie wiedziałam, gdzie ten pokój jest. Im dłużej trwał cały ten impas, tym bardziej byłam przekonana, że Augustus próbuje znaleźć wymówkę, żeby się ze mną nie przespać, i że przede wszystkim nie powinnam była tego proponować, że to nie było zachowanie godne damy i dlatego zdegustowało Augustusa Watersa, który stał, patrząc na mnie bez mrugnięcia okiem, i obmyślając, jak tu się uprzejmie wywikłać z tej sytuacji. W końcu, gdy minęła cała wieczność, powiedział:

– Nad kolanem i trochę się zwęża, a potem jest tylko skóra. Paskudna blizna, ale wygląda po prostu jak…

– Co to? – zdziwiłam się.

– Moja noga – wyjaśnił. – Chciałem, żebyś była przygotowana na wypadek, gdybyś ją zobaczyła…

– Och, daruj sobie – odrzekłam i pokonałam dwa kroki, które nas dzieliły. Pocałowałam go mocno, przyciskając do ściany, i całowałam cały czas, kiedy szukał w kieszeniach klucza do pokoju.

Położyliśmy się na łóżku i choć moją swobodę ograniczał nieco tlen, udało mi się wspiąć na niego, zdjąć mu koszulę i posmakować potu na skórze pod obojczykiem. Wyznałam szeptem:

– Kocham cię, Augustusie Watersie.

Jego ciało odprężyło się pode mną, gdy usłyszał te słowa. Sięgnął w dół, próbując zdjąć ze mnie koszulkę, ale zaplątała się w rurkę z tlenem. Wybuchnęłam śmiechem.

– Jak ty sobie z tym radzisz codziennie? – zapytał, kiedy wyplątywałam koszulkę z rurek. Przyszła mi do głowy idiotyczna myśl, że moje różowe majtki nie pasują do fioletowego stanika, jakby chłopcy zwracali uwagę na takie rzeczy. Wpełzłam pod przykrycie i zdjęłam dżinsy oraz skarpetki, a potem patrzyłam, jak kołdra się porusza, gdy Augustus pozbywa się pod nią najpierw spodni, a potem nogi.

Leżeliśmy na plecach obok siebie, całkowicie schowani pod kołdrą. Po sekundzie wyciągnęłam rękę, dotknęłam jego uda i pozwoliłam dłoni powędrować niżej na kikut, na zgrubiałą, pobliźnioną skórę.

– Boli? – zapytałam.

– Nie – odparł.

Obrócił się na bok i pocałował mnie.

– Jesteś taki seksowny – powiedziałam, wciąż trzymając rękę na jego nodze.

– Zaczynam myśleć, że podniecają cię amputacje – odrzekł, całując mnie nadal. Zaśmiałam się.

– Podnieca mnie Augustus Waters – wyjaśniłam.

Całe wydarzenie okazało się zupełnym przeciwieństwem tego, co sobie wyobrażałam: było powolne i ciche, ani szczególnie bolesne, ani szczególnie ekstatyczne. Pojawiło się trochę problemów z prezerwatywą, którym nie przyglądałam się zbyt wnikliwie. Żadnego łamania łóżek, żadnych krzyków. Mówiąc szczerze, był to prawdopodobnie najdłuższy czas, jaki spędziliśmy ze sobą bez rozmawiania.

Jedno tylko wpasowało się we wzorzec. Kiedy po wszystkim leżałam z twarzą wtuloną w pierś Augustusa, słuchając, jak bije mu serce, powiedział:

– Hazel Grace, dosłownie nie jestem w stanie utrzymać otwartych oczu.

– Nadużycie dosłowności – zauważyłam.

– Nie. Jestem. Taki. Zmęczony.

Głowa opadła mu na bok, a ja z uchem przyciśniętym do jego klatki piersiowej słuchałam, jak płuca zaczynają pracować w rytmie snu. Po chwili wstałam, ubrałam się, znalazłam papeterię hotelową i napisałam do niego list miłosny:

Najdroższy Augustusie!

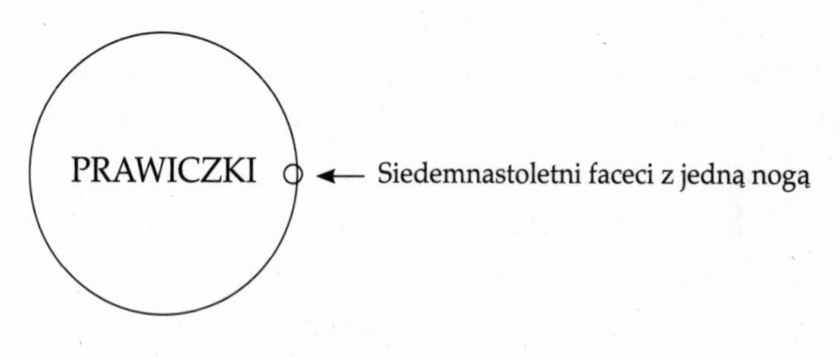

Twoja
Hazel Grace

13

Następnego ranka, a był to nasz ostatni dzień w Amsterdamie, razem z mamą i Augustusem przeszliśmy pół przecznicy od hotelu do Vondelparku, gdzie znaleźliśmy kawiarnię w cieniu holenderskiego muzeum filmu. Piliśmy latte – które, jak wyjaśnił nam kelner, Holendrzy nazywają „złą kawą", ponieważ zawiera więcej mleka niż samej kawy – i siedzieliśmy w koronkowym cieniu ogromnego kasztanowca. Relacjonowaliśmy mamie spotkanie z wielkim Peterem van Houtenem. Staraliśmy się, by opowieść brzmiała zabawnie. Uważam, że każdy może decydować, jak przedstawiać swoje smutne historie, a my postanowiliśmy przedstawić naszą na wesoło: Augustus, rozwalony na kawiarnianym krześle, udawał, że jest bełkoczącym, cedzącym słowa van Houtenem, który nie ma siły nawet dźwignąć się z siedzenia, natomiast ja wstałam, by odegrać siebie, zagniewaną i stanowczą.

– Wstawaj, ty tłusty, brzydki starcze!– krzyknęłam

– Powiedziałaś mu, że jest brzydki? – zainteresował się Augustus.

– Graj dalej – ponagliłam go.

– Nie jesstem pszytki. To ty jessteś pszytka, ty ciefczyno ss rurką w nosie.

– Jesteś pan tchórzem! – zagrzmiałam, a Augustus wypadł z roli i zaśmiał się. Usiadłam. Następnie opowiedzieliśmy mamie o Domu Anny Frank, oczywiście nie wspominając o pocałunku.

– Wróciliście potem do van Houtena? – zapytała.

Augustus nie dał mi czasu, bym się zarumieniła.

– Nie, posiedzieliśmy w kawiarni. Hazel zabawiała mnie dowcipami na temat wykresów Venna. – Zerknął na mnie. Boże, jaki on był seksowny.

– Brzmi sympatycznie – uznała mama. – Słuchajcie, idę się przejść. Dam wam trochę czasu, żebyście mogli pogadać – powiedziała do Gusa, a w jej tonie pochwyciłam dziwne napięcie. – Potem może popłyniemy na wycieczkę łódką po kanałach.

– Hm, okay – odrzekłam. Mama zostawiła pięć euro pod talerzykiem, a następnie pocałowała mnie w czubek głowy, szepcząc: – Kocham cię bardzo, bardzo, bardzo.

Było to o dwa „bardzo" więcej niż zwykle.

Gus wskazał dłonią na cienie gałęzi krzyżujące się i rozdzielające na betonie.

– Piękne, prawda?

– Tak – zgodziłam się z nim.

– Bardzo dobra metafora – mruknął.

– Czyli? – zapytałam.

– Cienie przedmiotów, które wiatr łączy, a potem rozdziela – wyjaśnił. Mijały nas setki ludzi, biegających, jeżdżących na rowerach i na rolkach. Amsterdam to miasto ruchu i aktywności, miasto, w którym nikt nie chce przemieszczać się samochodem, więc czułam się nieodwołalnie z niego wykluczona. Ale, Boże, było takie piękne, ze strumieniem wycinającym sobie drogę wokół wielkiego drzewa, z czaplą stojącą nieruchomo na granicy wody i szukającą śniadania między milionami wiązowych płatków na jej powierzchni.

Jednak Augustus na nic nie zwracał uwagi. Był zbyt pochłonięty obserwowaniem poruszających się cieni. W końcu powiedział:

– Mógłbym na to patrzeć cały dzień, ale powinniśmy wrócić do hotelu.

– Mamy na to czas? – zapytałam.

Uśmiechnął się smutno.

– Gdyby tylko – odrzekł.

– Co się dzieje? – zaniepokoiłam się.

W odpowiedzi kiwnął głową w stronę Filosoofa.

Szliśmy w milczeniu, Augustus pół kroku przede mną. Byłam zbyt przerażona, żeby pytać, czy mam powód się bać.

Istnieje takie coś, co się nazywa hierarchią potrzeb według Maslowa. Krótko mówiąc, ten cały Abraham Maslow zasłynął teorią, że człowiek musi zaspokoić pewne potrzeby, zanim będzie mógł odczuwać inne. Wygląda to tak:

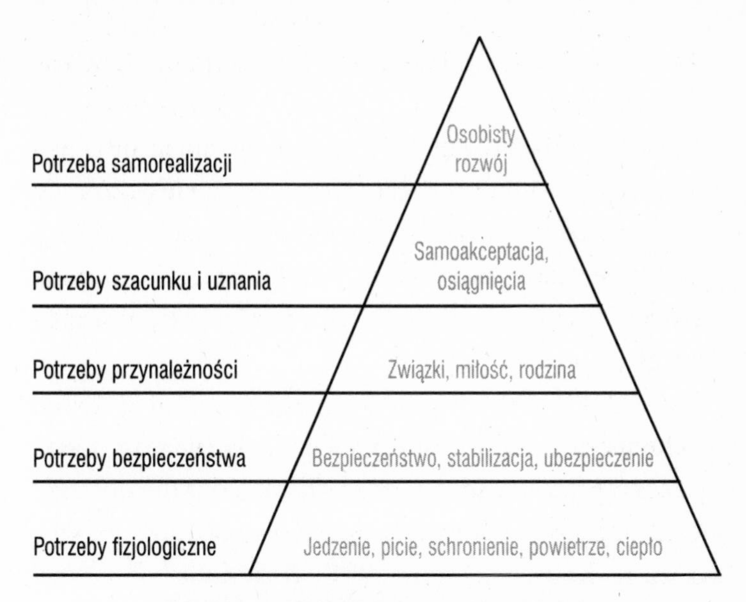

HIERARCHIA POTRZEB WEDŁUG MASLOWA

Gdy już człowiek zaspokoi potrzebę jedzenia i picia, przechodzi do następnego zestawu potrzeb, czyli bezpieczeństwa, a potem do kolejnego i kolejnego. Ważne jest to, że zdaniem Maslowa dopóki nie zaspokoisz potrzeb fizjologicznych, nie możesz nawet zacząć się przejmować bezpieczeństwem i potrzebami społecznymi, nie wspominając o samorealizacji, kiedy to możesz wreszcie poświęcić się sztuce czy rozmyślaniom o moralności, fizyce kwantowej i tak dalej.

Zgodnie z teorią Maslowa utknęłam na drugim poziomie piramidy, niezdolna do życia w poczuciu bezpieczeństwa w zakresie zdrowia, i dlatego nie powinnam sięgać po miłość, szacunek, sztukę i inne, co oczywiście jest kompletną bzdurą: potrzeba tworzenia czy rozmyślania o filozofii nie mija, gdy człowiek zachoruje. Choroba jedynie ją przeobraża.

Maslow uznawał, że nie jestem tak pełnowartościową istotą ludzką jak inni, a większość społeczeństwa zdawała się z nim zgadzać. Ale nie Augustus. Zawsze myślałam, że mógłby mnie pokochać, ponieważ kiedyś chorował. Dopiero teraz przyszło mi do głowy, że być może choruje nadal.

Dotarliśmy do mojego pokoju, Kierkegaarda. Usiadłam na łóżku w nadziei, że Augustus do mnie dołączy, ale on opadł na zakurzony tapicerowany fotel. Jedyny w pokoju. Ile on mógł mieć lat? Pięćdziesiąt?

Czułam, jak gardło mi się zaciska, gdy Gus wyciągnął papierosa z paczki i wsunął go między wargi. Z westchnieniem odchylił się do tyłu.

– Tuż przed tym, jak wylądowałaś na OIOM-ie, zaczęło mnie boleć biodro.

– Nie – powiedziałam. Panika narastała, zalewała mnie.

Pokiwał głową.

– Wybrałem się więc na tomografię. – Zamilkł. Gwałtownym ruchem wyjął papierosa z ust i zacisnął zęby.

Naprawdę sporą część życia poświęcałam na starania, by nie płakać przy ludziach, którzy mnie kochają, więc natychmiast zrozumiałam, co robi Augustus. Należy zacisnąć zęby. Podnieść wzrok. Mówić sobie, że jeśli zobaczą, jak płaczesz, to ich zaboli, i staniesz się smutkiem w ich życiu, a nie możesz być tylko smutkiem, więc nie będziesz płakać. Trzeba powtarzać sobie to wszystko, patrząc w sufit, a potem przełknąć, choć gardło nie za bardzo chce działać, popatrzeć na osobę, która cię kocha, i się uśmiechnąć.

Augustus błysnął swoim krzywym uśmiechem i powiedział:

– Zaświeciłem się jak bożonarodzeniowa choinka, Hazel Grace. W klatce piersiowej, w biodrze, w wątrobie, wszędzie.

Wszędzie. To słowo na chwilę zawisło w powietrzu. Oboje wiedzieliśmy, co oznacza. Wstałam, powlokłam moje ciało i wózek po dywanie starszym, niż Augustus kiedykolwiek będzie, uklękłam u stóp fotela, położyłam mu głowę na kolanach i objęłam go w pasie.

Pogłaskał mnie po włosach.

– Tak mi przykro – odezwałam się.

– Przepraszam, że ci nie powiedziałem. – Głos miał spokojny. – Twoja mama chyba wie. Poznałem po sposobie, w jaki na mnie patrzy. Może moja mama jej powiedziała. Powinienem był cię uprzedzić. Zachowałem się głupio. Egoistycznie.

Oczywiście wiedziałam, dlaczego nic nie powiedział: z tego samego powodu, dla którego ja nie chciałam, żeby mnie widział na OIOM-ie. Nie mogłabym się na niego złościć nawet przez sekundę. Dopiero teraz, gdy pokochałam granat, zrozumiałam, jaką głupotą były próby oszczędzenia innym mojego własnego nieuchronnego wybuchu: nie mogłam przestać kochać Augustusa Watersa. I nie chciałam.

– To niesprawiedliwe – powiedziałam. – To takie cholernie niesprawiedliwe.

– Świat – zauważył – nie jest instytucją zajmującą się spełnianiem życzeń. – A potem załamał się, tylko na moment, ale jego szloch był jałowy jak grom, po którym nie przychodzi błyskawica, pełen rozpaczy, którą amatorzy w dziedzinie cierpienia mogą mylnie wziąć za słabość. Potem przyciągnął mnie do siebie, a jego twarz odległa zaledwie o kilka centymetrów od mojej nabrała zdecydowanego wyrazu.

– Będę z tym walczył. Będę walczył dla ciebie. Nie martw się o mnie, Hazel Grace. Nic mi nie jest. Znajdę sposób, żeby tu zostać i dokuczać ci jeszcze przez długi czas.

Płakałam. Ale nawet wtedy był silny, trzymał mnie mocno. Patrzyłam na obejmujące mnie umięśnione ramiona, gdy mówił:

– Przepraszam. Nic ci nie będzie. Nic mi nie będzie. Obiecuję. – I uśmiechnął się krzywo.

Pocałował mnie w czoło, potem poczułam, jak jego mocna pierś nieco się zapada.

– Chyba jednak mimo wszystko mam swoją hamartię.

Po jakimś czasie pociągnęłam go na łóżko. Leżeliśmy razem, a on opowiadał, że zaczął chemioterapię paliatywną, ale ją przerwał, żeby pojechać do Amsterdamu, chociaż rodzice się wściekali. Próbowali go powstrzymać aż do tamtego ranka, kiedy usłyszałam, jak krzyczał, że jego życie należy do niego.

– Mogliśmy to przełożyć – zauważyłam.

– Nie, nie mogliśmy – zaprotestował. – Tak czy siak, terapia nie działała. Po prostu wiedziałem, że nie działa, rozumiesz?

Kiwnęłam głową.

– To bzdura, całe to leczenie – uznałam.

– Spróbują czegoś innego, jak wrócę do domu. Ciągle mają nowe pomysły.

– Rzeczywiście – przyznałam mu rację, bo sama byłam eksperymentalną poduszką do szpilek.

– W pewnym sensie wzbudziłem w tobie fałszywe przekonanie, że zakochujesz się w zdrowym człowieku – powiedział.

Wzruszyłam ramionami.

– Zrobiłabym to samo.

– Nie, nie zrobiłabyś, ale nie możemy wszyscy być tak wspaniali jak ty. – Pocałował mnie, a potem się skrzywił.

– Boli? – zapytałam.

– Nie. Może troszkę. – Długo wpatrywał się w sufit, zanim wyznał: – Lubię ten świat. Lubię pić szampana. Lubię nie palić. Lubię, jak Holendrzy mówią po holendersku. A tymczasem... Nawet nie stoczę bitwy. Nie stoczę żadnej walki.

– Musisz walczyć z rakiem – powiedziałam. – To jest twoja walka. I nie poddasz się – zapewniłam go. Nie znosiłam, kiedy inni próbowali mnie pocieszać i zachęcać do walki, a teraz sama mu to robiłam. – Będziesz... będziesz... żył dziś najlepiej, jak potrafisz. To jest teraz twoja wojna. – Gardziłam sobą za ten tani sentymentalizm, ale co mi pozostało?

– Też mi wojna – odpowiedział lekceważąco. – Niby z czym ja wojuję? Ze swoim rakiem. A czym on jest? Mną. Guzy powstały z mojego ciała. Są częścią mnie, tak jak mój mózg i serce. To wojna domowa, Hazel Grace, a zwycięzca jest z góry znany.

– Gus... – powiedziałam. Nie mogłam wydusić nic więcej. Był zbyt inteligentny na pociechę, którą mogłam zaoferować.

– Okay – odrzekł. Ale to nie była prawda. Po chwili dodał: – Jeśli pójdziesz do Rijksmuseum, co bardzo chciałem zrobić... Ale nie oszukujmy się, żadne z nas nie da rady zwiedzić muzeum. Na szczęście obejrzałem zbiory online, zanim wyjechaliśmy. Gdybyś jednak się tam wybrała, a mam nadzieję, że pewnego dnia ci się to uda, zobaczysz wiele obrazów przedstawiających zmarłych. Ujrzysz Jezusa na krzyżu i faceta z nożem w szyi, ludzi ginących na morzu i w bitwie, i całą paradę męczenników. Ale ani jednego dzieciaka z rakiem. Nikogo konającego na dżumę, ospę, żółtą febrę i tak dalej, bo w chorobie nie ma chwały. Nie ma żadnego sensu. Taka śmierć nie jest honorowa.

Abrahamie Maslowie, przedstawiam panu Augustusa Watersa, którego egzystencjalny głód nie może przerastać potrzeb jego dobrze odżywionych, kochanych, zdrowych bliźnich. Tymczasem, podczas gdy tłumy ludzi wiodą kompletnie bezmyślny żywot skupiony wyłącznie na monstrualnej konsumpcji, Augustus Waters kontempluje z odległości zbiory Rijksmuseum.

– No co? – zapytał Augustus po chwili.

– Nic – odrzekłam. – Tylko... – Nie umiałam skończyć zdania, nie wiedziałam jak. – Tylko bardzo, bardzo cię lubię.

Uśmiechnął się półgębkiem, z nosem kilka centymetrów od mojego.

– To odwzajemnione uczucie. Przypuszczam, że nie będziesz umiała o tym wszystkim zapomnieć i traktować mnie tak, jakbym nie umierał?

– Ale ty nie umierasz – zaprotestowałam. – Po prostu masz raka.

Uśmiechnął się. Wisielczy humor.

– Siedzę w rollercoasterze, który cały czas jedzie w górę.

– Moim przywilejem i obowiązkiem jest pojechać z tobą – zapewniłam go.

– Czy to by było kompletnie niedorzeczne, gdybym spróbował jakoś z tego wyjść?

– Nie ma co próbować – oznajmiłam. – Trzeba to po prostu zrobić.

14

Gdy lecieliśmy z powrotem do domu sześć tysięcy metrów nad chmurami, które znajdowały się trzy tysiące metrów nad ziemią, Gus wyznał:

– Kiedyś myślałem, że fajnie by było zamieszkać w chmurach.

– Dobry pomysł – uznałam. – Człowiek cały czas czułby się jak w takim dmuchanym zamku do skakania.

– Ale w szkole średniej na zajęciach z przyrody pan Martinez zapytał, czy ktoś z nas kiedyś marzył o życiu w chmurach, i wszyscy podnieśli ręce. Wtedy pan Martinez wyjaśnił nam, że w chmurach wiatr wieje z prędkością dwustu czterdziestu kilometrów na godzinę, a temperatura wynosi trzydzieści stopni poniżej zera, nie ma tlenu i poumieralibyśmy w ciągu kilku sekund.

– To musiał być sympatyczny gość.

– Specjalizował się w mordowaniu marzeń, Hazel Grace, powiem ci. Sądzisz, że wulkany są malownicze? Powiedz to dziesięciu tysiącom wrzeszczących trupów w Pompejach. Nadal potajemnie wierzysz, że na tym świecie istnieje magia? To tylko bezduszne molekuły przypadkowo obijające się od siebie. Martwisz się o to, kto się o ciebie zatroszczy, gdy umrą twoi rodzice? I słusznie, bo oni w godzinie przeznaczenia staną się pożywieniem dla robaków.

– Niewiedza jest błogosławieństwem – podsumowałam.

Stewardesa przeszła między siedzeniami z barkiem na kółkach, półszepcząc:

– Napoje? Napoje? Napoje?

Gus przechylił się nade mną, unosząc dłoń.

– Możemy poprosić o szampana?

– A skończyli państwo dwadzieścia jeden lat? – spytała z powątpiewaniem. Ostentacyjnym gestem poprawiłam rurkę tlenową w nosie. Stewardesa uśmiechnęła się, po czym zerknęła na moją śpiącą mamę. – Nie miałaby nic przeciwko temu? – zapytała.

– Na pewno nie – zapewniłam ją.

Nalała więc szampana do dwóch plastikowych kubków. Bonusy Rakowe.

Wznieśliśmy z Gusem toast.

– Za ciebie – powiedział.

– Za ciebie – odpowiedziałam, przytykając kubek do jego kubka.

Napiliśmy się. Gwiazdy były bardziej przyćmione niż te w Oranjee, ale i tak piło się przyjemnie.

– Wiesz – zwrócił się do mnie Gus – wszystko, co powiedział van Houten, było prawdą.

– Może, ale nie musiał tego robić w taki podły sposób. Nie wierzę, że wyobraził sobie przyszłość chomika Syzyfa, a o mamie Anny nawet nie pomyślał.

Augustus wzruszył ramionami. Nagle wydało mi się, że zupełnie zapadł się w sobie.

– W porządku? – zapytałam.

Mikroskopijnym ruchem pokręcił głową.

– Boli – wyjaśnił.

– W piersi?

Kiwnął głową. Zacisnął pięści. Później opisze, że czuł się tak, jakby jednonogi tłuścioch w bucie na szpilce ostrej niczym sztylet skakał po jego klatce piersiowej. Ustawiłam zamocowany do oparcia fotela stolik w pozycji pionowej i schyliłam się, żeby wygrzebać pigułki z jego plecaka. Popił jedną szampanem.

– W porządku? – zapytałam po chwili.

Gus siedział, zaciskając dłonie i czekając, aż lekarstwo zacznie działać, lekarstwo, które nie likwidowało bólu, a jedynie zwiększało odległość od niego (i ode mnie).

– Tak jakby to była sprawa osobista – wymruczał cicho. – Jakby był na nas wściekły z jakiegoś konkretnego powodu. Mam na myśli van Houtena. – Dopił szampana serią szybkich łyków i wkrótce zapadł w sen.

Tato czekał na nas przy taśmie bagażowej w grupie kierowców w uniformach trzymających tabliczki z nazwiskami pasażerów: JOHNSON, BARRINGTON, CARMICHAEL. Tato też miał taką tabliczkę. Było na niej napisane: MOJA PIĘKNA RODZINA, a pod spodem (I GUS).

Przytuliłam go, a on zaczął płakać (jakżeby inaczej). W drodze powrotnej opowiadaliśmy o Amsterdamie, ale dopiero gdy znalazłam się w domu i podpięta do Philipa oglądałam z ojcem dobrą starą amerykańską telewizję, jedząc amerykańską pizzę z serwetek, powiedziałam mu o Gusie.

– Gus ma nawrót.

– Wiem – wyznał tato. Zerknął na mnie i dodał: – Jego mama zawiadomiła nas przed waszym wyjazdem. Przykro mi, że to przed tobą zataił. Ja… przykro mi, Hazel. – Nic nie mówiłam przez długi czas. Oglądaliśmy program o ludziach, którzy próbują wybrać dla siebie dom. – Przeczytałem *Cios udręki*, kiedy was nie było – powiedział tato.

Odwróciłam się do niego.

– O, super. I co myślisz?

– Dobra rzecz. Trochę mnie przerosła. Studiowałem biochemię, jak pamiętasz, nie literaturę. Szkoda, że nie ma zakończenia.

– Tak – powiedziałam. – To dość powszechny zarzut.

– Wydała mi się też trochę beznadziejna – dodał. – Taka defetystyczna.

– Jeśli mówiąc „defetystyczny”, masz na myśli „szczery”, to rzeczywiście.

– Nie sądzę, by defetyzm był szczery – odrzekł tato. – Nie zgadzam się z takim podejściem.

– A zatem nic nie dzieje się bez przyczyny, wszyscy wylądujemy w chmurach, będziemy grać na harfach i mieszkać w pałacach?

Tato uśmiechnął się. Objął mnie potężnym ramieniem, przyciągnął do siebie i pocałował w skroń.

– Nie wiem, w co wierzę, Hazel. Wydawało mi się, że bycie dorosłym oznacza, że w końcu wiesz, w co wierzyć, ale w moim wypadku to się nie sprawdziło.

– No dobra – spasowałam. – Okay.

Jeszcze raz powtórzył, że przykro mu z powodu Gusa, a potem wróciliśmy do oglądania programu. Ludzie wybrali dom, tato nadal obejmował mnie ramieniem, a ja zaczęłam zasypiać, ale nie chciałam iść do łóżka. I wtedy powiedział:

– Wiesz, w co wierzę? Pamiętam, jak w college'u miałem lekcje matematyki, naprawdę świetne lekcje, które prowadziła taka maleńka staruszka. Omawiała szybką transformację Fouriera, gdy nagle przerwała w pół zdania i powiedziała: „Czasami wydaje się, że wszechświat chce zwrócić na siebie uwagę".

I w to właśnie wierzę. Wierzę, że wszechświat chce, byśmy go zauważali. Myślę, że wszechświat jest bardzo ukierunkowany na świadomość, że nagradza inteligencję po części dlatego, że lubi, gdy ktoś docenia jego elegancję. A kimże jestem ja, jakiś epizod w dziejach, by mówić wszechświatowi, że on – albo moje postrzeganie go – jest tymczasowe?

– Jesteś całkiem bystry – odpowiedziałam po chwili.

– A ty całkiem dobra w prawieniu komplementów – odrzekł.

Następnego popołudnia pojechałam do domu Gusa. Jadłam z jego rodzicami kanapki z masłem orzechowym i dżemem, opowiadając o Amsterdamie, podczas gdy Gus drzemał na kanapie w salonie, gdzie kiedyś oglądaliśmy *V jak vendetta*.

Widziałam go z kuchni. Leżał na plecach, z głową odwróconą w drugą stronę, podłączony do kroplówki. Atakowali raka nowym koktajlem złożonym z dwóch cytostatyków i czegoś tam jeszcze, co, jak liczyli, powinno wyłączyć onkogen w nowotworze Gusa. Miał szczęście, że się załapał na próby, powiedzieli mi. Szczęście! Znałam jeden z tych leków. Chciało mi się wymiotować na sam dźwięk jego nazwy.

Po pewnym czasie przyjechał Isaac z mamą.

– Isaacu, cześć, to ja, Hazel z grupy wsparcia, nie twoja zła była dziewczyna. – Mama przyprowadziła go do mnie, a ja wstałam i go objęłam. Jego ciało musiało przez chwilę dopasowywać się do mojego, zanim też mocno mnie przytulił.

– Jak tam Amsterdam? – zapytał.

– Rewelacyjnie – odrzekłam.

– Waters? Gdzie jesteś, bracie?

– Śpi – odpowiedziałam i głos uwiązł mi w krtani. Isaac pokręcił głową. Wszyscy milczeli.

– Przechlapane – odezwał się Isaac po chwili. Mama podprowadziła go do krzesła, na którym usiadł.

– Nadal mogę złoić twój ślepy tyłek w Counterinsurgence – powiedział Augustus, nie odwracając się do nas. Lekarstwa odrobinę spowolniły jego artykulację, ale jedynie do tempa mówienia normalnych ludzi.

– Wydaje mi się, że wszystkie tyłki są ślepe – odparował Isaac, wyciągając niepewnie ręce w poszukiwaniu mamy. Chwyciła go, pomogła mu wstać i zaprowadziła na kanapę. Chłopcy objęli się niezdarnie.

– Jak się czujesz? – zapytał Isaac.

– Wszystko smakuje metalem. Poza tym siedzę w rollercoasterze, który cały czas jedzie w górę, chłopcze – odrzekł Gus. Isaac zaśmiał się. – Jak tam twoje oczy?

– Och, doskonale. Jedyny problem w tym, że nie ma ich w mojej głowie.

– To rzeczywiście super – zgodził się Gus. – Nie żebym chciał cię przelicytować czy coś, ale moje ciało zbudowane jest głównie z komórek nowotworowych.

– Tak słyszałem – odrzekł Isaac, próbując się nie rozkleić. Zaczął szukać po omacku ręki Gusa, ale trafił na udo.

– Przykro mi, ale już jestem z kimś związany – powstrzymał go Gus.

Mama Isaaca przyniosła dwa krzesła z jadalni, żebyśmy mogli usiąść przy Gusie. Ujęłam jego dłoń i zaczęłam gładzić kolistym ruchem między kciukiem i palcem wskazującym.

Dorośli udali się do sutereny, żeby składać sobie wyrazy współczucia czy co tam, zostawiając nas samych w salonie. Po chwili Augustus odwrócił głowę, powoli przytomniejąc.

– Jak tam Monica? – zapytał.

– Nie dostałem od niej żadnych wiadomości – odpowiedział Isaac. – Żadnych pocztówek, żadnych maili. Mam takie urządzenie, które czyta mi maile. Rewelacja. Mogę zmieniać płeć głosu, akcent i wszystko.

– Czyli jeśli ci prześlę opowiadanie porno, będziesz mógł dać takie ustawienia, że przeczyta ci je starzec z niemieckim akcentem?

– Jasne – potwierdził Isaac. – Choć na razie mama musi mi pomagać, więc może poczekaj z tym niemieckim porno tydzień lub dwa.

– Nie przysłała ci nawet SMS-a z pytaniem, jak się masz? – zapytałam. Uderzyło mnie to jako rażąca niesprawiedliwość.

– Zupełna cisza w eterze – potwierdził Isaac.

– Żałosne – uznałam.

– Przestałem o tym myśleć. Brak mi czasu na dziewczynę. Mam mnóstwo roboty z nauką, jak być niewidomym.

Gus znów odwrócił głowę i spojrzał przez okno na patio za domem. Oczy mu się zamknęły.

Isaac zapytał, jak się czuję, a ja odparłam, że dobrze. Powiedział, że w grupie wsparcia pojawiła się nowa dziewczyna z naprawdę seksownym głosem, więc muszę przyjść i sprawdzić, czy wygląda równie seksownie. A potem zupełnie niespodziewanie Augustus oznajmił:

– Nie można ot tak po prostu nie skontaktować się ze swoim byłym chłopakiem po tym, jak mu wyjęto oczy z jego szalonej głowy.

– Tylko jedno… – zaczął protestować Isaac.

– Hazel Grace, masz cztery dolary? – zapytał Gus.

– Hm – odpowiedziałam. – Chyba tak.

– Doskonale. Znajdziesz moją nogę pod stolikiem do kawy – dodał. Podciągnął się i usiadł na krawędzi kanapy. Podałam mu protezę, a on przymocował ją spowolnionymi ruchami.

Pomogłam mu wstać, następnie podsunęłam ramię Isaacowi i poprowadziłam go między meblami, które nagle wydały się wyjątkowo natrętne. Uświadomiłam sobie, że po raz pierwszy od lat jestem najzdrowszą osobą w towarzystwie.

Ja prowadziłam samochód. Augustus zajął miejsce pasażera z przodu. Isaac siedział z tyłu. Zatrzymaliśmy się pod sklepem spożywczym, gdzie na polecenie Augustusa kupiłam dwanaście jaj, podczas gdy chłopcy czekali w samochodzie. A potem Isaac poprowadził nas z pamięci do domu Moniki, agresywnie sterylnego, dwupiętrowego budynku niedaleko JCC. Na podjeździe stał należący do Moniki jasnozielony pontiac firebird z lat dziewięćdziesiątych na szerokich oponach.

– Widzicie samochód? – zapytał Isaac, gdy się zatrzymaliśmy.

– O, jak najbardziej – odpowiedział Augustus. – Wiesz, jak wygląda? Jak wszystkie nadzieje, które tak głupio żywiliśmy.

– A więc ona jest w domu?

Gus powoli odwrócił głowę, żeby spojrzeć na kumpla.

– A kogo obchodzi, gdzie ona jest? Tu nie chodzi o nią. Tu chodzi o c i e b i e. – Gus przytrzymał pudełko z jajami na kolanach, uchylił drzwi i postawił nogi na chodniku. Potem otworzył Isaacowi. Patrzyłam w lusterku, jak pomaga mu wysiąść z samochodu. Oparli się o siebie ramionami, odsuwając resztę ciała, niczym złożone do modlitwy ręce, których dłonie nie do końca się stykają.

Opuściłam okna i przyglądałam się wszystkiemu z samochodu, ponieważ akty wandalizmu budzą we mnie niepokój. Zrobili kilka kroków w stronę pontiaca, potem Gus otworzył karton i podał Isaacowi jajko. Isaac rzucił nim dobre dwanaście metrów od samochodu.

– Trochę w lewo – powiedział Gus.

– Rzuciłem trochę za bardzo w lewo czy powinienem celować bardziej w lewo?

– Celuj w lewo. – Isaac zamachnął się. – Jeszcze bardziej w lewo – poradził Gus. Isaac się obrócił. – Tak. Świetnie. I rzuć mocno. – Gus podał mu kolejne jajo i Isaac nim cisnął. Jajko przeleciało łukiem nad samochodem i rozbiło się na lekko pochyłym dachu domu.

– W dziesiątkę! – zawołał Gus.

– Naprawdę? – ucieszył się podekscytowany Isaac.

– Nie, rzuciłeś jakieś sześć metrów nad samochodem. Rzucaj mocno, ale nisko. I trochę bardziej na prawo niż ostatnio. – Isaac wyciągnął rękę i sam wziął jajko z kartonu, który trzymał Gus. Rzucił i trafił w tylną lampę.

– Tak! – zawołał Gus. – Tak! Tylne światło!

Isaac wziął kolejne jajko i rzucił za bardzo w prawo, potem następne, które posłał za nisko, i jeszcze jedno, które trafiło w tylną szybę. Potem zaliczył trzy kolejne trafienia w bagażnik.

– Hazel Grace! – zawołał do mnie Gus. – Zrób zdjęcie, żeby Isaac mógł to zobaczyć, kiedy już wynajdą te mechaniczne oczy.

Podciągnęłam się w górę tak, że siedziałam w otwartym oknie, opierając się łokciami o dach samochodu, i zrobiłam zdjęcie telefonem: Augustus z niezapalonym papierosem w ustach i cudownie krzywym uśmiechem trzyma nad głową prawie puste różowe pudełko po jajkach. Drugą ręką obejmuje ramiona Isaaca, którego ciemne okulary są zwrócone lekko w bok od obiektywu aparatu. Za nimi żółtka ściekają z tylnej szyby i zderzaka zielonego firebirda. A w tle otwierają się drzwi.

– Co?! – zapytała kobieta w średnim wieku chwilę po tym, jak zrobiłam fotkę. – W imię Boże... – I zamilkła.

– Szanowna pani – powiedział Augustus, chyląc głowę w jej kierunku – samochód pani córki został właśnie ze słusznych przyczyn obrzucony jajami przez niewidomego człowieka. Proszę wejść do środka i zamknąć drzwi, bo będziemy zmuszeni wezwać policję. – Po chwili wahania matka Moniki zamknęła drzwi i zniknęła. Isaac szybko rzucił ostatnie trzy jaja, a Gus poprowadził go z powrotem do auta. – Widzisz, Isaacu, jeśli odbierzesz im... zbliżamy się do krawężnika... poczucie słuszności, jeśli odwrócisz je tak, by mieli wrażenie, że to oni popełniają przestępstwo poprzez samo patrzenie... jeszcze kilka kroków... jak obrzuca się jajami ich samochody, będą skonfundowani, przestraszeni, zmartwieni i wrócą... klamka jest dokładnie przed tobą... spokojnie do swojego beznadziejnego życia. – Gus pospiesznie obszedł samochód od przodu i usadowił się na fotelu pasażera. Zatrzasnął drzwi, a ja ruszyłam z rykiem silnika i przejechałam kilkaset metrów, zanim się zorientowałam, że wjeżdżam w ślepą uliczkę. Zawróciłam w zaułku i przemknęłam obok domu Moniki.

Nigdy więcej nie zrobiłam mu żadnego zdjęcia.

15

Kilka dni później w domu Gusa nasze rodziny jadły faszerowaną paprykę, cisnąc się w jadalni przy stole nakrytym obrusem, który, zdaniem ojca Gusa, ostatnio był używany w poprzednim stuleciu.

Mój tato: Emily, to risotto…

Moja mama: Jest po prostu przepyszne.

Mama Gusa: Och, dziękuję. Chętnie dam wam przepis.

Gus, przełykając kęs: Cóż, pierwsze wrażenie jest inne niż w Oranjee.

Ja: Słuszna uwaga, Gus. Risotto, choć pyszne, nie smakuje tak jak w Oranjee.

Moja mama: Hazel…

Gus: Smakuje jak…

Ja: Jedzenie.

Gus: Tak, właśnie tak. Smakuje jak jedzenie, wyśmienicie przyrządzone. Ale nie smakuje, jakby to ująć delikatnie…?

Ja: Nie smakuje tak, jakby sam Pan Bóg ugotował niebo, przemieniając je w pięć dań, które potem podano wraz z lśniącymi bańkami sfermentowanej, musującej plazmy, podczas gdy prawdziwe i dosłowne płatki kwiatów opadały niczym śnieg wokół stolika nad kanałem.

Gus: Dobrze powiedziane.
Ojciec Gusa: Nasze dzieci są dziwne.
Mój tato: Dobrze powiedziane.

Tydzień po tym obiedzie Gus wylądował na pogotowiu z bólem w piersi. Zostawili go na noc w szpitalu Memorial, pojechałam tam więc następnego ranka, żeby go odwiedzić na czwartym piętrze. Nie byłam w tym szpitalu od wizyty u Isaaca. Nie mieli tu ścian pomalowanych na cukierkowe kolory ani oprawionych obrazków z psami prowadzącymi samochody, takich jak w Dziecięcym, ale absolutna sterylność tego miejsca obudziła we mnie tęsknotę za tamtą radosną tandetą. Memorial był taki f u n k c j o n a l n y. Jak jakaś przechowalnia. Jak prematorium.

Gdy drzwi windy otworzyły się na czwartym piętrze, ujrzałam mamę Gusa, chodzącą nerwowo po poczekalni i rozmawiającą przez telefon. Szybko się rozłączyła, przytuliła mnie i zaproponowała, że poprowadzi mój wózek.

– Nie trzeba – zaprotestowałam. – Jak Gus?

– Miał straszną noc, Hazel – odpowiedziała. – Jego serce pracuje za ciężko. Gus musi się oszczędzać. Od dzisiaj tylko fotel na kółkach. Przestawią go na nowe lekarstwo, które powinno skuteczniej łagodzić ból. Właśnie przyjechały jego siostry.

– Okay – powiedziałam. – Mogę go zobaczyć?

Objęła mnie ramieniem i ścisnęła. Poczułam się dziwnie.

– Wiesz, że cię kochamy, Hazel, ale teraz potrzebujemy być w gronie rodziny. Gus zgadza się z tym. Okay?

– Okay – odrzekłam.

– Powiem mu, że byłaś.

– Okay – powtórzyłam. – Chyba sobie tu chwilę poczytam.

Poszła korytarzem z powrotem do jego pokoju. Rozumiałam to, ale mimo wszystko tęskniłam za nim i myślałam, że może tracę ostatnią możliwość, żeby go zobaczyć, pożegnać się czy cokolwiek. W poczekalni znajdował się tylko brązowy dywan i brązowe, nadmiernie wypchane siedziska. Siedziałam przez chwilę na dwuosobowym fotelu z wózkiem na tlen u stóp. Włożyłam trampki i koszulkę *Ceci n'est pas une pipe*, czyli dokładnie ten sam strój, który miałam na sobie dwa tygodnie temu podczas Późnego Popołudnia z Diagramem Venna, a on tego nie zobaczy. Zaczęłam przeglądać zdjęcia w telefonie, niczym poklatkowy film z ostatnich kilku miesięcy puszczony wstecz, zaczynając od fotografii z Isaakiem pod domem Moniki, a kończąc na pierwszym zdjęciu, jakie mu zrobiłam, na wycieczce do *Funky Bones*. Wydawało się, że to było całe wieki temu, jakbyśmy przeżyli krótką, ale mimo to nieskończoną wieczność. Niektóre nieskończoności są większe niż inne.

Dwa tygodnie później wiozłam Gusa na wózku przez park sztuki w stronę *Funky Bones*. Trzymał na kolanach butelkę bardzo drogiego szampana i mój pojemnik z tlenem. Szampan był podarunkiem od pewnego doktora – Gus należał do tego rodzaju osób, które potrafią zainspirować lekarza, by ten zapragnął dać w prezencie nastolatkowi swojego najlepszego szampana. Siedzieliśmy – Gus w fotelu, ja na wilgotnej trawie – najbliżej *Funky Bones*, jak udało nam się dojechać. Wskazałam palcem na małe dzieci podjudzające się nawzajem do skakania z klatki piersiowej na ramię, a Gus odpowiedział na tyle głośno, by nie zagłuszył go panujący wokół gwar:

– Ostatnim razem wyobrażałem sobie siebie jako dziecko, tym razem jako szkielet.

Piliśmy z papierowych kubków z Kubusiem Puchatkiem.

16

Typowy dzień z Gusem w późnym stadium:

Pojechałam do niego do domu koło południa po tym, jak już zjadł i zwymiotował śniadanie. Przywitał mnie w drzwiach w wózku inwalidzkim. Nie był to już ten sam muskularny, imponujący chłopak, który gapił się na mnie na spotkaniu grupy wsparcia, ale nadal miał swój krzywy uśmiech, nadal palił niezapalonego papierosa, a jego niebieskie oczy były lśniące i żywe.

Zjedliśmy lunch z rodzicami przy stole w jadalni. Kanapki z masłem orzechowym i dżemem oraz szparagi z poprzedniego wieczoru. Gus nie jadł. Zapytałam, jak się czuje.

– Świetnie – odpowiedział. – A ty?

– Dobrze. Co robiłeś wczoraj w nocy?

– Całkiem sporo spałem. Chciałbym napisać dla ciebie dalszy ciąg książki, Hazel, ale cały czas czuję się tak cholernie zmęczony.

– Możesz mi go po prostu opowiedzieć – zaproponowałam.

– Cóż, obstaję przy tej koncepcji na temat Holenderskiego Tulippana, którą miałem przed spotkaniem z van Houtenem. Nie oszukuje, ale też nie jest aż takim bogaczem, jak to sugeruje.

– A co z mamą Anny?

– Jeszcze nie wyrobiłem sobie zdania. Cierpliwości, koniku polny. – Augustus uśmiechnął się. Jego rodzice milczeli, wpatrując się w niego i nie odwracając wzroku ani na chwilę, jakby chcieli się nacieszyć występami Gusa Watersa, dopóki jeszcze gościł w mieście. – Czasami wyobrażam sobie, że piszę wspomnienia. One pozwoliłyby mi przetrwać w sercu i pamięci mojej pełnej uwielbienia publiczności.

– Po co ci pełna uwielbienia publiczność, skoro masz mnie? – zapytałam.

– Hazel Grace, kiedy ktoś jest tak czarujący i fizycznie atrakcyjny jak ja, łatwo mu podbijać serca ludzi, których poznaje osobiście. Ale nakłonienie obcych do tego, by cię kochali… to dopiero jest sztuka.

Wzniosłam oczy do nieba.

Po lunchu wyszliśmy do ogródka za domem. Gus nadal czuł się na tyle dobrze, że mógł sam jeździć wózkiem inwalidzkim. Naparł na miniaturowe kółeczka, żeby przednie koła przejechały przez próg w drzwiach. Nadal silny mimo wszystko, obdarzony zmysłem równowagi i refleksem, których nie zdołał przytłumić nawet nadmiar otępiających leków.

Rodzice zostali w domu, ale kiedy spojrzałam w stronę jadalni, zauważyłam, że cały czas nas obserwują.

Przez chwilę siedzieliśmy w milczeniu, a potem Gus powiedział:

– Czasami żałuję, że nie mamy już tej huśtawki.

– Tej z mojego ogrodu?

– Tak. Ogarnia mnie tak skrajna nostalgia, że potrafię tęsknić za huśtawką, na której mój tyłek nigdy się nie bujał.

– Nostalgia to skutek uboczny raka – wyjaśniłam.

– Nie, nostalgia to skutek uboczny umierania – sprostował. Nad naszymi głowami wiał wiatr, a cienie gałęzi zmieniały wzór na naszej skórze. Gus ścisnął moją dłoń. – To dobre życie, Hazel Grace.

Wróciliśmy do środka, kiedy musiał przyjąć lekarstwa, które były w niego wtłaczane razem z płynnym pokarmem przez gastrostomię, czyli kawałek silikonowej rurki wprowadzony do żołądka przez brzuch. Gus zamilkł, zupełnie wyłączony. Mama chciała, żeby się położył, ale uparcie kręcił głową, kiedy mu to proponowała, więc po prostu pozwoliliśmy mu drzemać w wózku.

Rodzice oglądali stary film z Gusem i jego siostrami – one były wtedy chyba w moim wieku, a on miał około pięciu lat. Grali w kosza na podjeździe przed jakimś domem, a choć Gus był malutki, potrafił kozłować, jakby został do tego stworzony, i biegał w kółko wokół sióstr, podczas gdy one tylko się śmiały. Po raz pierwszy widziałam, jak grał w kosza.

– Dobrze mu szło – zauważyłam.

– Powinnaś go zobaczyć w szkole średniej – odrzekł jego ojciec. – Już w pierwszej klasie wszedł do reprezentacji.

Gus mruknął:

– Chciałbym zejść na dół.

Rodzice sprowadzili do sutereny wózek z Gusem podskakującym szaleńczo na każdym stopniu w sposób, który mógłby wydawać się niebezpieczny, gdyby niebezpieczeństwo nadal miało jakiekolwiek znaczenie, a potem zostawili nas samych. Gus zsunął się na łóżko i położyliśmy się razem pod kołdrą, on na plecach, ja na boku, z głową na jego kościstym ramieniu. Jego ciepło przenikało przez koszulkę polo, ogrzewając moją skórę. Leżałam ze stopą przytuloną do jego prawdziwej stopy i dłonią na jego policzku.

Kiedy przysunęłam twarz tak blisko, że nasze nosy się stykały, i patrzyłam tylko w jego oczy, nie było widać, że jest chory. Całowaliśmy się przez chwilę, a potem słuchaliśmy tytułowego albumu The Hectic Glow, aż w końcu zasnęliśmy w takiej pozycji – kwantowa plątanina rurek i ciał.

Obudziliśmy się jakiś czas później i ułożyliśmy armadę poduch tak, byśmy mogli wygodnie opierać się o wezgłowie łóżka i grać w *Cenę świtu*. Oczywiście, szło mi beznadziejnie, ale moja nieporadność była dla niego korzystna: łatwiej mu było umierać pięknie, brać na siebie kulę snajpera i poświęcać się dla mnie albo zabijać wartownika, który właśnie miał oddać do mnie strzał. Jakże się cieszył, że mnie ratuje! Wołał:

– Nie zabijesz dziś mojej dziewczyny, terrorysto nieznanej narodowości!

Przyszło mi do głowy, żeby sfingować zadławienie i pozwolić mu wykonać rękoczyn Heimlicha. Może wtedy wyzbyłby się tego lęku, że przeżył swoje życie, nie czyniąc większego dobra? Ale wyobraziłam sobie, że okaże się, iż fizycznie nie jest w stanie podołać Heimlichowi, a ja wtedy będę musiała ujawnić, że to był tylko podstęp, i oboje będziemy się czuli upokorzeni.

Cholernie trudno zachować godność, gdy wschodzące słońce jest zbyt jaskrawe dla twoich gasnących oczu – o tym właśnie myślałam, kiedy polowaliśmy na złych facetów w ruinach nieistniejącego miasta.

W końcu ojciec zszedł na dół i wciągnął Gusa z powrotem na parter. W hallu pod motywatorem głoszącym, że „przyjaźń trwa wiecznie", uklękłam, by go pocałować na dobranoc. Wróciłam do domu na kolację z rodzicami, zostawiając Gusa, żeby zjadł (i zwymiotował) swój posiłek.

Chwilę oglądałam telewizję, a potem poszłam spać.

Wstałam następnego dnia.

Około południa znów się do niego wybrałam.

17

Pewnego ranka miesiąc po powrocie z Amsterdamu pojechałam do jego domu. Rodzice powiedzieli mi, że nadal śpi na dole, więc głośno zapukałam do drzwi w piwnicy, zanim weszłam.

– Gus? – odezwałam się.

Mamrotał coś we własnym języku. Zmoczył łóżko. To było okropne. Prawdę mówiąc, nie czułam się na siłach, nawet by patrzeć. Zawołałam tylko jego rodziców i poszłam na górę, podczas gdy oni się nim zajęli.

Kiedy wróciłam do piwnicy, Gus powoli wychodził z narkotycznego otępienia w rozdzierający ból. Ułożyłam mu poduszki, byśmy mogli zagrać w Counterinsurgence na nagim, pozbawionym prześcieradeł materacu, ale był tak zmęczony i rozkojarzony, że grał niemal równie beznadziejnie jak ja, i nie potrafiliśmy przetrwać nawet pięciu minut, nie ginąc. Do tego wcale nie wyszukaną, heroiczną śmiercią, tylko zwyczajnie bezmyślną.

Nic do niego nie mówiłam. Niemalże chciałam, by zapomniał, że tu jestem. Chciałam, żeby nie pamiętał, iż znalazłam chłopaka, którego kocham, majaczącego w wielkiej kałuży własnych sików. Miałam nadzieję, że spojrzy na mnie i powie:

– Och, Hazel Grace. Skąd się tutaj wzięłaś?

Ale niestety pamiętał.

– Z każdą mijającą minutą coraz głębiej dociera do mnie znaczenie słowa „zażenowany".

– Ja też się zsikałam do łóżka, Gus, uwierz mi. To nic wielkiego.

– Kiedyś – powiedział i wziął gwałtowny wdech – nazywałaś mnie Augustusem. – Wiesz – dodał po chwili – to dziecinada, ale zawsze myślałem, że mój nekrolog znajdzie się we wszystkich gazetach, że będę miał historię godną opowieści. Zawsze w tajemnicy podejrzewałem, że jestem wyjątkowy.

– Bo jesteś – zapewniłam go.

– Wiesz, co mam na myśli.

Wiedziałam, ale po prostu się z nim nie zgadzałam.

– Nie obchodzi mnie, czy „New York Times" zamieści mój nekrolog. Chcę tylko, żebyś ty go napisał – oznajmiłam. – Twierdzisz, że nie jesteś wyjątkowy, bo świat cię nie zna, ale to mnie obraża. Ja cię znam.

– Obawiam się, że nie pożyję na tyle długo, by napisać twój nekrolog – odpowiedział, zamiast przeprosić.

Sfrustrował mnie.

– Po prostu chciałabym ci wystarczać, ale tak nie jest. Nie wystarcza ci to, co masz. Lecz tylko tyle masz. Mnie, swoją rodzinę i ten świat. To jest twoje życie. Przykro mi, jeśli jest beznadziejne. Ale nie będziesz pierwszym człowiekiem na Marsie ani gwiazdą NBA, nie będziesz też ścigał nazistów. Spójrz na siebie, Gus. – Nie odpowiedział. – Nie chodziło mi o to… – zaczęłam.

– Och, chodziło – przerwał mi. Zaczęłam przepraszać, lecz on powiedział: – Nie, to ja przepraszam. Po prostu grajmy.

No więc po prostu graliśmy.

18

Obudził mnie telefon utworem The Hectic Glow. Ulubioną piosenką Gusa. To znaczyło, że on dzwonił... albo ktoś inny z jego aparatu. Spojrzałam na budzik: 2.35. Odszedł, pomyślałam, i wszystko we mnie zapadło się w czarną dziurę.

Ledwie zdołałam wyszeptać:

– Halo?

Czekałam, aż usłyszę udręczony głos któregoś z jego rodziców.

– Hazel Grace – odezwał się słabo Augustus.

– Och, dzięki Bogu, to ty! Cześć. Cześć, kocham cię.

– Hazel Grace, jestem na stacji benzynowej. Coś się stało. Musisz mi pomóc.

– Co? Gdzie jesteś?

– Na skrzyżowaniu Osiemdziesiątej Szóstej i Ditch. Coś poknociłem z gastrostomią, nie wiem, co się dzieje, i...

– Dzwonię po pogotowie – powiedziałam.

– Nie nie nie nie nie, zabiorą mnie do szpitala. Hazel, posłuchaj mnie. Nie dzwoń na pogotowie ani do moich rodziców nigdy ci tego nie wybaczę proszę przyjedź proszę tylko przyjedź i napraw moją cholerną gastrostomię. Jestem... Boże, co za durnota. Nie chcę, żeby rodzice wiedzieli, że wyszedłem. Proszę. Mam przy sobie lekarstwa. Po prostu nie umiem ich sobie podać. Proszę. – Płakał. Nigdy nie słyszałam, żeby tak szlochał, oprócz tego razu przed wylotem do Amsterdamu.

– Dobrze – odpowiedziałam. – Już jadę.

Odłączyłam się od BiPAP-a i podłączyłam do zbiornika z tlenem, umieściłam butlę na wózku, a następnie włożyłam tenisówki do różowych bawełnianych spodni od piżamy i koszykarskiej koszulki z logo Butler, która kiedyś należała do Gusa. Wyjęłam kluczyki z kuchennej szuflady, w której trzymała je mama, i napisałam liścik na wypadek, gdyby rodzice się obudzili podczas mojej nieobecności.

Pojechałam sprawdzić, co u Gusa. Pilna sprawa. Przepraszam. Kocham was. H.

W drodze na stację benzynową rozbudziłam się na tyle, by zacząć się zastanawiać, dlaczego Gus wyszedł z domu w środku nocy. Może miał halucynacje albo opętały go fantazje męczennika?

Pędziłam Ditch Road, mijając migające żółte światła. Jechałam za prędko częściowo dlatego, by jak najszybciej do niego dotrzeć, a częściowo w nadziei, że zatrzyma mnie gliniarz, dzięki czemu będę miała pretekst, by powiedzieć komuś, że mój umierający chłopak tkwi pod stacją benzynową z zepsutą gastrostomią. Ale żaden policjant nie pojawił się, żeby podjąć decyzję za mnie.

Na parkingu stały tylko dwa auta. Zaparkowałam obok samochodu Gusa. Otworzyłam drzwi. Zapaliło się światło w środku. Augustus siedział na siedzeniu kierowcy, pokryty wymiocinami, przyciskając ręce do brzucha w miejscu, gdzie wchodziła gastrostomia.

– Cześć – wymamrotał.

– Boże, Augustus, musimy cię zawieźć do szpitala.

– Proszę, zerknij tylko na to. – Zadławiłam się nieprzyjemnym zapachem, ale schyliłam się, żeby obejrzeć miejsce nad pępkiem, gdzie chirurgicznie umieszczono rurkę. Skóra na brzuchu wokół niej była ciepła i mocno zaczerwieniona.

– Gus, chyba wdała się jakaś infekcja. Nie naprawię tego. Po co tu przyjechałeś? Dlaczego nie jesteś w domu? – Zwymiotował prosto na swoją pierś, bo nie miał nawet siły, żeby odwrócić głowę na bok. – Och, kochany... – powiedziałam.

– Chciałem kupić paczkę papierosów – wymamrotał. – Zgubiłem tamtą. Albo mi ją zabrali. Nie wiem. Powiedzieli, że dadzą mi następną, ale chciałem... zrobić to sam. To jedno chciałem jeszcze załatwić sam.

Wpatrywał się prosto przed siebie. W milczeniu wyjęłam telefon i wykręciłam 911.

– Przepraszam – powiedziałam do niego. „Dziewięćset jedenaście, co się stało?". – Dzwonię ze skrzyżowania Osiemdziesiątej Szóstej i Ditch. Potrzebna jest karetka. Wielka miłość mego życia ma zepsutą gastrostomię.

Spojrzał na mnie. To był koszmar. Z trudem zapanowałam nad sobą, by nie uciec wzrokiem. Augustus Waters od krzywych uśmiechów i niezapalonych papierosów odszedł, zastąpiony przez to zrozpaczone, upokorzone stworzenie.

– I to by było na tyle. Nie mogę już nawet nie palić.

– Gus, kocham cię.

– Gdzie moja szansa na to, by być czyimś Peterem van Houtenem? – Słabo uderzył w kierownicę, a samochód zatrąbił do wtóru jego szlochu. Gus odchylił głowę w tył i uniósł oczy. – Nienawidzę się nienawidzę się nienawidzę tego nienawidzę tego gardzę sobą nienawidzę tego nienawidzę pozwólcie mi do cholery umrzeć.

Zgodnie z konwencją gatunku Augustus Waters do końca zachował poczucie humoru, ani przez sekundę nie zabrakło mu odwagi, a jego duch wzbijał się wysoko w niebo niczym nieulękły orzeł, aż świat nie mógł już dłużej ograniczać jego pogodnej duszy.

Jednak w rzeczywistości siedział przede mną żałosny chłopak, który rozpaczliwie nie chciał być żałosny, protestował i płakał, zatruty przez zainfekowaną gastrostomię, która trzymała go przy życiu, ale niewystarczająco mocno.

Otarłam mu brodę i ujęłam twarz w dłonie, a potem uklękłam blisko, żeby widzieć jego oczy, które nadal żyły.

– Przykro mi. Żałuję, że nie jest jak w tym filmie z Persami i Spartanami.

– Ja też – powiedział.

– Ale nie jest.

– Wiem.

– Nie ma czarnych charakterów.

– Tak.

– Nawet rak nie jest czarnym charakterem, rak po prostu chce żyć.

– Tak.

– Będzie okay – zapewniłam go. Słyszałam zawodzenie syreny.

– Okay – powtórzył. Zaczynał tracić przytomność.

– Gus, musisz mi obiecać, że więcej tego nie zrobisz. Załatwię ci papierosy, dobrze? – Spojrzał na mnie. Jego oczy zapadły się w głąb czaszki. – Musisz obiecać.

Lekko kiwnął głową, a potem powieki mu opadły, a głowa zwisła bezwładnie.

– Gus – powiedziałam. – Zostań ze mną.

– Poczytaj mi coś – poprosił, gdy cholerna karetka minęła nas z wyciem. A więc kiedy czekałam, aż zawrócą i nas znajdą, wyrecytowałam jedyny wiersz, jaki przyszedł mi do głowy, *Czerwoną taczkę* Williama Carlosa Williamsa.

„tak wiele zależy od czerwonej taczki lśniącej po deszczu obok białych kurcząt".*

Williams był lekarzem. Wydało mi się, że to lekarski wiersz. Wiersz się skończył, a karetka nadal się od nas oddalała, więc pisałam go dalej.

I tak wiele zależy, powiedziałam Augustusowi, od niebieskiego nieba pociętego przez gałęzie drzew nad nami. Tak wiele zależy od przezroczystej gastrostomii eksplodującej z wnętrzności chłopaka o sinych ustach. Tak wiele zależy od osoby, która obserwuje wszechświat.

Na pół przytomny spojrzał na mnie i mruknął:

– I ty twierdzisz, że nie piszesz poezji.

---

* Przełożyła Julia Hartwig.

19

Wrócił ze szpitala kilka dni później, ostatecznie i nieodwołalnie odarty z wszelkich ambicji. Potrzebował jeszcze większych dawek lekarstw, żeby uśmierzyć ból. Przeniósł się na stałe do salonu na parterze, do szpitalnego łóżka, które rodzice postawili obok okna.

Nadeszły dni piżamy i kilkudniowego zarostu, mamrotania, próśb i niekończących się podziękowań dla wszystkich za to, co dla niego robią. Pewnego popołudnia niepewnie wskazał kosz na bieliznę w rogu pokoju i zapytał:

– Co to jest?

– Kosz na bieliznę?

– Nie, obok kosza.

– Nie widzę tam niczego.

– To ostatni okruch mojej godności. Naprawdę bardzo mały.

Następnego dnia weszłam do domu Gusa sama. Jego rodzice nie lubili, kiedy dzwoniłam do drzwi, bo mogłam go obudzić. Tymczasem już były tam jego siostry z mężami bankierami i trójką dzieci, samymi chłopcami, którzy podbiegli do mnie, skandując: „A kto to, a kto to, a kto to”, a potem galopowali w kółko po hallu, jakby praca płuc była odnawialnym źródłem energii. Poznałam już wcześniej siostry, ale nie dzieci i ich ojców.

– Jestem Hazel – przedstawiłam się.

– Gus ma dziewczynę – powiedział jeden z chłopców.

– Wiem, że Gus ma dziewczynę – zapewniłam go.

– Ona ma cycki – oznajmił drugi.

– Naprawdę?

– Po co ci to? – spytał pierwszy, wskazując na wózek z tlenem.

– Pomaga mi oddychać – wyjaśniłam. – Czy Gus się obudził?

– Nie, śpi.

– On umiera – dodał inny.

– Umiera – potwierdził trzeci i nagle spoważnieli. Przez chwilę panowała cisza. Zastanawiałam się, co powinnam powiedzieć, ale jeden z nich kopnął drugiego i znów puścili się biegiem, kotłując się niczym w futbolowym młynie, który powoli przemieszczał się w stronę kuchni.

Przeszłam do salonu, gdzie poznałam szwagrów Gusa, Chrisa i Dave'a.

Tak naprawdę nie byłam zbyt zaprzyjaźniona z jego przyrodnimi siostrami, ale i tak obie mnie serdecznie przytuliły. Julie siedziała na krawędzi łóżka i przemawiała do śpiącego brata dokładnie takim tonem, jakim ludzie zapewniają niemowlaki, że są słodkie.

– Och, Gussy-Gussy, nasz mały Gussy-Gussy.

Nasz Gussy? Kupili go sobie?

– Co słychać, Augustusie? – zapytałam, starając się zasugerować właściwy model zachowania.

– Nasz śliczny Gussy – odezwała się Martha, pochylając się nad nim. Zaczęłam się zastanawiać, czy naprawdę zasnął, czy może mocno wcisnął pompkę z lekami, żeby przetrwać Atak Sióstr o Dobrym Sercu.

Przebudził się po jakimś czasie i pierwsze, co powiedział, to było „Hazel". Muszę przyznać, że uszczęśliwiło mnie to, bo poczułam się, jakbym też należała do jego rodziny.

– Na dwór – poprosił cicho. – Możemy?

Wybraliśmy się więc do ogrodu. Jego mama pchała wózek, a siostry, szwagrowie, tato, siostrzeńcy i ja podążaliśmy za nią. Dzień był pochmurny, bezwietrzny i gorący, gdyż nadeszła już pełnia lata. Gus miał na sobie granatowy podkoszulek z długimi rękawami i polarowe spodnie od dresu. Z jakiegoś powodu było mu cały czas zimno. Chciał się napić wody, więc tato mu ją przyniósł.

Martha próbowała wciągnąć go w rozmowę. Uklękła obok niego i powiedziała:

– Zawsze miałeś takie piękne oczy.

Lekko pokiwał głową.

Jeden z mężów położył mu rękę na ramieniu i spytał:

– Jak ci się podoba na świeżym powietrzu?

Gus wzruszył ramionami.

– Chcesz wziąć leki? – zapytała mama, dołączając do kręgu klęczących wokół niego. Cofnęłam się o krok, patrząc, jak siostrzeńcy przedzierają się przez klomb z kwiatami w drodze do skrawka trawy z tyłu ogródka. Natychmiast rozpoczęli zabawę polegającą na powalaniu się nawzajem na ziemię.

– Ach, te dzieci! – zawołała niepewnie Julie. – Mam tylko nadzieję – zwróciła się do Gusa – że wyrosną na tak rozważnych i inteligentnych ludzi jak ty.

Z trudem oparłam się pokusie, by wydać dźwięk odruchu wymiotnego.

– On wcale nie jest taki bystry – zgasiłam Julie.

– Hazel ma rację – potwierdził Gus. – Chodzi o to, że większość naprawdę ładnych ludzi jest głupia, więc ja po prostu wypadam wyjątkowo na tym tle.

– Słusznie, chodzi głównie o jego urodę – zgodziłam się.

– Która bywa wręcz oślepiająca – dodał.

– Naszego przyjaciela Isaaca zupełnie oślepiła – zauważyłam.

– Potworna tragedia. Ale cóż mogę poradzić na moje zabójcze piękno?

– Nic.

– To moje brzemię, ta cudowna twarz.

– Nie wspominając o ciele.

– Nawet nie zaczynajmy rozmowy o moim seksownym ciele. Nie chcesz mnie zobaczyć nagiego, Dave. Widok mojego nagiego ciała zaparł Hazel Grace dech w piersi – powiedział, kiwając głową w stronę zbiornika z tlenem.

– Dobrze, dość tego – oznajmił ojciec Gusa, a potem zupełnie niespodziewanie objął mnie, pocałował w głowę i szepnął: – Codziennie dziękuję za ciebie Bogu, dziecko.

W każdym razie to był mój ostatni dobry dzień z Gusem przed Ostatnim Dobrym Dniem.

20

Jeden z mniej bzdurnych elementów fabuły w gatunku literackim, jakim jest opowieść o dzieciaku chorym na raka, to tak zwany Ostatni Dobry Dzień. Ofiara choroby nieoczekiwanie przeżywa kilka godzin, podczas których zdaje się, że stan jej zdrowia przestaje się pogarszać, a ból robi się chwilowo znośny. Problem oczywiście w tym, że nie da się rozpoznać, czy akurat ten dobry dzień to twój Ostatni Dobry Dzień. W owym momencie jest po prostu kolejnym dobrym dniem.

Wzięłam sobie wolne od wizyt u Augustusa, ponieważ sama czułam się nie najlepiej: nic groźnego, po prostu zmęczenie. To był leniwy dzień i kiedy Augustus zadzwonił tuż po piątej po południu, byłam już podpięta do BiPAP-a, który wciągnęliśmy do salonu, żebym mogła oglądać telewizję z rodzicami.

– Cześć, Augustusie – przywitałam się.

Odpowiedział głosem, w którym się zakochałam:

– Dobry wieczór, Hazel Grace. Myślisz, że uda ci się znaleźć drogę do Dosłownego Serca Jezusa około ósmej?

– Hm, tak?

– Doskonale. I, jeśli to nie jest zbyt wielki problem, przygotuj, proszę, dla mnie mowę pożegnalną.

– Hm – odpowiedziałam.

– Kocham cię – dodał.

– A ja ciebie. – W słuchawce rozległo się kliknięcie.

– Hej – zwróciłam się do rodziców – muszę pojechać na grupę wsparcia dzisiaj o ósmej. Nagła sesja.

Mama wyłączyła dźwięk w telewizorze.

– Wszystko w porządku?

Przez chwilę patrzyłam na nią z uniesionymi brwiami.

– To chyba pytanie retoryczne.

– Ale dlaczego…

– Ponieważ Gus mnie potrzebuje. Nie ma sprawy, mogę pojechać sama. – Grzebałam niezdarnie przy BiPAP-ie, żeby skłonić mamę do pomocy, ale nie dała się sprowokować.

– Hazel – powiedziała – twój tato i ja mamy wrażenie, że prawie w ogóle cię już nie widujemy.

– Zwłaszcza ci z nas, którzy pracują cały tydzień – dorzucił tato.

– On mnie potrzebuje – powtórzyłam, w końcu samodzielnie odpinając BiPAP-a.

– My też cię potrzebujemy, dziecinko – odrzekł. Chwycił mnie za nadgarstek, jakbym była dwulatką, która może zaraz wybiec na ulicę.

– To złap jakąś śmiertelną chorobę, tato, wtedy będę więcej czasu spędzała w domu.

– Hazel! – napomniała mnie mama.

– To ty nie chciałaś, żebym ciągle siedziała w domu – zwróciłam jej uwagę. Ojciec nadal mocno trzymał mnie za rękę. – A teraz chcesz, żeby on wreszcie umarł, żebym była przykuta do tego miejsca i żebyś mogła się mną opiekować tak jak zawsze. Ale ja już tego nie potrzebuję, mamo. Nie potrzebuję cię tak jak przedtem. Powinnaś zacząć żyć własnym życiem.

– Hazel! – krzyknął tato, ściskając mocniej. – Przeproś mamę.

Próbowałam wyszarpnąć ramię, ale nie puszczał, a nie umiałam założyć wąsów jedną ręką. Rozwścieczyło mnie to. Chciałam tylko wykonać Wyjście Nastolatki w starym stylu, czyli wypaść z pokoju, trzasnąć drzwiami do sypialni, puścić The Hectic Glow na cały regulator i z furią napisać mowę dla Gusa. Ale nie mogłam, bo brakowało mi cholernego tchu.

– Wąsy – zaskomlałam. – Potrzebuję tlenu.

Ojciec natychmiast puścił moją rękę i szybko podłączył mnie do butli. Widziałam poczucie winy w jego oczach, choć nadal był zły.

– Hazel, przeproś mamę.

– Dobra, przepraszam, tylko pozwólcie mi wyjść.

Nic nie powiedzieli. Mama siedziała z założonymi rękami, nawet na mnie nie patrząc. Po chwili wstałam i poszłam do pokoju pisać o Augustusie.

Rodzice kilka razy pukali do drzwi, ale mówiłam im, że jestem zajęta. Całą wieczność trwało obmyślanie, co chciałabym powiedzieć, a i tak wcale nie byłam zadowolona z rezultatu. Kiedy teoretycznie skończyłam, okazało się, że jest 19.40, co oznaczało, że się spóźnię, nawet jeśli się nie przebiorę, więc w efekcie zadecydowałam, że pojadę w błękitnych bawełnianych spodniach od piżamy, japonkach i koszulce Gusa z Butler.

Wyszłam ze swojego pokoju i próbowałam po prostu przejść obok rodziców, ale ojciec powiedział:

– Nie możesz wyjść z domu bez pozwolenia.

– O mój Boże, tato! Gus poprosił, żebym napisała dla niego mowę pogrzebową! Począwszy od jutra, będę siedziała w domu każdego cholernego wieczoru, okay? – To ich w końcu uciszyło.

Przez całą drogę usiłowałam się uspokoić po scysji z rodzicami. Podjechałam od tyłu kościoła i zaparkowałam na półkolistym podjeździe za autem Augustusa. Tylne drzwi były otwarte i zablokowane kamieniem wielkości pięści. Weszłam do środka. Chwilę się zastanawiałam nad schodami, ale postanowiłam jednak zjechać zabytkową, trzeszczącą windą.

Gdy jej drzwi rozsunęły się na dole, ujrzałam salę grupy wsparcia, z krzesłami ustawionymi jak zawsze w kręgu. Ale tak naprawdę widziałam tylko Gusa na wózku inwalidzkim, makabrycznie wychudzonego. Siedział w środku kręgu zwrócony twarzą do mnie. Najwyraźniej czekał tak, aż otworzą się drzwi windy.

– Hazel Grace – powiedział – wyglądasz zachwycająco.

– No pewnie.

Usłyszałam szmer w ciemnym kącie pokoju. Isaac stał za małym drewnianym pulpitem, trzymając się go kurczowo.

– Chcesz usiąść? – zapytałam go.

– Nie, zaraz będę wygłaszał mowę pożegnalną. Spóźniłaś się.

– Ty… a ja… jak to?

Gus pokazał mi gestem, żebym usiadła. Wciągnęłam krzesło do środka kręgu, a on przestawił wózek, żeby patrzeć na Isaaca.

– Chcę wziąć udział we własnym pogrzebie – oznajmił. – A tak przy okazji, wygłosisz mowę na mojej ceremonii pożegnalnej?

– Oczywiście – zapewniłam, kładąc mu głowę na ramieniu. Sięgnęłam za jego plecy i objęłam go razem z wózkiem. Skrzywił się. Opuściłam rękę.

– Super – powiedział. – Mam nadzieję, że wezmę w nim udział jako duch, ale tak dla pewności, pomyślałem, że… nie chciałbym nas stawiać w niezręcznej sytuacji, lecz dziś po południu wpadłem na pomysł, żeby urządzić przed-pogrzeb, i uznałem, że skoro jestem w dość dobrej formie, to nie ma na co czekać.

– A jak się tu dostaliście? – zapytałam.

– Uwierzysz, że zostawiają drzwi otwarte na całą noc?

– No, nie – odparłam.

– I bardzo słusznie. – Gus uśmiechnął się. – Choć brzmi to trochę tak, jakbym się przechwalał.

– Hej, kradniesz moją mowę – zaprotestował Isaac. – Pierwszy fragment jest o tym, że byłeś łajdakiem, który się ciągle przechwalał.

Zaśmiałam się.

– Dobra, dobra – ustąpił Gus. – Oddaję ci głos.

Isaac odchrząknął.

– Augustus Waters był łajdakiem, który się ciągle przechwalał. Ale wybaczmy mu. Wybaczmy mu nie dlatego, że w sensie metaforycznym serce miał równie dobre jak w znaczeniu dosłownym fatalne, ani dlatego, że wiedział więcej o tym, jak trzymać papierosa w ustach niż jakikolwiek niepalący człowiek w historii, ani dlatego, że miał osiemnaście lat, choć powinien był mieć więcej.

– Siedemnaście – poprawił go Gus.

– Zakładam, że zostało ci trochę czasu, łajdaku, który ciągle przerywa innym. Powiadam wam – kontynuował Isaac – Augustus Waters gadał tak dużo, że przerwałby mi nawet na własnym pogrzebie. I był pretensjonalny: słodki Jezu, ten facet nie umiał się nawet wysikać, nie roztrząsając głębokiego symbolicznego znaczenia układu moczowego. I był próżny: chyba nigdy nie spotkałem osoby atrakcyjnej fizycznie, która byłaby bardziej świadoma swojej fizycznej atrakcyjności. Ale jedno wiem: kiedy naukowcy z przyszłości zawitają w moim domu z mechanicznymi oczami i każą mi je wypróbować, powiem im, żeby się odwalili, bo nie chcę oglądać świata bez niego.

Zaczęłam płakać.

– A potem, gdy już zademonstruję swoje poglądy, jednak sprawdzę te mechaniczne oczy, ponieważ dzięki nim prawdopodobnie będę widział, co dziewczyny mają pod koszulkami i tak dalej. Augustusie, przyjacielu, szerokiej drogi.

Augustus przez chwilę kiwał głową ze ściągniętymi ustami, a potem uniósł kciuki w górę. Kiedy już doszedł do siebie, dodał:

– Wyciąłbym ten kawałek o dziewczęcych koszulkach.

Isaac nadal kurczowo trzymał się pulpitu. Rozpłakał się. Przycisnął czoło do blatu, jego ramiona drżały. W końcu powiedział:

– Niech to szlag, Augustusie, redagujesz własną mowę pogrzebową!

– Nie przeklinaj w Dosłownym Sercu Jezusa – upomniał go Gus.

– Niech to szlag – powtórzył Isaac. Uniósł głowę i przełknął głośno. – Hazel, mogłabyś mi pomóc?

Zapomniałam, że nie da rady samodzielnie wrócić do kręgu. Podeszłam, położyłam sobie jego dłoń na ramieniu i przyprowadziłam go powoli do krzesła obok Gusa. Wróciłam do pulpitu i rozłożyłam kartkę z wydrukowaną mową.

– Mam na imię Hazel. Augustus Waters był wielką, przeklętą przez gwiazdy miłością mojego życia. Przeżyliśmy prawdziwie epicki romans i nie uda mi się powiedzieć nawet jednego zdania o nim bez wylania morza łez. Gus wiedział. Gus wie. Nie przedstawię wam historii naszej miłości, ponieważ – jak wszystkie prawdziwe opowieści o miłości – ona umrze z nami, gdyż tak być powinno. Miałam nadzieję, że to on będzie przemawiał na moim pogrzebie, bo nie ma nikogo, kto... – Zaczęłam płakać. – Okay, nie będę płakać. Nie będę... Okay. Okay.

Wzięłam kilka głębokich oddechów i spojrzałam na kartkę.

– Nie mogę opowiadać o naszej miłości, więc będę mówiła o matematyce. Nie jestem matematyczką, ale tyle wiem: istnieje nieskończony szereg liczb między zero i jeden. Jest jedna dziesiąta, dwanaście setnych, sto dwanaście tysięcznych i nieskończony zbiór różnych innych. Oczywiście, między zero i dwa czy między zero i milion znajduje się większy nieskończony szereg liczb. Ponieważ niektóre nieskończoności są większe od innych. Nauczył nas tego pisarz, którego kiedyś lubiliśmy. Bywają dni, a jest ich wiele, kiedy mam pretensje o rozmiar nieskończonego szeregu, który przypadł mi w udziale. Chcę mieć więcej liczb niż te, które zapewne dostanę, i, Boże, chcę ich więcej dla Augustusa Watersa. Ale, Gus, miłości moja, nie potrafię nawet wyrazić, jaka jestem wdzięczna za tę naszą maleńką nieskończoność. Nie oddałabym jej za skarby świata. W ciągu tych nielicznych dni dałeś mi prawdziwą wieczność i za to dziękuję.

21

Osiem dni po swoim przed-pogrzebie Augustus Waters umarł na OIOM-ie w Memorialu, kiedy rak, który był nim, zatrzymał w końcu serce, które też było nim.

Towarzyszyli mu rodzice i siostry. Mama Gusa zadzwoniła do mnie o wpół do czwartej nad ranem. Wiedziałam oczywiście, że on odchodzi. Zanim położyłam się spać, rozmawiałam z jego tatą, który mnie uprzedził: „To może stać się dzisiaj", ale mimo to kiedy podniosłam telefon z nocnego stolika i zobaczyłam *Mama Gusa* na wyświetlaczu, wszystko się we mnie zapadło. Płacząc do słuchawki, powiedziała, że jej przykro, odrzekłam, że mnie też przykro, a ona dodała, że był nieprzytomny już od kilku godzin, zanim zmarł.

Wtedy weszli do pokoju moi rodzice i popatrzyli na mnie pytająco. Tylko kiwnęłam głową, a oni przytulili się do siebie, osłaniając się nawzajem przed trwogą, która z czasem spadnie też bezpośrednio na nich.

Zadzwoniłam do Isaaca. Przeklinał życie, wszechświat i samego Boga, i pytał, gdzie są cholerne puchary do niszczenia, kiedy człowiek ich potrzebuje. Uświadomiłam sobie, że nie ma już nikogo, do kogo mogłabym zadzwonić, co było chyba w tym wszystkim najsmutniejsze. Jedyną osobą, z którą naprawdę chciałam porozmawiać o śmierci Augustusa Watersa, był Augustus Waters.

Rodzice siedzieli w moim pokoju strasznie długo, aż wreszcie nadszedł ranek i tato zapytał:

– Chcesz zostać sama?

Kiwnęłam głową, a mama dodała:

– Będziemy tuż za drzwiami.

Nie wątpię, pomyślałam.

To było nie do zniesienia. Wszystko. Każda kolejna sekunda zdawała się gorsza od poprzedniej. Bezustannie myślałam o tym, żeby do niego zadzwonić, i zastanawiałam się, co by się stało, czy ktoś by odebrał. W ostatnich tygodniach musieliśmy się ograniczać głównie do wspominania wspólnych przeżyć, ale to też było coś: teraz przyjemność pamiętania została mi odebrana, bo nie było już nikogo, z kim mogłabym o tym pamiętać. Tak jakby utrata współuczestnika wspomnień oznaczała utratę samych wspomnień, jakby rzeczy, które robiliśmy, stały się mniej prawdziwe i ważne, niż były raptem kilka godzin wcześniej.

Kiedy chory na raka ląduje na pogotowiu, jedną z pierwszych rzeczy, o jakie go proszą, jest oszacowanie bólu w skali od jednego do dziesięciu. Na tej podstawie lekarze decydują, jakie leki i jak szybko podać. W ciągu ostatnich lat zadawano mi to pytanie setki razy. Pamiętam, jak raz na samym początku, kiedy nie mogłam zaczerpnąć tchu i wydawało mi się, że moja klatka piersiowa płonie, a płomienie liżą żebra od wewnątrz, próbując wypalić sobie drogę poza ciało, rodzice zawieźli mnie na pogotowie. Pielęgniarka poprosiła o ocenę bólu, a ponieważ nie mogłam mówić, pokazałam na palcach dziewięć.

Ta sama pielęgniarka przyszła do mnie później, gdy już dostałam leki. Głaskała mnie po ręce, mierząc ciśnienie.

– Masz duszę wojownika – powiedziała. – Wiem to, bo dziesiątkę nazwałaś dziewiątką.

Ale to nie była do końca prawda. Nazwałam ją dziewiątką, bo chciałam zachować dziesiątkę na wszelki wypadek. I oto nadeszła jej pora, wielka i przeraźliwa dziesiątka uderzała we mnie raz za razem, gdy leżałam samotnie na łóżku, wpatrując się w sufit. Fale miotały mną o skały, porywały w morze, by znów cisnąć o poszarpany klif i pozostawić unoszącą się twarzą do góry na wodzie, nadal nieutopioną.

W końcu zadzwoniłam do niego. Po pięciu sygnałach odezwała się poczta głosowa.

– Tu poczta głosowa Augustusa Watersa – powiedział tym stanowczym głosem, w którym się zakochałam. – Zostaw wiadomość.

Rozległ się krótki sygnał. Martwa pustka na linii była taka dziwna. Chciałam tylko wrócić z nim do tej tajemnej, nieziemskiej trzeciej przestrzeni, którą odwiedzaliśmy, rozmawiając przez telefon. Czekałam na to uczucie, ale nie nadeszło. Martwa pustka na linii nie niosła żadnej pociechy, więc w końcu się rozłączyłam.

Wyciągnęłam laptopa spod łóżka, odpaliłam go i weszłam na tablicę Gusa, którą już zalewały pożegnalne wpisy. Ostatni brzmiał tak:

Kocham cię, brachu. Do zobaczenia po drugiej stronie.

...A zamieścił go ktoś, o kim nigdy nie słyszałam. Prawdę mówiąc, wszystkie wpisy – pojawiające się niemal w takim tempie, w jakim je czytałam – zamieszczali ludzie, których nigdy nie spotkałam i o których on nigdy nie wspominał. Wychwalali różne jego zalety teraz, gdy umarł, choć wiedziałam z całą pewnością, że nie widzieli go od wielu miesięcy i nawet nie starali się z nim spotkać. Zastanowiło mnie, czy moja tablica też by tak wyglądała, gdybym umarła, czy może na tyle dawno wypadłam ze szkoły i z życia, by uniknąć zbiorowego upamiętniania.

Czytałam dalej.

Już za tobą tęsknię, stary.
Kocham cię, Augustusie. Niech Bóg cię błogosławi i strzeże.
Będziesz żył wiecznie w naszych sercach, wielkoludzie.

(Ten wpis zirytował mnie szczególnie, ponieważ sugerował nieśmiertelność tych, którzy zostali: Możesz żyć wiecznie w mojej pamięci, ponieważ ja będę żył wiecznie! JESTEM TERAZ TWOIM BOGIEM! NALEŻYSZ DO MNIE! Przekonanie, że się nie umrze, jest kolejnym skutkiem ubocznym umierania).

Zawsze byłeś świetnym kumplem szkoda że się nie widywaliśmy częściej po tym jak odszedłeś ze szkoły stary. Założę się że już grasz w kosza w niebie.

Wyobraziłam sobie, jak Augustus Waters zanalizowałby ten komentarz: Jeżeli gram w kosza w niebie, czy to oznacza, że istnieje materialne niebo posiadające materialne piłki? Kto w takim razie produkuje wspomniane piłki? Czy w niebie przebywają jakieś mniej fortunne dusze, które pracują w niebiańskiej fabryce piłek, żebym ja mógł sobie pograć? Czy może wszechmogący Bóg stworzył piłki z niczego? Czy to niebo znajduje się w jakimś niewidocznym uniwersum, gdzie nie mają zastosowania prawa fizyki, a skoro tak, to czemu u licha miałbym grać w kosza, skoro mógłbym latać, czytać, obserwować pięknych ludzi czy robić cokolwiek innego, co sprawia mi prawdziwą przyjemność? Wychodzi na to, że sposób, w jaki wyobrażasz sobie mnie jako zmarłego, mówi więcej o tobie niż o tym, kim ja byłem lub czym jestem teraz.

Jego rodzice zadzwonili koło południa z informacją, że pogrzeb odbędzie się za pięć dni, w sobotę. Wyobraziłam sobie kościół pełen ludzi przekonanych, że on lubił koszykówkę, i zrobiło mi się niedobrze, ale wiedziałam, że muszę pójść, ponieważ mam wygłosić mowę ~~i tak dalej~~. Rozłączyłam się i wróciłam do czytania wpisów na tablicy:

Właśnie dostałem wiadomość, że Gus Waters zmarł po długiej walce z rakiem. Spoczywaj w pokoju, kolego.

Wiedziałam, że ci ludzie czują autentyczny smutek, i tak naprawdę wcale się na nich nie gniewałam. Gniewałam się na wszechświat. Ale mimo to doprowadzali mnie do szału:

wszyscy ci przyjaciele pojawiają się, kiedy już nie potrzebujesz przyjaciół. Napisałam odpowiedź do tego komentarza.

Żyjemy we wszechświecie ukierunkowanym na tworzenie i tępienie świadomości. Augustus Waters nie umarł po długiej walce z rakiem. Umarł po długiej walce z ludzką jaźnią, jako ofiara – którą ty też będziesz – potrzeby wszechświata, by tworzyć i niszczyć wszystko, co możliwe.

Wysłałam to i czekałam, aż ktoś odpowie, ciągle na nowo odświeżając stronę. Nic. Mój komentarz zaginął w nawałnicy nowych wpisów. Wszyscy będą za nim tak bardzo tęsknili. Wszyscy modlą się za jego rodzinę. Przypomniał mi się list od van Houtena: pisanie grzebie, a nie wskrzesza.

Po jakimś czasie poszłam do salonu posiedzieć z rodzicami i pooglądać telewizję. Nie potrafię powiedzieć, jaki to był program, ale w którymś momencie mama zapytała:

– Hazel, co możemy dla ciebie zrobić?

Tylko pokręciłam głową. Znów zaczęłam płakać.

– Co możemy zrobić? – ponowiła pytanie mama.

Wzruszyłam ramionami.

Ale ona ciągle pytała, jakby naprawdę mogli coś zrobić, aż w końcu skuliłam się na kanapie z głową na jej kolanach, tata usiadł obok i mocno chwycił moje nogi, a ja objęłam mamę w pasie i tak mnie trzymali całymi godzinami, kiedy szarpał mną przypływ.

22

Zajęłam miejsce z tyłu kaplicy pogrzebowej, małego pomieszczenia o nagich kamiennych ścianach przy głównym sanktuarium w kościele Dosłownego Serca Jezusa. Znajdowało się tam około osiemdziesięciu krzeseł zapełnionych w dwóch trzecich, ale bardziej zwracało się uwagę na to, że jedna trzecia jest pusta.

Przez chwilę obserwowałam ludzi podchodzących do trumny stojącej na czymś w rodzaju wózka przykrytego fioletowym obrusem. Wszyscy ci żałobnicy, których nigdy wcześniej nie widziałam, klękali obok Augustusa albo stawali nad nim i patrzyli przez chwilę, może płacząc, może coś mówiąc, a potem dotykali trumny zamiast dotknąć jego, bo nikt nie chce mieć kontaktu ze zmarłym.

Rodzice Gusa stali obok trumny, przyjmując wyrazy współczucia, ale kiedy mnie zauważyli, uśmiechnęli się i porzucili swoje stanowisko. Wstałam i dałam się przytulić najpierw tacie, a potem mamie, która objęła mnie zbyt mocno, tak jak niegdyś Gus, ściskając moje łopatki. Oboje wyglądali bardzo staro – oczy mieli zapadnięte, a skórę na wyczerpanych twarzach obwisłą. Dotarli do końca biegu z przeszkodami.

– Tak bardzo cię kochał – powiedziała mama. – Naprawdę. To nie była… to nie była szczenięca miłość czy coś w tym rodzaju – dodała, jakbym o tym nie wiedziała.

– Was też bardzo kochał – odpowiedziałam cicho. Trudno to wyjaśnić, ale rozmowa z nimi była jak zadawanie i przyjmowanie ciosów nożem. – Przykro mi – dodałam. Wtedy jego rodzice zaczęli rozmawiać z moimi, a ich konwersacja polegała gównie na kiwaniu głowami i zaciskaniu ust. Zauważyłam, że chwilowo nikogo nie ma przy trumnie, więc zdecydowałam się podejść. Wyjęłam rurkę z tlenem z nozdrzy, zdjęłam z szyi i podałam ojcu. Chciałam, żebyśmy byli tylko ja i Gus. Zabrałam małą kopertową torebkę i ruszyłam przejściem między rzędami krzeseł.

To była długa wędrówka, ale powtarzałam płucom, żeby się nie buntowały, że są silne, że dadzą radę. Idąc, przyglądałam się Gusowi: po lewej stronie głowy miał zrobiony równiutki przedziałek, który wydałby mu się absolutnie przerażający, a na twarzy delikatny makijaż. Ale nadal był Gusem. Moim smukłym, pięknym Gusem.

Chciałam włożyć małą czarną, którą kupiłam na piętnaste urodziny, czyli mój żałobny strój, ale już się w nią nie mieściłam, więc ubrałam się w prostą czarną sukienkę do kolan. Augustus miał na sobie ten sam garnitur z wąskimi klapami, w którym był w Oranjee.

Kiedy uklękłam, uświadomiłam sobie, że zamknęli mu powieki – to oczywiste – i że nigdy już nie zobaczę jego niebieskich oczu.

– Kocham cię w czasie teraźniejszym – szepnęłam, a potem położyłam dłoń na jego piersi i powiedziałam:

– Okay, Gus. Jest okay. Naprawdę. Jest okay, słyszysz mnie? – Nie miałam, i nadal nie mam, żadnej pewności, że mnie usłyszał. Pochyliłam się i pocałowałam go w policzek. – Okay – powtórzyłam. – Okay.

Nagle dotarło do mnie, że wszyscy się nam przyglądają, że ostatni raz tak wiele osób widziało nasz pocałunek w Domu Anny Frank. Ale, jeśli mam być precyzyjna, nie było już żadnych „nas", którym mogli się przyglądać. Zostałam tylko ja.

Otworzyłam kopertówkę, sięgnęłam do środka i wyjęłam paczkę cameli lightów. Szybkim ruchem, którego, jak miałam nadzieję, nie zauważył nikt z obecnych, wsunęłam papierosy między bok Gusa i srebrne aksamitne obicie trumny.

– Możesz je wypalić – zapewniłam go szeptem. – Nie mam nic przeciwko temu.

Tymczasem mama i tato przeszli z moją butlą do drugiego rzędu krzeseł, żebym nie musiała za daleko iść. Gdy siadałam, tato podał mi chusteczkę. Wysiąkałam nos, założyłam rurkę za uszy i umieściłam z powrotem w nozdrzach.

Myślałam, że na pogrzeb przejdziemy do głównej świątyni, ale wszystko odbyło się w tej małej bocznej salce – chyba w Dosłownej Dłoni Jezusa, części krzyża, w którą został wbity gwóźdź. Pastor stanął za trumną, jakby była ona amboną czy czymś w tym rodzaju, i opowiadał o tym, że Augustus stoczył ciężką bitwę i że jego bohaterska postawa w obliczu choroby stanowi inspirację dla nas wszystkich, a ja zaczęłam się porządnie wkurzać, zwłaszcza kiedy powiedział: „W niebie Augustus będzie w końcu cały i zdrowy", sugerując, że nie był tak cały jak inni ludzie z powodu braku nogi. Nie powstrzymałam się od pełnego odrazy prychnięcia. Tato chwycił mnie tuż nad kolanem i spojrzał na mnie z dezaprobatą, ale z rzędu za nami ktoś niemalże niedosłyszalnie mruknął do mojego ucha:

– Ale sranie w banię, co, dziecko?

Obróciłam się.

Peter van Houten miał na sobie lniany garnitur, skrojony tak, by pomieścić jego pękatą sylwetkę, bladoniebieską koszulę i zielony krawat. Wyglądał jak kolonialista w Panamie, a nie uczestnik pogrzebu. Pastor polecił: „Módlmy się" i wszyscy pochylili głowy, ale ja nadal wpatrywałam się z szeroko otwartymi ustami w Petera van Houtena. Po chwili pisarz szepnął:

– Udawajmy, że się modlimy. – I skłonił głowę.

Próbowałam o nim zapomnieć, żeby móc pomodlić się za Augustusa. Postanowiłam słuchać pastora i więcej się nie odwracać.

Pastor poprosił na środek Isaaca, który zachowywał się o wiele poważniej niż na przed-pogrzebie.

– Augustus Waters był burmistrzem Tajnego Miasta Rakowanii i nikt nigdy go nie zastąpi – zaczął. – Być może inni opowiedzą wam o nim zabawne dykteryjki, ponieważ był zabawnym facetem, ale ja opowiem wam poważną historię. Dzień po tym, jak usunięto mi oko, Gus odwiedził mnie w szpitalu. Byłem ślepy, miałem złamane serce i nie chciało mi się żyć, ale Gus wpadł do pokoju i zawołał: „Mam świetną nowinę!". Odpowiedziałem coś w rodzaju: „Średnio mam teraz ochotę na wysłuchiwanie świetnych nowin", a Gus na to: „Akurat tę świetną nowinę chciałbyś usłyszeć", więc się poddałem. Spytałem: „Dobra, co jest?", a on odrzekł: „Czeka cię długie, dobre życie pełne wspaniałych oraz koszmarnych chwil, których teraz nie potrafisz sobie nawet wyobrazić!".

Isaac nie mógł mówić dalej, a może to było wszystko, co chciał powiedzieć.

Po tym jak pewien przyjaciel ze szkoły średniej wypowiedział się na temat wybitnego talentu koszykarskiego Gusa i jego rozlicznych zalet jako członka drużyny, pastor oznajmił:

– A teraz usłyszymy kilka słów od bliskiej przyjaciółki Augustusa, Hazel.

„Bliska przyjaciółka"? Wśród zebranych rozległy się ciche chichoty, więc uznałam, że mogę bezpiecznie zacząć od poprawienia pastora.

– Byłam jego dziewczyną.

To wywołało śmiech. A potem zaczęłam czytać napisaną przeze mnie mowę pożegnalną.

– W domu Gusa wisi wspaniały cytat, który obojgu nam dodawał wiele otuchy: „Bez smutku nie zaznalibyśmy smaku radości".

I dalej deklamowałam bzdurne motywatory, a rodzice Gusa obejmowali się i zgodnie kiwali głowami. Po prostu uznałam, że pogrzeby są dla żywych.

Po mowie jego siostry Julie ceremonia zakończyła się modlitwą o połączenie Gusa z Bogiem, ale ja wróciłam myślami do tego, co mi powiedział w Oranjee: że nie wierzy w pałace i harfy, wierzy za to w Coś przez duże C. Próbowałam więc wyobrazić go sobie Gdzieś przez duże G, ale nawet wtedy nie potrafiłam uwierzyć, że jeszcze kiedyś będziemy razem. Znałam już zbyt wielu zmarłych. Wiedziałam, że czas teraz będzie dla mnie płynął inaczej niż dla niego – że ja, jak wszyscy w tej sali, będę nadal katalogowała swoje wzloty i upadki, a on już nie. Dla mnie była to ostateczna i najbardziej dojmująca tragedia: tak jak wszyscy niezliczeni zmarli raz na zawsze został zdegradowany z nawiedzanego do nawiedzającego.

A potem jeden ze szwagrów przyniósł magnetofon i puścił kawałek wybrany przez Gusa – smutną i spokojną piosenkę The Hectic Glow zatytułowaną *Nowy partner*. Szczerze mówiąc, marzyłam tylko o tym, żeby wrócić do domu. Prawie nikogo tu nie znałam i czułam, jak małe oczka Petera van Houtena wwiercają się w moje łopatki. Lecz kiedy piosenka dobiegła końca, wszyscy musieli do mnie podejść i zapewnić, że pięknie przemawiałam i że to było piękne nabożeństwo. Kłamali: to był pogrzeb. I wyglądał jak każdy inny pogrzeb.

Żałobnicy mający nieść trumnę – kuzyni, tato, wujek, przyjaciele, których nigdy nie widziałam – podeszli, podnieśli go i ruszyli w stronę karawanu.

Kiedy wsiedliśmy z rodzicami do samochodu, oznajmiłam:

– Nie chcę tam jechać. Jestem zmęczona.

– Hazel… – zaoponowała mama.

– Mamo, nie będę miała gdzie usiąść, ceremonia potrwa pewnie całą wieczność, a ja jestem wyczerpana.

– Hazel, musimy to zrobić dla państwa Watersów – uparła się mama.

– Ale... – spróbowałam. Z jakiegoś powodu czułam się taka mała na tylnym siedzeniu. W pewnym sensie chciałam być mała. Chciałam mieć sześć lat. – Dobrze – uległam w końcu.

Wpatrywałam się w okno. Naprawdę nie chciałam tam iść. Nie chciałam patrzeć, jak opuszczają go do ziemi w miejscu, które wybrał ze swoim tatą, i nie chciałam patrzeć, jak jego rodzice opadają na kolana w wilgotną od rosy trawę i płaczą z bólu, nie chciałam patrzeć na alkoholowy brzuch Petera van Houtena rozpychający jego lnianą marynarkę, nie chciałam płakać na oczach obcych ludzi, nie chciałam wrzucić garści ziemi do jego grobu i nie chciałam, żeby moi rodzice stali tam pod czystym niebieskim niebem w popołudniowym światła pochyleniu, myśląc o ich dniu, ich dziecku, moim miejscu, mojej trumnie i mojej garści ziemi.

Ale zrobiłam te wszystkie rzeczy. Te i jeszcze straszniejsze, ponieważ mama i tata uważali, że tak należy.

Kiedy ceremonia dobiegła końca, van Houten podszedł do mnie, położył mi tłustą łapę na ramieniu i zapytał:

– Możecie mnie kawałek podwieźć? Zostawiłem samochód z wypożyczalni pod wzgórzem.

Wzruszyłam ramionami, a on dopadł tylnych drzwi, kiedy tylko tato zwolnił centralny zamek.

Już w środku wklinował się między przednie siedzenia i powiedział:

– Peter van Houten: powieściopisarz emeritus, półprofesjonalnie zajmujący się rozczarowywaniem innych.

Moi rodzice też się przedstawili. Uścisnął im dłonie. Byłam zaskoczona, że przeleciał pół świata, żeby wziąć udział w pogrzebie.

– Skąd pan w ogóle... – zaczęłam, ale przerwał mi.

– Za pomocą tego waszego piekielnego Internetu sprawdzałem nekrologi w Indianapolis. – Sięgnął do kieszeni lnianej marynarki i wyjął ćwiartkę whisky.

– I tak po prostu kupił pan bilet, i...

Znów mi przerwał, odkręcając nakrętkę.

– Piętnaście tysięcy kosztował bilet pierwszej klasy, ale posiadam odpowiedni kapitał, żeby folgować takim kaprysom. No i drinki w samolocie są za darmo. Przy odrobinie ambicji można nawet wyjść na czysto.

Upił łyk whisky, po czym pochylił się do przodu, żeby poczęstować mojego tatę, który odpowiedział:

– Hm, nie, dziękuję.

Potem van Houten kiwnął flaszką w moją stronę. Chwyciłam ją.

– Hazel – ostrzegła mama, ale ja zdjęłam nakrętkę i się napiłam. Mój żołądek zaczął dostarczać takich samych wrażeń jak płuca. Oddałam butelkę van Houtenowi. Pisarz pociągnął długi łyk, a potem powiedział:

– A zatem... *Omnis cellula e cellula.*

– Co?

– Trochę korespondowaliśmy z twoim chłopakiem Watersem i w swoim ostatnim...

– Zaraz, zaczął pan czytać pocztę od fanów?

– Nie, przysyłał listy bezpośrednio do mojego domu, nie przez wydawcę. I raczej nie nazwałbym go fanem. Gardził mną. W każdym razie uparł się, że złe uczynki zostaną mi wybaczone, jeśli przyjadę na jego pogrzeb i powiem ci, co się stało z matką Anny. Oto jestem i przywożę ci odpowiedź: *Omnis cellula e cellula.*

– Co? – zapytałam ponownie.

– *Omnis cellula e cellula* – powtórzył. – Wszystkie komórki pochodzą z komórek. Każda komórka rodzi się z poprzedniej komórki, która powstała z jeszcze wcześniejszej. Życie pochodzi od życia. Życie rodzi życie, które rodzi życie, które rodzi życie, które rodzi życie.

Dojechaliśmy do stóp wzgórza.

– Dobra, niech będzie – odrzekłam. Nie miałam nastroju na te jego gry. Peter van Houten nie zawłaszczy pogrzebu Gusa. Nie pozwolę na to. – Dzięki – dodałam. – Chyba jesteśmy u stóp wzgórza.

– Nie chcesz wyjaśnienia? – zdziwił się.

– Nie – odparłam. – Niczego mi nie trzeba. Sądzę, że jest pan żałosnym alkoholikiem, który wygłasza wyszukane farmazony, żeby zwrócić na siebie uwagę niczym jakiś nad wiek rozwinięty jedenastolatek, i bardzo mi pana żal. Ale nie, nie jest pan już tym człowiekiem, który stworzył *Cios udręki,* więc nie może pan napisać jego dalszego ciągu, choćby nawet pan chciał. Mimo to dzięki. Życzę miłego życia.

– Ale...

– I dzięki za drinka – dodałam. – A teraz proszę wysiąść z samochodu. – Wyglądał na spłoszonego. Tato zatrzymał auto i czekaliśmy chwilę pod wzgórzem, na którym znajdował się grób Gusa, aż wreszcie van Houten otworzył drzwi i, nic nie mówiąc, wysiadł.

Gdy odjeżdżaliśmy, zerknęłam przez tylne okno. Znów się napił i uniósł butelkę, jakby wznosił toast na moją cześć. Miał smutne oczy. Mówiąc szczerze, ogarnęła mnie litość.

Kiedy w końcu dotarliśmy do domu koło szóstej, byłam kompletnie wyczerpana. Chciałam tylko pójść spać, ale mama przygotowała dla mnie makaron z serem. Przynajmniej pozwoliła mi zjeść w łóżku. Spałam kilka godzin z BiPAP-em. Przebudzenie był koszmarne, bo przez krótki moment dezorientacji wydawało mi się, że wszystko jest normalnie, a potem rzeczywistość zmiażdżyła mnie na nowo. Mama odpięła mnie od BiPAP-a, a ja wzięłam przenośny zbiornik i powlokłam się do łazienki, żeby umyć zęby.

Kiedy przyglądałam się sobie w lustrze podczas szczotkowania zębów, pomyślałam, że istnieją dwa gatunki dorosłych. Tacy Peterowie van Houtenowie – nieszczęśnicy, którzy rozglądają się wokół w poszukiwaniu kogoś, kogo da się skrzywdzić. I tacy ludzie jak moi rodzice, którzy idą przed siebie niczym zombie, robiąc wszystko, co należy, żeby móc dalej iść przed siebie.

Żadna z tych perspektyw nie wydała mi się szczególnie nęcąca. Wydawało mi się, że widziałam już wszystko, co czyste i dobre na świecie, i zaczynałam przypuszczać, że gdyby śmierć się nie wtrąciła, taka miłość, jaka łączyła mnie z Augustusem, i tak nie mogłaby przetrwać. „Tak świt nam blaknie w światło dnia – jak napisał poeta. – Wszystko, co złote, krótko trwa”.*

Ktoś zapukał do drzwi łazienki.

– *Occupada* – zaprotestowałam.

– Hazel! – zawołał tato. – Mogę wejść? – Nie odpowiedziałam, ale po chwili otworzyłam zapadkę. Usiadłam na zamkniętej desce klozetowej. Dlaczego oddychanie musi być taką ciężką pracą? Tato ukląkł obok mnie. Chwycił moją głowę, przytulił do swojego obojczyka i powiedział: – Przykro mi, że Gus umarł. – Jego koszulka trochę mnie dusiła, ale było mi dobrze, że tuli mnie tak mocno, że otacza mnie kojący zapach ojca. Miałam wrażenie, że jest zły, i podobało mi się to, bo ja też byłam zła. – Totalne świństwo – mówił. – Cała ta sprawa. Osiemdziesięcioprocentowa przeżywalność i akurat on znajduje się w dwudziestu procentach? Paranoja! Był takim bystrym dzieciakiem. To jakiś koszmar. Parszywa sprawa. Ale kochać go to był prawdziwy przywilej, prawda?

Pokiwałam głową w jego koszulę.

– Może dzięki temu zrozumiesz, jak ja się czuję przy tobie – dodał.

Kochany staruszek. Zawsze wiedział, co należy powiedzieć.

---

* Robert Frost, *Wszystko, co złote, krótko trwa*, przeł. Stanisław Barańczak.

23

Kilka dni później wstałam koło południa i pojechałam do Isaaca. Sam otworzył mi drzwi.

– Mama zabrała Grahama do kina – wyjaśnił.

– Może coś razem porobimy? – zaproponowałam.

– Czy to coś to może być siedzenie na kanapie i granie w grę wideo dla niewidomych?

– Tak, właśnie coś takiego miałam na myśli.

Siedzieliśmy więc przez kilka godzin, mówiąc do ekranu i poruszając się po niewidocznym jaskiniowym labiryncie bez jednego lumena światła. Najciekawszym elementem gry były próby wciągnięcia komputera w zabawną konwersację.

Ja: Dotknij ściany jaskini.

Komputer: Dotykasz ściany jaskini. Jest wilgotna.

Isaac: Poliż ścianę jaskini.

Komputer: Nie rozumiem. Powtórz.

Isaac: Pieść wilgotną ścianę jaskini.

Komputer: Zaciskasz pięść. Uderzasz w ścianę.

Isaac: Nie pięść. PIEŚĆ.

Komputer: Nie rozumiem.

Isaac: Koleś, siedzę sam w ciemnościach w tej jaskini od tygodni i potrzebuję sobie ulżyć. PIEŚĆ ŚCIANĘ JASKINI.

Komputer: Zaciskasz pięść...

Ja: Przyciśnij miednicę do ściany jaskini.

Komputer: Nie rozumiem...

Isaac: Kochaj się z jaskinią.

Komputer: Nie rozumiem...

Ja: Dobra. Idź w lewo.

Komputer: Idziesz w lewo. Przejście się zwęża.

Ja: Idź na czworakach.

Komputer: Idziesz na czworakach przez następnych sto metrów. Przejście się zwęża.

Ja: Czołgaj się.

Komputer: Czołgasz się przez następnych trzydzieści metrów. Strużka wody spływa po twoich plecach. Docierasz do stosu kamieni blokującego przejście.

Ja: Mogę teraz pieścić jaskinię?

Komputer: Nie możesz zacisnąć pięści, bo się czołgasz.

Isaac: Nie lubię żyć w tym świecie bez Augustusa Watersa.

Komputer: Nie rozumiem...

Isaac: Ja również. Pauza.

Isaac rzucił pada na sofę między nami i zapytał:

– Wiesz, czy go to bolało?

– Na pewno musiał walczyć o oddech – odrzekłam. – W końcu stracił przytomność, ale chyba, no cóż, nie było fajnie. Umieranie jest beznadziejne.

– Taa – zgodził się Isaac. A po chwili dodał: – To się po prostu wydaje takie niemożliwe.

– Zdarza się bez przerwy – powiedziałam.

– Jesteś zła? – spytał.

– Tak – potwierdziłam. Siedzieliśmy w milczeniu przez dłuższy czas, co wcale nie przeszkadzało, i myślałam o samym początku w Dosłownym Sercu Jezusa, kiedy Gus wyznał, że boi się zapomnienia, a ja mu powiedziałam, że boi się czegoś uniwersalnego i nieuniknionego, a prawdziwym problemem nie jest samo cierpienie czy samo zapomnienie, ale ich niemoralna bezsensowność, absolutnie niehumanitarny nihilizm cierpienia. Przypomniało mi się, jak tato powiedział mi, że wszechświat chce, by go zauważono. Ale my też chcemy być zauważeni przez wszechświat, chcemy, żeby wszechświat nie miał w dupie tego, co się z nami dzieje – nie ze zbiorową ideą rozumnego życia, ale z każdym z nas z osobna.

– Gus naprawdę cię kochał, wiesz? – powiedział Isaac.

– Wiem.

– Ciągle o tobie gadał.

– Wiem – potwierdziłam.

– To było denerwujące.

– Mnie nie denerwowało – zaprotestowałam.

– Dał ci to, co pisał?

– Czyli co?

– Kontynuację książki, która ci się podobała, czy coś takiego.

Odwróciłam się do Isaaca.

– Proszę?

– Mówił, że pracuje nad czymś dla ciebie, ale nie bardzo się sprawdza jako pisarz.

– Kiedy to powiedział?

– Nie wiem. Chyba w którymś momencie po powrocie z Amsterdamu.

– W którym momencie? – naciskałam. Czy miał szansę to skończyć? Skończył i zostawił w komputerze?

– Hm – westchnął Isaac – nie wiem. Raz rozmawialiśmy o tym tutaj. Był u mnie i, hm, bawiliśmy się urządzeniem do maili, a ja właśnie dostałem mail od babci. Mogę sprawdzić dla ciebie datę…

– Tak, tak, gdzie jest to urządzenie?

Wspomniał o tym miesiąc wcześniej. Miesiąc. Niecały miesiąc, należy przyznać, ale mimo to miesiąc. Miał więc dość czasu, żeby coś napisać, cokolwiek. Zostało coś z niego, albo po nim, dla mnie. Potrzebowałam tego.

– Jadę do jego domu – oznajmiłam Isaacowi.

Pospieszyłam do minivana, wciągnęłam wózek z tlenem i umieściłam na siedzeniu pasażera. Włączyłam silnik. Z radia buchnął hip-hop, a gdy wyciągnęłam rękę, żeby zmienić stację, wokalista zaczął rapować. Po szwedzku.

Okręciłam się i wrzasnęłam na widok Petera van Houtena na tylnym siedzeniu.

– Przepraszam, że cię przestraszyłem – powiedział, przekrzykując rap. Nadal był ubrany w garnitur z pogrzebu, niemalże tydzień później. Śmierdział, jakby się pocił alkoholem. – Możesz zachować tę płytę – przyzwolił. – To Snook, jeden z głównych szwedzkich…

– Aaaa, WYNOCHA Z MOJEGO SAMOCHODU! – Wyłączyłam radio.

– To samochód twojej matki z tego, co wiem – sprostował. – Poza tym nie był zamknięty.

– O mój Boże! Wysiadka z samochodu albo zadzwonię na 911. Koleś, masz jakiś problem?

– Żeby tylko jeden – zafrasował się. – Zjawiłem się tutaj, żeby przeprosić. Słusznie sugerowałaś, że jestem żałosnym człowieczkiem uzależnionym od alkoholu. Miałem tylko jedną znajomą, która spędzała ze mną czas, a i to wyłącznie dlatego, że jej za to płaciłem – co gorsza, odeszła, porzucając mnie, rzadką duszę, która nie może zdobyć towarzystwa nawet przekupstwem. To wszystko prawda, Hazel. To i wiele więcej.

– Okay – zgodziłam się. Jego przemowa byłaby o wiele bardziej wzruszająca, gdyby tak nie bełkotał.

– Przypominasz mi Annę.

– Wielu ludziom przypominam wiele osób – odrzekłam. – Naprawdę muszę jechać.

– To jedź.

– Niech pan wysiądzie.

– Nie. Przypominasz mi Annę – powtórzył. Po sekundzie wrzuciłam wsteczny bieg i wycofałam samochód. Nie mogłam go zmusić, żeby wysiadł, i nie musiałam. Postanowiłam, że pojadę do domu Watersów, a oni zajmą się problemem.

– Oczywiście słyszałaś o Antonietcie Meo – odezwał się po chwili.

– Nie – odrzekłam. Włączyłam odtwarzacz i szwedzki hip-hop ryknął, ale van Houten go przekrzyczał.

– Być może wkrótce stanie się najmłodszą świętą niemęczennicą beatyfikowaną przez Kościół katolicki. Miała takiego samego raka jak pan Waters, kostniakomięsaka. Amputowali jej prawą nogę. Ból był rozdzierający. Gdy Antonietta Meo umierała w męczarniach w dojrzałym wieku lat sześciu, powiedziała swojemu ojcu: „Ból jest jak tkanina: im silniejszy, tym cenniejszy". Czy to prawda, Hazel?

Nie patrzyłam bezpośredni na niego, tylko na jego odbicie w lusterku.

– Nie! – wrzasnęłam głośniej niż muzyka. – To brednie!

– Ale czyż nie taka powinna być prawda? – odkrzyknął. Wyłączyłam muzykę. – Przepraszam, że popsułem wam wycieczkę. Byliście zbyt młodzi. Byliście... – Załamał się. Jakby miał prawo płakać nad Gusem. Van Houten był tylko kolejną postacią w niekończącej się procesji żałobników, którzy go nie znali, kolejnym spóźnionym lamentem na jego tablicy.

– Nie popsułeś nam wycieczki, ty nadęty bydlaku! To była fantastyczna wycieczka.

– Ja się staram – zapewnił. – Przysięgam, że się staram. – Właśnie wtedy zrozumiałam, że ktoś z jego rodziny musiał umrzeć. Zastanowiłam się nad szczerością, z jaką pisał o dzieciakach chorych na raka. Nad tym, że w Amsterdamie w ogóle nie potrafił ze mną rozmawiać poza kwestią, czy celowo ubrałam się tak jak Anna. Nad jego podłością wobec mnie i Augustusa. Nad gorzkimi pytaniami o relację między skalą bólu a jego wartością. Siedział w domu i pił, stary alkoholik, który nie trzeźwiał od lat. Pomyślałam o statystykach, których wolałabym nie znać: połowa małżeństw kończy się rok po śmierci dziecka. Spojrzałam na van Houtena. Jechałam właśnie College Street, więc stanęłam za rzędem samochodów zaparkowanych wzdłuż ulicy i zapytałam:

– Umarło panu dziecko?

– Córka – przyznał. – Miała osiem lat. Pięknie cierpiała. Nigdy nie zostanie beatyfikowana.

– Miała białaczkę? – spytałam. Pokiwał głową. – Tak jak Anna – dodałam.

– Tak jak ona, tak.

– Był pan żonaty?

– Nie. Nie w chwili jej śmierci. Byłem nie do wytrzymania już długo przed tym, zanim ją straciliśmy. Żałoba nie zmienia człowieka, Hazel. Ona go obnaża.

– Mieszkała z panem?

– Nie, początkowo nie. Dopiero pod koniec sprowadziłem ją do siebie do Nowego Jorku na serię eksperymentalnych tortur, które wzmogły jej cierpienie w ostatnich dniach, choć nie zwiększyły liczby tych dni.

– Czyli tak jakby dał jej pan drugie życie, w którym mogła być nastolatką – podsumowałam po chwili milczenia.

– Przypuszczam, że to słuszne założenie – potwierdził, a potem szybko dodał: – Zapewne jest ci znany dylemat wagonika Philippy Foot?

– I wtedy pojawiłam się u pana w domu, ubrana jak dziewczyna, na którą, jak miał pan nadzieję, ona wyrośnie, i przeżył pan wstrząs.

– Wagonik kolejki pędzi po torach bez kontroli... – kontynuował.

– Nie obchodzi mnie pański głupi dylemat – przerwałam.

– To właściwie dylemat Philippy Foot.

– Jej również – zapewniłam go.

– Moja córka nie rozumiała, dlaczego to wszystko się dzieje – wyznał. – Musiałem jej powiedzieć, że umrze. Pracownica opieki społecznej kazała mi to zrobić. Musiałem jej powiedzieć, że umrze, zapewniłem ją więc, że pójdzie do nieba. Spytała, czy tam będę, a ja na to, że nie, jeszcze nie teraz. Ale czy kiedyś? – chciała wiedzieć, a ja obiecałem, że tak, oczywiście, już niebawem. Powiedziałem, że tymczasem zaopiekuje się nią nasza wielka rodzina. Spytała, kiedy do niej przyjdę, a ja przyrzekłem, że niedługo. Dwadzieścia dwa lata temu.

– Przykro mi.

– Mnie też.

Po chwili zapytałam:

– A co się stało z jej mamą?

Uśmiechnął się.

– Nadal próbujesz wydobyć ze mnie ciąg dalszy, ty przebiegła żmijo.

Odpowiedziałam uśmiechem.

– Niech pan wraca do domu – powiedziałam. – Niech pan wytrzeźwieje. I napisze kolejną powieść. Proszę robić to, w czym jest pan dobry. Niewiele osób ma tyle szczęścia, żeby coś robić aż tak dobrze.

Przez dłuższą chwilę wpatrywał się we mnie w lusterku.

– Okay – powiedział w końcu. – Tak. Masz rację. Masz rację. – Ale już gdy to mówił, wyciągnął prawie pustą ćwiartkę whisky. Napił się, zakręcił butelkę i otworzył drzwi. – Do widzenia, Hazel.

– Niech pan trochę wyluzuje, van Houten.

Usiadł na krawężniku za samochodem. Odjeżdżając, patrzyłam w tylnym lusterku, jak staje się coraz mniejszy. Znów wyjął butelkę. Przez sekundę wydawało się, że odstawi ją na chodnik. I wtedy upił kolejny długi łyk.

To było gorące popołudnie w Indianapolis, powietrze zdawało się gęste i nieruchome, jakbyśmy znaleźli się we wnętrzu chmury. Dla mnie była to najgorsza możliwa pogoda i wmawiałam sobie, że tylko z jej powodu droga z samochodu do frontowych drzwi wydaje się ciągnąć w nieskończoność. Nacisnęłam dzwonek. Otworzyła mi mama Gusa.

– Och, Hazel – powiedziała i objęła mnie ze łzami w oczach.

Namówiła mnie, żebym zjadła z nimi trochę lazanii z bakłażanem – przypuszczam, że wiele osób przynosiło im jedzenie.

– Jak się czujesz?

– Tęsknię za nim.

Tak naprawdę nie wiedziałam, co mówić. Chciałam tylko zejść na dół i znaleźć to, co dla mnie napisał. Poza tym ich milczenie naprawdę mnie niepokoiło. Chciałam, żeby rozmawiali ze sobą, pocieszali się albo trzymali za ręce, cokolwiek. Ale oni siedzieli w ciszy, jedząc maleńkie kąski lazanii i nawet na siebie nie patrząc.

– Niebiosa potrzebowały anioła – odezwał się w końcu jego ojciec.

– To prawda – zapewniłam go. Wtem do kuchni wpadły siostry Gusa z rojem dzieci. Wstałam, przytuliłam obie i patrzyłam, jak dzieciaki biegają w kółko, dostarczając temu domowi tak potrzebnej nadwyżki hałasu i ruchu, niczym cząsteczki czystej energii odbijające się od siebie i krzyczące:

– Ty jesteś berkiem nie ty jesteś berkiem nie byłem berkiem ale dotknąłem ciebie nie dotknąłeś nie trafiłeś to dotykam teraz nie durniu już za późno DANIEL NIE NAZYWAJ BRATA DURNIEM mamo skoro nie wolno używać tego słowa to dlaczego właśnie go użyłaś dureń dureń. – A potem chóralnie: – Dureń dureń dureń dureń.

A rodzice Gusa za stołem chwycili się za ręce, co znacznie poprawiło mi samopoczucie.

– Isaac powiedział mi, że Gus coś pisał, coś dla mnie – odezwałam się. Dzieciaki nadal śpiewały pieśń o durniu.

– Możemy sprawdzić w jego komputerze – zaproponowała mama.

– Raczej rzadko go włączał w ciągu ostatnich kilku tygodni – zauważyłam.

– To prawda. Nawet nie jestem pewna, czy wnieśliśmy go na górę. Został w piwnicy, Marku?

– Nie mam pojęcia.

– No cóż – powiedziałam – mogłabym…? – Kiwnęłam głową w stronę drzwi do sutereny.

– My nie jesteśmy jeszcze na to gotowi – powiedział tato. – Ale oczywiście, tak, Hazel. Oczywiście, że możesz.

Zeszłam na dół, minęłam nieposłane łóżko oraz fotele do grania przed telewizorem. Komputer był nadal włączony. Kliknęłam myszką, żeby go obudzić ze stanu uśpienia, a potem poszukałam ostatnio otwieranych plików. Nic w ciągu miesiąca. Najnowszy był referat na temat *The Bluest Eye* Toni Morrison.

Może napisał coś ręcznie? Zajrzałam do biblioteczki w poszukiwaniu dziennika lub notatnika. Nic. Przekartkowałam jego egzemplarz *Ciosu udręki*. Nie zostawił w nim ani jednego znaku.

Potem podeszłam do stolika nocnego. *Nieskończoność Mayhema*, dziewiąta część *Ceny świtu*, leżała na blacie pod lampką z zagiętym rogiem strony 138. Nie zdążył doczytać jej do końca.

– Uwaga spoiler: Mayhem przeżyje – powiedziałam głośno na wypadek, gdyby mnie słyszał.

A potem wpełzłam do nieposłanego łóżka i owinęłam się kołdrą jak kokonem, otaczając się jego zapachem. Wyjęłam wąsy, żeby czuć jeszcze wyraźniej, wdychać go i wydychać. Zapach zaczął już blaknąć, a w piersi mnie paliło, aż nie umiałam już rozróżnić, który ból jest który.

Po chwili usiadłam na łóżku, założyłam wąsy i przez jakiś czas oddychałam, zanim ruszyłam na górę po schodach. Pokręciłam przecząco głową w odpowiedzi na pytające spojrzenia jego rodziców. Dzieciaki przegalopowały obok mnie. Jedna z sióstr Gusa – nie umiałam ich rozróżnić – zapytała:

– Mamo, chcesz, żebym ich zabrała do parku czy gdzieś indziej?

– Nie, nie, nie trzeba.

– Czy mógł gdzieś zostawić notatnik? Przy szpitalnym łóżku czy w jakimś takim miejscu?

Łóżko już zniknęło z domu, hospicjum zażądało zwrotu.

– Hazel – odpowiedział jego tato – byłaś z nami codziennie. On... Niewiele czasu spędzał sam, słonko. Nie miałby kiedy pisać. Wiem, że chciałabyś... Ja też bym tego chciał. Ale wiadomości, które teraz nam przekazuje, pochodzą z góry. – Wskazał na sufit, jakby Gus unosił się nad domem. Może się unosił. Nie wiem. W każdym razie ja nie wyczuwałam jego obecności.

– Tak – odpowiedziałam. Obiecałam, że znów ich odwiedzę za kilka dni.

Już nigdy więcej nie poczułam jego zapachu.

24

Trzy dni później, rano jedenastego dnia istnienia świata bez Gusa, zadzwonił do mnie jego tato. Nadal byłam podpięta do BiPAP-a, więc nie odebrałam, ale wysłuchałam wiadomości, kiedy się nagrywała.

– Hazel, cześć, mówi ojciec Gusa. Znalazłem, hm, czarny moleskinowy notatnik na stojaku na gazety, który stał niedaleko szpitalnego łóżka. Myślę, że Gus dałby radę do niego sięgnąć. Niestety nie ma w nim żadnych zapisków. Wszystkie strony są czyste. Ale chyba pierwsze trzy lub cztery zostały wyrwane. Przeszukaliśmy dom i nie znaleźliśmy ich. Nie wiem więc, co o tym sądzić. Może to o nich mówił Isaac? W każdym razie mam nadzieję, że się dobrze czujesz. Codziennie się za ciebie modlimy. No dobrze, pa.

Trzy lub cztery strony wydarte z notatnika i nie ma ich w domu Augustusa Watersa. Gdzie mógłby je dla mnie zostawić? Przyklejone taśmą do *Funky Bones*? Nie, nie czuł się na tyle dobrze, by się wybrać tak daleko.

Dosłowne Serce Jezusa. Może je tam zostawił swojego Ostatniego Dobrego Dnia?

A zatem nazajutrz wybrałam się na spotkanie grupy wsparcia dwadzieścia minut wcześniej niż zwykle. Podjechałam po Isaaca, a potem ruszyliśmy razem do Dosłownego Serca Jezusa z otwartymi oknami minivana, słuchając nowej płyty The Hectic Glow, której Gus już nigdy nie usłyszy.

Zjechaliśmy na dół windą. Zaprowadziłam Isaaca do krzesła w Kręgu Zaufania, a potem powoli zrobiłam obchód Dosłownego Serca. Sprawdziłam wszędzie: pod krzesłami, wokół pulpitu, za którym stałam, wygłaszając mowę pożegnalną, pod stołem na poczęstunki, na tablicy ogłoszeń obwieszonej obrazami Bożej miłości wykonanymi przez dzieci ze szkółki niedzielnej. Nic. To jedyne miejsce poza jego domem, w którym byliśmy razem w ciągu tych ostatnich dni, i albo nic tu nie było, albo to przeoczyłam. Może zostawił zapiski dla mnie w szpitalu, ale jeśli tak, to niemalże na pewno po jego śmierci trafiły do śmieci. Brakowało mi tchu, kiedy usiadłam na krześle obok Isaaca, więc przez całe bezjajeczne świadectwo Patricka perswadowałam moim płucom, że nic im nie jest, że mogą oddychać, że wystarczy im tlenu. Odciągnięto z nich płyn zaledwie tydzień przed śmiercią Gusa – patrzyłam, jak bursztynowa rakowa woda wycieka ze mnie przez rurkę – a mimo to znów miałam wrażenie, że są pełne. Byłam tak skoncentrowana na oddychaniu, że początkowo nie dotarło do mnie, że Patrick wymawia moje imię.

Wzdrygnęłam się nerwowo.

– Tak? – spytałam.

– Jak się czujesz?

– W porządku. Trochę brakuje mi tchu.

– Zechcesz podzielić się z grupą wspomnieniami o Augustusie?

– Chciałabym tylko umrzeć, Patricku. Czy ty też czasami chciałbyś tylko umrzeć?

– Tak – odpowiedział bez zwyczajowej chwili wahania. – Tak, oczywiście. Dlaczego tego nie zrobisz?

Zastanowiłam się. Moja dawna gotowa odpowiedź brzmiała, że chcę żyć dla rodziców, ponieważ po mojej śmierci pozostaną bezdzietni i zrozpaczeni. Nadal była to w pewnym sensie prawda, ale nie do końca.

– Nie wiem.

– W nadziei, że wyzdrowiejesz?

– Nie – zaprzeczyłam. – Nie o to chodzi. Naprawdę nie wiem. Isaacu? – zwróciłam się do przyjaciela. Byłam zmęczona mówieniem.

Isaac zaczął opowiadać o prawdziwej miłości. Nie mogłam im wyznać, co myślę, bo wydawało mi się to tandetne, ale myślałam o tym, że wszechświat chce, by go zauważono, i że muszę go zauważać najlepiej, jak potrafię. Czułam, że mam dług wobec tego wszechświata, który mogę spłacić tylko swoją uwagą, a także że mam dług wobec każdego, kto nie był już osobą i kto nie był jeszcze osobą. Czyli zasadniczo chodziło o to, co powiedział mój tato.

Milczałam do końca spotkania. Patrick odmówił za mnie specjalną modlitwę, a imię Gusa zostało dołączone do długiej listy zmarłych – czternastu na każdego z nas – następnie obiecaliśmy żyć dziś najlepiej, jak potrafimy, a potem zaprowadziłam Isaaca do samochodu.

Rodzice siedzieli przy stole w jadalni z laptopami. Gdy stanęłam w drzwiach, mama natychmiast zamknęła swój komputer.

– Co tam masz?

– Jakieś przepisy na potrawy bogate w antyoksydanty. Gotowa na BiPAP-a i *America's Next Top Model*? – zapytała.

– Położę się na minutkę.

– Dobrze się czujesz?

– Tak, jestem tylko trochę zmęczona.

– Musisz zjeść, zanim…

– Mamo, stanowczo brak mi apetytu. – Zrobiłam krok w stronę drzwi, ale zastąpiła mi drogę.

– Hazel, musisz jeść. Tylko trochę se…

– Idę do łóżka.

– Nie – uparła się mama. – Nie idziesz.

Zerknęłam na tatę, który wzruszył ramionami.

– To moje życie – oznajmiłam.

– Nie możesz zagłodzić się na śmierć dlatego, że Augustus umarł. Zjesz kolację.

Byłam naprawdę wkurzona z jakiegoś powodu.

– Nie mogę jeść, mamo! Nie mogę. Okay?

Próbowałam się przecisnąć obok niej, ale chwyciła mnie za ramiona i powiedziała:

– Hazel, zjesz obiad. Musisz być zdrowa.

– NIE! – krzyknęłam. – Nie zjem obiadu i nie mogę być zdrowa, bo nie jestem zdrowa. Ja umieram, mamo. Umrę i zostawię cię samą, i nie będziesz miała się nad kim trząść, i nie będziesz już matką, ale przykro mi, nic nie mogę na to poradzić, okay?!

Natychmiast pożałowałam swoich słów.

– Słyszałaś? – jęknęła mama.

– Co?

– Słyszałaś, jak mówiłam to do ojca? – W jej oczach wezbrały łzy. – Tak? – Kiwnęłam głową. – O Boże, Hazel. Przepraszam. Nie miałam racji, słonko. To nie była prawda. Powiedziałam to w chwili rozpaczy. Wcale tak nie myślę. – Usiadła, a ja obok niej. Pomyślałam, że zamiast tak się wściekać, powinnam była po prostu zwymiotować dla niej trochę makaronu.

– W takim razie jak myślisz? – zapytałam.

– Dopóki obie żyjemy, będę twoją mamą – powiedziała. – Nawet jeśli umrzesz...

– Kiedy – poprawiłam ją.

Skinęła głową.

– Nawet kiedy umrzesz, nadal będę twoją mamą, Hazel. Nie przestanę nią być. Czy ty przestałaś kochać Gusa? – Pokręciłam głową. – To jak ja mogłabym przestać kochać ciebie?

– Okay – powiedziałam. Tata już płakał.

– Chcę, żebyście mieli własne życie – zaapelowałam do nich. – Martwię się, że nie będziecie mieli własnego życia, że będziecie siedzieli tu całymi dniami beze mnie, wpatrywali się w ściany i chcieli ze sobą skończyć.

Po minucie mama wyznała:

– Uczę się na uniwersytecie. Online, przez Internet. Zamierzam zrobić dyplom z opieki społecznej. Prawdę mówiąc, wcale teraz nie czytałam przepisów. Pisałam referat.

– Poważnie?

– Nie chcę, żebyś myślała, że wyobrażam sobie świat bez ciebie. Ale jeśli zrobię dyplom, to będę mogła doradzać rodzinom w kryzysie albo moderować grupy z chorobą w rodzinie, albo...

– Czekaj, czyli będziesz takim Patrickiem?

– No, nie całkiem. Są różne rodzaje pracy w opiece społecznej.

– Oboje martwiliśmy się – wtrącił tato – że poczujesz się odrzucona. Ważne, byś wiedziała, że zawsze tu dla ciebie jesteśmy, Hazel. Mama donikąd się nie wybiera.

– Ale to jest wspaniałe. Fantastyczne! – Naprawdę się uśmiechałam. – Mama zostanie Patrickiem. Będzie wspaniałym Patrickiem! Będzie o wiele lepszym Patrickiem niż Patrick.

– Dziękuję, Hazel. To dla mnie wiele znaczy.

Pokiwałam głową. Rozpłakałam się. Nie mogłam uwierzyć, że jestem taka szczęśliwa, że ronię prawdziwe łzy szczęścia po raz pierwszy od nie wiadomo jak dawna, wyobrażając sobie mamę jako Patricka. Przyszła mi na myśl mama Anny. Ona też byłaby dobrym pracownikiem społecznym.

Po chwili włączyliśmy telewizor i puściliśmy *ANTM*. Ale po pięciu sekundach zatrzymałam program, ponieważ miałam mnóstwo pytań do mamy.

– Ile ci jeszcze zostało nauki?

– Jeżeli pojadę tego lata na tydzień do Bloomington, powinnam skończyć studia przed grudniem.

– A jak długo ukrywasz to przede mną?

– Rok.

– M a m o!

– Nie chciałam sprawić ci przykrości, Hazel.

Zdumiewające.

– A zatem kiedy czekasz na mnie pod szkołą, grupą wsparcia czy w innym miejscu, to zawsze…

– Tak, uczę się albo czytam.

– To wspaniale. Jak umrę, to chcę, żebyś wiedziała, że będę wzdychała z politowaniem z nieba za każdym razem, gdy poprosisz kogoś, żeby podzielił się swoimi uczuciami.

Tato wybuchnął śmiechem.

– Będę cię wspierał, dziecino – zapewnił mnie.

W końcu obejrzeliśmy *ANTM*. Tato naprawdę bardzo się starał nie umrzeć z nudów, ale ciągle mylił dziewczęta i pytał:

– Tę lubimy?

– Nie, nie. Nie znosimy Anastasii. Lubimy Antonię, tę drugą blondynkę – wyjaśniała mama.

– Wszystkie są wysokie i okropne – uznał tato. – Wybaczcie, że nie widzę różnicy. – Ujął mamę za rękę.

– Myślicie, że zostaniecie ze sobą, jeśli umrę? – zapytałam.

– Co takiego? Kotku! – Mama znalazła po omacku pilota i znów zastopowała program. – Co ty wymyślasz?

– Tylko pytam, czy zostaniecie razem.

– Tak, oczywiście. Oczywiście – zapewnił tato. – Kochamy się z twoją mamą i jeśli cię stracimy, przejdziemy przez to razem.

– Przysięgnijcie na Boga – poprosiłam.

– Przysięgam na Boga – powiedział.

Spojrzałam na mamę.

– Przysięgam na Boga – zgodziła się. – Dlaczego w ogóle się o to martwisz?

– Nie chcę zniszczyć wam życia.

Mama pochyliła się i wtuliła twarz w moje rozczochrane włosy, a potem pocałowała mnie w sam czubek głowy. Powiedziałam do taty:

– Nie chcę, żebyś stał się żałosnym, bezrobotnym alkoholikiem czy kimś w tym rodzaju.

Mama się uśmiechnęła.

– Twój tato nie jest Peterem van Houtenem, Hazel. Ty najbardziej ze wszystkich ludzi wiesz, że z bólem da się żyć.

– Okay – powiedziałam. Mama mnie przytuliła, a ja nawet pozwoliłam jej myśleć, że tak naprawdę wcale nie chcę, żeby mnie przytulała. – Dobra, możesz puścić program – oznajmiłam. Anastasia została wyrzucona. Wpadła w szał. Było fantastycznie.

Przełknęłam kilka kęsów obiadu – makaron kokardki z pesto – i udało mi się go utrzymać w żołądku.

25

Następnego ranka obudziłam się w panice, ponieważ śniło mi się, że jestem sama i bez łódki na środku wielkiego jeziora. Usiadłam raptownie, naciągając przewody BiPAP-a, i poczułam, że mama obejmuje mnie ramieniem.

– Hej, nic ci nie jest?

Serce waliło mi jak szalone, ale pokręciłam głową.

– Dzwoni do ciebie Kaitlyn – oznajmiła mama.

Wskazałam BiPAP. Pomogła mi się z niego wyplątać i podłączyła mnie do Philipa. W końcu wzięłam komórkę.

– Cześć, Kaitlyn – odezwałam się.

– Dzwonię, żeby sprawdzić, jak się masz – wyjaśniła przyjaciółka. – Jak sobie radzisz?

– Dzięki – odrzekłam. – Radzę sobie.

– Miałaś koszmarnego pecha, kochana. To po prostu n i e d o r z e c z n e.

– Pewnie tak – zgodziłam się. Nie myślałam już wiele o swoim pechu. Mówiąc szczerze, tak naprawdę nie miałam wcale ochoty na rozmowę z Kaitlyn, ale ona nie rezygnowała.

– A więc jak to jest? – zapytała.

– Kiedy umiera twój chłopak? Hm, beznadziejnie.

– Nie – sprostowała. – Kiedy jest się zakochanym.

– Och – zdziwiłam się. – Hm, było... Było miło spędzać czas z kimś tak interesującym. Bardzo się od siebie różniliśmy i nie zgadzaliśmy się w wielu kwestiach, ale zawsze był interesujący, rozumiesz?

– Doprawdy nie! Chłopcy, których znam, są w znacznej mierze zupełnie nieinteresujący.

– Nie był ideałem ani nic takiego. Nie był księciem z bajki. Czasami próbował, ale najbardziej go lubiłam, kiedy maska opadała.

– Masz kajecik z wklejonymi zdjęciami i listami, które pisał?

– Mam parę zdjęć, ale nigdy nie pisał do mnie listów. Brakuje kilku stron z notatnika, na których mogło być coś dla mnie, ale chyba je wyrzucił albo po prostu się gdzieś zapodziały.

– Może wysłał je do ciebie pocztą – zasugerowała.

– Nie, już by doszły.

– To może nie napisał ich do ciebie – powiedziała. – Może... To znaczy, nie chcę sprawić ci przykrości, ale może napisał je do kogoś innego i wysłał...

– VAN HOUTEN! – wrzasnęłam.

– Dobrze się czujesz? To był kaszel?

– Kaitlyn, uwielbiam cię! Jesteś genialna. Muszę kończyć.

Rozłączyłam się, przekręciłam na bok, sięgnęłam po laptopa, włączyłam go i napisałam maila na adres lidewij.vliegenthart.

Lidewij!

Wydaje mi się, że Augustus Waters wysłał list do Petera van Houtena niedługo przed tym, jak umarł (to znaczy Augustus). Jest dla mnie bardzo ważne, żeby ktoś go przeczytał. Ja oczywiście bardzo bym chciała to zrobić, ale może list nie jest przeznaczony dla mnie. Niezależnie od tego, ktoś musi go przeczytać. Musi!

Czy możesz mi pomóc?
Twoja przyjaciółka
Hazel Grace Lancaster

Odpowiedziała po południu.

Droga Hazel!

Nie wiedziałam, że Augustus umarł. Ta wiadomość bardzo mnie przygnębiła. Był takim charyzmatycznym młodzieńcem. Jest mi bardzo przykro i smutno.

Nie rozmawiałam z Peterem, od kiedy rzuciłam pracę tego dnia, gdy się poznałyśmy. U nas jest już późny wieczór, ale pójdę do jego domu zaraz z rana, żeby znaleźć ten list. Zmuszę Petera, żeby go przeczytał. Zazwyczaj poranki były jego najlepszą porą.

Twoja przyjaciółka
Lidewij Vliegenthart
PS Wezmę mojego narzeczonego, gdybyśmy musieli wywrzeć presję w sensie fizycznym.

Zastanawiałam się, dlaczego Gus miałby przed śmiercią napisać do van Houtena, zamiast do mnie, skoro już mu powiedział, że może odkupić swoje winy, dając mi dalszy ciąg książki. A może kartki z notesu zawierały tylko powtórzenie tej prośby? To by miało sens. Gus mógł wykorzystać swoją śmiertelną chorobę, żeby spełnić moje marzenie. Umrzeć za kontynuację książki – nie był to zbyt doniosły czyn, ale też najdonioślejszy, jaki pozostał do jego dyspozycji.

Przez cały wieczór co chwila sprawdzałam maile, potem przespałam się kilka godzin, a następnie koło piątej rano znów zaczęłam sprawdzać pocztę. Ale nic nie przyszło. Próbowałam oglądać telewizję, żeby zająć czymś umysł, lecz myślami cały czas wracałam do Amsterdamu, wyobrażałam sobie, jak Lidewij i jej narzeczony jadą na rowerach przez miasto z szaloną misją odnalezienia ostatniej korespondencji zmarłego chłopaka. Jakie to by było cudowne podskakiwać na bagażniku roweru Lidewij Vliegenthart na ceglanych ulicach. Wiatr zwiewałby jej kręcone rude włosy prosto w moją twarz, wokół byłoby czuć zapach kanałów i dymu papierosowego, a ludzie siedzieliby przed kawiarniami, pijąc piwo i wymawiając swoje „r" i „g" w sposób, którego nigdy nie opanuję.

Brakowało mi przyszłości. Oczywiście, wiedziałam jeszcze przed nawrotem jego choroby, że nigdy się nie zestarzeję z Augustusem Watersem. Ale wyobrażając sobie Lidewij i jej chłopaka, poczułam się ograbiona. Prawdopodobnie nigdy więcej nie zobaczę oceanu z wysokości dziesięciu tysięcy metrów, skąd nie można już rozróżnić fal ani statków, skąd woda wygląda jak wielki, nieskończony monolit. Wyobrażałam go sobie. Pamiętałam go. Ale nie mogłam go więcej zobaczyć i przyszło mi do głowy, że żarłocznych ambicji ludzi nigdy nie zaspokajają spełnione marzenia, ponieważ zawsze pojawia się myśl, że można by było wszystko zrobić ponownie i lepiej.

Pewnie taka jest prawda, nawet jeśli człowiek dożywa dziewięćdziesiątki – choć zazdroszczę tym, którzy mogą się o tym przekonać. A z drugiej strony już żyłam dwukrotnie dłużej od córki van Houtena. Czegóż on by nie oddał, żeby jego dziecko zmarło w wieku lat szesnastu?

Nagle mama stanęła między mną a telewizorem, z rękami założonymi za plecami.

– Hazel – powiedziała. W jej głosie brzmiała taka powaga, że pomyślałam, że coś się stało.

– Tak?

– Wiesz, co dzisiaj jest?

– Chyba nie moje urodziny?

Zaśmiała się.

– Jeszcze nie. Dziś jest czternasty lipca, Hazel.

– To t w o j e urodziny?

– Nie...

– Urodziny Harry'ego Houdiniego?

– Nie...

– Męczy mnie ta zgadywanka.

– DZIŚ JEST DZIEŃ BASTYLII! – Wyciągnęła ręce zza pleców, pokazując dwie plastikowe francuskie flagi i machając nimi entuzjastycznie.

– To brzmi jak jakieś oszustwo. Jak Dzień Wiedzy o Cholerze.

– Zapewniam cię, Hazel, że nie ma nic oszukańczego w Dniu Bastylii. Wiedziałaś, że dwieście dwadzieścia trzy lata temu naród francuski uderzył na więzienie w Bastylii, żeby się uzbroić i walczyć o wolność?

– Kurczę – odpowiedziałam. – Powinniśmy uczcić tę doniosłą rocznicę.

– Tak się składa, że zaprosiłam twojego tatę na piknik w Holliday Park.

Nigdy nie przestawała próbować, ta moja mama. Wsparłam się o sofę i wstałam. Razem przygotowałyśmy kanapki i wydobyłyśmy zakurzony kosz piknikowy ze stojącej w hallu szafy na rupiecie.

Był piękny dzień, w końcu prawdziwe lato w Indianapolis – ciepłe i wilgotne. Taka pogoda, która przypomina nam po długiej zimie, że choć świat nie został stworzony dla ludzi, my zostaliśmy stworzeni dla niego. Tato ubrany w jasnobrązowy garnitur czekał na nas na miejscu parkingowym dla niepełnosprawnych, pisząc coś na swoim palmtopie. Pomachał, gdy zaparkowałyśmy, a potem mnie przytulił.

– Wspaniały dzień – powiedział. – Gdybyśmy mieszkali w Kalifornii, wszystkie byłyby takie.

– Tak, ale wtedy by cię nie cieszyły – zauważyła mama. Nie miała racji, ale jej nie korygowałam.

Rozłożyliśmy koc obok dziwacznego prostokąta romańskich ruin, nie wiadomo dlaczego usytuowanych na środku łąki w Indianapolis. Oczywiście to nie jest prawdziwy zabytek: to raczej rzeźba odwzorowująca ruiny powstała osiemdziesiąt lat temu, lecz od tamtej pory te fałszywe gruzy były tak starannie zaniedbywane, że przez przypadek niejako stały się prawdziwymi ruinami. Spodobałyby się van Houtenowi. Gusowi też.

Usiedliśmy więc w ich cieniu i zjedliśmy skromny lunch.

– Chcesz krem z filtrem słonecznym? – zapytała mama.

– Nie trzeba – odrzekłam.

Było słychać wiatr w liściach. Niósł krzyki dzieci z pobliskiego placu zabaw, małych dzieci uczących się, jak żyć, jak pokonywać trudności w świecie, który nie został stworzony dla nich, przez pokonywanie trudności na placu zabaw, który dla nich zbudowano. Tato zauważył, że im się przyglądam, i zapytał:

– Brakuje ci tego, że nie możesz tak brykać?

– Może czasami. – Ale nie o tym myślałam. Próbowałam dostrzec wszystko: światło na zrujnowanych ruinach, małego dzieciaka, który dopiero co nauczył się chodzić, znajdującego patyk w rogu placu zabaw, moją niezmordowaną mamę robiącą esy-floresy z musztardy na kanapce z indykiem, ojca chowającego palmtopa do kieszeni i walczącego z pokusą, żeby na niego znowu nie zerknąć, faceta rzucającego frisbee, i jego psa, który wytrwale je gonił, łapał i przynosił z powrotem.

Kimże jestem, by twierdzić, że to wszystko być może nie jest wieczne? Kimże jest Peter van Houten, by uznawać za fakt domniemanie, iż nasz wysiłek jest tymczasowy? Wszystko, co wiem o niebiosach i co wiem o śmierci, znajduje się w tym parku: elegancki wszechświat w bezustannym ruchu, pełen zrujnowanych ruin i rozwrzeszczanych dzieci.

Ojciec pomachał ręką przed moją twarzą.

– Odbiór, Hazel. Jesteś tu?

– Przepraszam, tak, słucham?

– Mama zaproponowała, żebyśmy odwiedzili Gusa.

– Och. Dobrze – zgodziłam się.

Tak więc po lunchu pojechaliśmy na cmentarz Crown Hill, ostateczne miejsce spoczynku trzech wiceprezydentów, jednego prezydenta oraz Augustusa Watersa. Wjechaliśmy na wzgórze i zaparkowaliśmy. Za nami samochody przejeżdżały z rykiem po Trzydziestej Ósmej ulicy. Łatwo było znaleźć jego grób: był tu najnowszy. Nad trumną nadal wznosił się kopczyk świeżej ziemi. Gus nie miał jeszcze nagrobka.

Nie wyczuwałam jego obecności ani nic takiego, ale mimo to wzięłam jedną z głupich francuskich flag mamy i wetknęłam w ziemię u stóp grobu. Może przechodnie pomyślą, że był członkiem francuskiej Legii Cudzoziemskiej albo jakimś bohaterskim najemnikiem.

Lidewij odpisała w końcu tuż po szóstej po południu, kiedy siedziałam na kanapie, oglądając równocześnie telewizję i filmy na laptopie. Od razu zauważyłam, że wraz z mailem przyszły cztery załączniki, i chciałam natychmiast je otworzyć, ale oparłam się pokusie i najpierw przeczytałam list.

Droga Hazel!

Peter był bardzo pijany, kiedy przyszliśmy do niego dziś rano, ale to nam w pewnym sensie ułatwiło zadanie. Bas (mój chłopak) odwracał jego uwagę, podczas gdy ja przeszukałam torbę na śmieci, w której Peter trzyma pocztę od fanów, ale potem uświadomiłam sobie, że Augustus przecież znał jego adres domowy. Na stole w jadalni leżała wielka sterta korespondencji i w niej szybciutko znalazłam list. Otworzyłam go i zobaczyłam, że jest skierowany do Petera, więc poprosiłam, żeby go przeczytał.

Odmówił.

Bardzo się zezłościłam, Hazel, ale nie krzyczałam na niego. Zamiast tego powiedziałam mu, że w imię swojej zmarłej córki powinien przeczytać tę wiadomość od zmarłego chłopaka. Podałam mu list, a on przeczytał go w całości i powiedział (cytuję dosłownie): „Wyślij to dziewczynie i powiedz, że nie mam nic do dodania".

Nie czytałam tego listu, choć mój wzrok padł na kilka zdań, kiedy skanowałam kartki. Przesyłam je jako załącznik, ale wyślę je też na twój domowy adres. Mam nadzieję, że się nie zmienił?

Niech Bóg cię chroni i błogosławi, Hazel.

Twoja
Lidewij Vliegenthart

Otworzyłam załączniki. Pismo Gusa było chwiejne, czasami ciągnęło się w poprzek kartki, zmieniał się rozmiar liter i kolor długopisu. Pisał to przez wiele dni w różnych stanach świadomości.

Van Houten!

Jestem dobrym człowiekiem, ale gównianym pisarzem. Ty jesteś gównianym człowiekiem, za to dobrym pisarzem. Stanowilibyśmy zgrany zespół. Nie chcę cię prosić o żadne przysługi, ale jeśli masz czas – a z tego, co widziałem, masz go mnóstwo – pomyślałem, że mógłbyś napisać mowę pożegnalną dla Hazel. Mam notatki i wszystko, ale może zrobiłbyś z tego spójną całość? Albo chociaż podpowiedziałbyś, co powinienem ująć inaczej.

A oto parę przemyśleń o Hazel: Niemalże wszyscy mają obsesję na punkcie pozostawienia po sobie jakiegoś śladu na ziemi. Przekazania swojego dziedzictwa potomności. Dalszego istnienia po śmierci. Wszyscy chcemy zostać zapamiętani. Ja też chcę. Najbardziej niepokoi mnie to, że będę kolejną zapomnianą ofiarą w odwiecznej i niechlubnej wojnie z chorobą.

Chcę pozostawić ślad.
Ale, van Houten: Ślady, które ludzie pozostawiają po sobie, zbyt często są bliznami. Budujesz paskudny minimarket, wszczynasz przewrót albo próbujesz zostać gwiazdą rocka i myślisz: „Teraz mnie zapamiętają", ale a) nie zapamiętają cię, b) pozostawisz po sobie tylko więcej blizn. Twój zamach stanu przeradza się w dyk-

taturę. Twoje centrum handlowe staje się siedliskiem patologii.

(Okay, może nie jestem takim gównianym pisarzem. Ale nie umiem zebrać myśli do kupy, van Houten. Moje idee to gwiazdy, których nie potrafię ułożyć w konstelacje).

Jesteśmy jak psy obsikujące uliczne hydranty. Zatruwamy wody gruntowe toksycznymi sikami, znacząc wszystko jako MOJE w żałosnej próbie przetrwania własnej śmierci. Nie umiem przestać sikać na hydranty. Wiem, że to durne i bezcelowe – imponująco bezcelowe w moim obecnym stanie – ale jestem takim samym zwierzęciem jak wszyscy.

Hazel jest inna. Ona stąpa lekko, staruszku. Stąpa lekko po ziemi. Hazel zna prawdę: prawdopodobieństwo, że zranimy wszechświat, jest takie samo jak to, że mu pomożemy, a nie możemy zrobić ani jednego, ani drugiego.

Ludzie powiedzą, że to smutne, że ona pozostawi po sobie mniejszą bliznę, że mniej osób będzie ją pamiętało, że była kochana głęboko, ale nie powszechnie. Ale to nie jest smutne, van Houten. To tryumfalne. Heroiczne. Czyż to nie jest prawdziwy heroizm? Jak mówią lekarze: po pierwsze – nie krzywdzić.

Prawdziwi bohaterowie to nie są ludzie, którzy robią różne rzeczy. Prawdziwi bohaterowie ZAUWAŻAJĄ różne rzeczy, zwracają na nie uwagę. Facet, który wynalazł szczepionkę na ospę, tak naprawdę niczego nie wynalazł. On tylko zauważył, że ludzie z ospą krowią nie chorują na ospę prawdziwą.

Po tym, jak zrobiłem tomografię i moje ciało się rozjarzyło, wślizgnąłem się na OIOM, na którym ona leżała nieprzytomna. Po prostu wszedłem za pielęgniarką z identyfikatorem i siedziałem przy Hazel przez jakieś dziesięć minut, zanim mnie przyłapano. Naprawdę myślałem, że ona umrze, zanim zdołam jej powiedzieć, że ja też umieram. To było okrutne: nieprzerwana mechaniczna tyrada urządzeń podtrzymujących życie. Z jej piersi kapała ciemna nowotworowa ciecz. Oczy miała zamknięte. Była zaintubowana. Ale jej dłoń nadal była jej dłonią, nadal ciepłą, z paznokciami pomalowanymi na ten niemal czarny granat, a ja tylko trzymałem ją za rękę i próbowałem wyobrazić sobie świat bez nas, i może przez jedną sekundę byłem na tyle dobrym człowiekiem, by mieć nadzieję, że ona odejdzie i nigdy się nie dowie, że ja też mam niedługo umrzeć. Ale potem zapragnąłem mieć więcej czasu, żebyśmy się mogli zakochać. Moje życzenie chyba się spełniło. Zostawiłem po sobie bliznę.

Później przyszedł pielęgniarz i kazał mi wyjść, bo odwiedzający nie mają wstępu na oddział, a ja go spytałem, czy jej stan się poprawia. Odpowiedział: „Woda nadal przybiera". Błogosławieństwo pustyni, przekleństwo oceanu.

Co jeszcze? Jest taka piękna. Możesz na nią patrzeć bez końca. Nigdy się nie martwisz, że jest bystrzejsza od ciebie: po prostu wiesz, że taka jest. Umie być zabawna, nigdy nie będąc wredną. Kocham ją. Jestem takim szczęściarzem, że ją kocham, van Houten. Nie masz wpływu na to, że ktoś cię zrani na tym świecie, staruszku, ale masz coś do powiedzenia na temat tego, kim ta osoba będzie. Podoba mi się mój wybór. Mam nadzieję, że ona jest zadowolona ze swojego.

Jestem, Augustusie.
Jestem.

Podziękowania

Autor chciałby wyrazić wdzięczność wielu osobom.

Choroba i metody jej leczenia zostały przedstawione w tej powieści w sposób fikcyjny. Na przykład nie istnieje nic takiego jak Phalanxifor. Wymyśliłem go, bo chciałbym, żeby istniał. Osoby szukające prawdziwych danych na temat raka powinny przeczytać *Cesarz wszech chorób. Biografia raka** pióra Siddharthy Mukherjeego. Wiele zawdzięczam lekturze *The Biology of Cancer* Roberta A. Weinberga i mam również dług wobec Josha Sundquista, Marshalla Urista oraz Jonneke Hollanders za to, że podzielili się ze mną czasem i wiedzą medyczną, którą i tak ignorowałem radośnie za każdym razem, kiedy mi to odpowiadało.

Esther Earl, której życie było darem dla mnie i dla wielu innych. Jestem też wdzięczny jej rodzinie – Lori, Wayne'owi, Abby, Angie, Grahamowi i Abemu – za hojność i przyjaźń. Zainspirowani przez Esther Earlowie założyli ku jej pamięci fundację charytatywną „Ta gwiazda nigdy nie zgaśnie". Możecie dowiedzieć się o niej więcej na stronie tswgo.org.

Holenderskiej Fundacji Literackiej za dwa miesiące pisania w Amsterdamie. Szczególnie wdzięczny jestem Fleur van Koppen, Jeanowi Christophe'owi Boele van Hens-

---

* W Polsce książka ukaże się w 2013 roku.

broekowi, Janetcie de With, Carlijn van Ravenstein, Margje Scheepsma i holenderskiej społeczności nerdfighterów.

Mojej redaktorce Julie Strauss-Gabel, która była skazana na tę opowieść przez wiele lat szczegółowych analiz i wątpliwości, podobnie jak wyjątkowy zespół wydawnictwa Penguin. Szczególne podziękowania należą się Rosanne Lauer, Deborah Kaplan, Lizie Kaplan, Elyse Marshall, Steve'owi Meltzerowi, Novej Ren Sumie i Irene Vandervoort.

Ilene Cooper, mojej mentorce i dobrej wróżce.

Mojej agentce, Jodi Reamer, której światłe rady ratowały mnie przed rozlicznymi katastrofami.

Nerdfighterom za to, że są wspaniali.

Catitude za to, że stara się, by świat był mniej beznadziejny.

Mojemu bratu Hankowi, który jest moim najlepszym przyjacielem i najbliższym współpracownikiem.

Mojej żonie Sarah, która jest nie tylko wielką miłością mojego życia, ale też moją pierwszą i najbardziej zaufaną czytelniczką. A także maluchowi, Henry'emu, którego urodziła. Ponadto moim rodzicom, Mike'owi i Sydney Greenom, oraz teściom, Connie i Marshallowi Uristom.

Moim przyjaciołom, Chrisowi i Marinie Watersom, którzy pomagali przy tej opowieści w istotnych momentach, a także Joellen Hosler, Shannon James, Vi Hart, Karen Kavett, posiadającej dogłębną wiedzę na temat wykresów Venna, Valerie Barr, Rosiannie Halse Rojas i Johnowi Darniellemu.